D0587871

Sous ma protection

Dangereuse proximité

BEVERLY LONG

Sous ma protection

BLACK *ROSE*

éditions HARLEQUIN

Collection : BLACK ROSE

Titre original : RUNNING FOR HER LIFE

Traduction française de CAROLE PAUWELS

Photos de couverture
Couple : © GRAPHICOBSESSION/VLADIMIR GODNIK/BEYOND
Paysage : © LAYNE KENNEDY/CORBIS
Réalisation graphique couverture : E. COURTECUISSE (Harlequin SA)

83-85, boulevard Vincent-Auriol, 75646 PARIS CEDEX 13.
Service Lectrices — Tél. : 01 45 82 47 47
www.harlequin.fr
ISBN 978-2-2802-8073-0 — ISSN 1950-2753

1

Jake Vernelli augmenta la vitesse des essuie-glaces et serra plus fermement le volant de son pick-up GMC de 1969. Par une plaisante nuit d'été, il aurait encore fait jour pendant une bonne heure, mais cette nuit-ci n'avait décidément rien de plaisant. Elle était sombre et lugubre, et s'accordait parfaitement à son humeur.

Quand il lui avait décrit Wyattville, son vieil ami Chase s'était montré passablement évasif. « C'est un peu isolé. »

Isolé ? C'était peu dire. Tout signe de civilisation avait disparu depuis qu'il avait quitté l'autoroute pour s'engager sur l'étroite et cahoteuse route à deux voies. Plus d'une fois, il avait caressé l'idée de faire demi-tour et de quitter ce coin perdu du Minnesota pour retourner à Minneapolis. Mais le coup de fil désespéré que Chase lui avait passé la semaine précédente résonnait encore à ses oreilles.

« Je t'en prie, Jake. Ce n'est que pour six semaines. Je ne te le demanderais pas si j'avais une autre solution. »

C'était on ne peut plus vrai. Depuis toutes ces années qu'ils se connaissaient, Chase ne lui avait jamais rien demandé. En revanche, il avait toujours répondu présent quand il le fallait.

La dernière fois remontait à deux mois, quand Jake avait voulu rendre son insigne. Il avait dit à Chase qu'il allait bien, que sa blessure cicatrisait normalement, et qu'il avait surmonté la mort de Marcy.

C'était la première fois qu'il mentait à son ami.

Mais que pouvait-il dire d'autre ? Qu'il pensait à sa coéquipière tous les jours, en se reprochant de ne pas avoir mieux évalué le risque qu'elle courait ?

Pouvait-il admettre qu'il se trouvait incroyablement chanceux de n'avoir reçu qu'une balle dans la jambe, tandis que Marcy Howard, prise dans un tir croisé, avait perdu la vie ?

Devait-il révéler qu'au milieu de la nuit, quand la culpabilité rongeait son âme, il se demandait si tout cela avait servi à quelque chose ? Le trafiquant qu'ils poursuivaient était mort, mais un autre avait pris sa place. Il y aurait toujours de la drogue dans les rues, dans les écoles, partout.

Pouvait-il avouer qu'il avait l'impression d'être inutile ?

Il valait mieux mentir.

Et prétendre qu'il continuait à aller de l'avant.

Il tendit le bras et alluma le plafonnier pour vérifier les indications qu'il avait reçues dans l'après-midi. Après avoir eu confirmation qu'il roulait dans la bonne direction, il éteignit et reporta son attention sur la route.

A cent cinquante mètres, un cerf se dressait devant lui.

Il pressa le Klaxon du plat de la main, enfonça la pédale de frein, et sentit son cœur s'emballer quand ses roues arrière se mirent à patiner sur la chaussée humide.

Le plateau du pick-up alla heurter le rail de sécurité, et le lourd véhicule fit un tête-à-queue. La ceinture de sécurité de Jake se bloqua, lui cisaillant le torse, et quelque chose, probablement sa lampe torche, vint le frapper au menton.

Le pick-up vira une seconde fois et s'arrêta si abruptement que Jake se cogna violemment la tempe gauche contre l'embrasure métallique de la vitre.

Laissant échapper un juron, il chercha le plafonnier, l'alluma, et vérifia les dégâts. La cabine avait l'air en bon état, et il se félicita que le pick-up, baptisé « Veronica » par ses soins, ait la solidité d'un tank.

Il rabattit le pare-soleil et s'observa dans le miroir de courtoisie. La zone au-dessus de son œil gauche était déjà en train d'enfler et du sang coulait d'une fine estafilade.

Il regarda à travers le pare-brise. Les phares éclairaient toujours, mais la seule chose qu'il parvenait à distinguer à travers l'écran de pluie était des herbes hautes. *Partout.* Il avait atterri dans une sorte de petit ravin. Le moteur tournait toujours, mais le véhicule était bel et bien bloqué.

Il sortit son téléphone portable de la poche de sa chemise et vérifia à l'écran l'état de la barre de réseau.

Rien. Pas de signal.

Evidemment, il ne fallait pas s'attendre à ce que la téléphonie mobile fonctionne dans ce trou perdu !

Jake serra le frein à main, retira la clé du contact et défit sa ceinture de sécurité. Muni de la lampe torche, il constata qu'il était embourbé jusqu'à mi-hauteur de la porte. Il se déplaça sur la banquette pour regarder du côté passager.

Même chose.

Il ouvrit la boîte à gants, récupéra son arme et la glissa dans la ceinture de son jean. Puis il attrapa sous le siège son poncho de pluie kaki, le déroula, et le fit passer au-dessus de sa tête. Se servant comme d'un marteau du long manche en acier de la torche, il fit ensuite voler le pare-brise en éclats et rampa à l'extérieur.

Une fois sur le capot, il réalisa que celui-ci émergeait de cinquante centimètres à peine au-dessus du sol. Sortir le pick-up de là ne serait pas une mince affaire, même pour un dépanneur qui avait du métier.

Le vent lui coupait le souffle, et la pluie le fouettait avec rudesse, tandis que les éclairs zébraient le ciel d'une aveuglante lumière blanche. C'était une nuit horrible pour se trouver dehors, et il ne se voyait pas attendre là que quelqu'un passe.

Il rabattit sa capuche et se mit en marche.

*
* *

Tara Thompson gara sa camionnette vieille de douze ans dans le garage plongé dans l'obscurité, et s'autorisa un soupir de soulagement. Malgré les routes glissantes et truffées d'ornières, elle était arrivée à bon port. Il tombait des trombes d'eau quand elle avait quitté le restaurant, et elle venait d'essuyer une belle rafale de pluie glacée lorsqu'elle avait bondi hors de la camionnette pour ouvrir la porte du garage.

Frissonnant dans ses vêtements mouillés, elle rabattit la lourde porte de bois, et se mit à l'abri du court auvent qu'offrait la pente du toit. De là, elle apercevait à peine la maison située à une dizaine de mètres.

Elle prit une grande inspiration et sprinta. Elle monta les marches deux à deux, ouvrit à la volée l'écran de moustiquaire, déverrouilla la porte et se précipita à l'intérieur.

Le cœur battant à se rompre, presque étourdie, elle reprit son souffle en écoutant la pluie tambouriner sur les nouvelles tuiles que son propriétaire avait laborieusement posées quelques semaines plus tôt.

Lorsqu'elle actionna l'interrupteur près de la porte, et vit que la seule chose qui gouttait sur le sol de la cuisine c'était ses vêtements, elle sourit. Henry disait peut-être vrai quand il lui avait promis que la corvée de cuvettes et de seaux était terminée.

Elle ôtait ses chaussures trempées quand un coup de tonnerre frappa assez près pour faire trembler la vieille fermette. La lumière s'éteignit sans même un vacillement préalable. Elle resta dans le noir à attendre, à espérer.

Les minutes défilèrent et son vertige disparut, cédant la place à une sombre détermination.

Repérant à tâtons le placard à côté de la gazinière, elle y prit une bougie et une boîte d'allumettes. Il lui fallut quelques secondes pour localiser le verre qu'elle avait mis à sécher sur la paillasse de l'évier. Elle le retourna, y ficha la bougie, et parvint à enflammer l'allumette à la deuxième tentative.

Elle leva le verre à hauteur des yeux et regarda dans le placard. Elle y trouva quatre autres bougies et les sortit toutes, en espérant que cela suffirait. Depuis quatorze mois qu'elle s'était installée dans l'est du Minnesota, elle avait déjà essuyé au moins trois coupures d'électricité. Six mois plus tôt, en février, durant une tempête de neige, le courant n'avait été rétabli qu'au bout de quarante-huit heures.

Il ne restait plus qu'à rayer la douche chaude de sa liste des choses à faire. Pas d'électricité signifiait l'arrêt de la pompe du puits, et donc pas d'eau courante. Le mieux qu'elle pouvait faire, c'était d'ôter les vêtements qu'elle portait depuis les douze dernières heures.

Elle prit le verre et, tandis qu'elle montait l'étroit escalier menant à l'étage, la mince bougie se mit à tanguer d'un bord à l'autre, projetant des ombres fantomatiques sur le mur à la tapisserie défraîchie.

Dans sa chambre, elle se déshabilla — même ses sous-vêtements étaient humides — et fourra négligemment le tout dans le panier à linge. La fatigue commençait à peser sur ses épaules. Cela faisait trois jours que Donny avait démissionné, et il fallait absolument qu'elle engage un nouveau plongeur. La surcharge de travail devenait difficilement supportable.

Dans le miroir, elle aperçut sur le coin de son vieux bureau l'ombre des factures impayées et des bons de commande à demi remplis. Cela faisait des jours qu'elle se promettait de s'en occuper et, durant le trajet de retour, elle avait résolu de s'y mettre ce soir sans faute. Pas d'électricité, pas de culpabilité, décida-t-elle. Elle esquissa un sourire, souffla la bougie, et se glissa entre les draps.

Le vent soufflait plus violemment encore, les éclairs et

les coups de tonnerre se déchaînaient presque simultanément, indiquant que l'orage était à son paroxysme. La pluie tambourinait contre les carreaux comme si quelqu'un y jetait des seaux de billes.

C'était une cacophonie de bruits — sauvages, brutaux, et étonnamment rythmés. Elle ferma les yeux, en s'efforçant de ne penser à rien, et attendit que la fatigue la porte.

Elle somnolait quand des coups frappés à la porte de service la firent se redresser brutalement dans son lit.

Personne ne se présentait jamais à la porte de service.

A part Henry, bien sûr.

Rassurée, elle se remit à respirer normalement. Son propriétaire était passé au restaurant peu après le rush de midi et avait promis de passer dans la soirée pour refixer le carrelage décollé dans la salle de bains. Mais c'était avant l'orage, et il n'aurait pas dû être dehors par un temps pareil.

Tara se leva et enfila le peignoir en éponge bleu pâle suspendu au dos de la porte de sa chambre. Avant de sortir, elle attrapa le verre et la bougie éteinte sur la commode.

L'escalier était aussi noir qu'un puits. Elle se cramponna à la rampe de sa main libre, et descendit prudemment. Si ce vieux fou n'arrêtait pas de tambouriner sur l'encadrement de la moustiquaire, il n'aurait plus qu'à la réparer aussi. En plus, il allait être trempé, il attraperait probablement une pneumonie, et elle en entendrait parler pendant des mois.

Au rez-de-chaussée, elle prit le temps d'allumer la bougie et de la poser sur la table.

— Un instant, cria-t-elle.

Les coups persistaient, et elle prit conscience qu'Henry n'avait pas dû l'entendre à cause de l'orage. Elle alla à la porte et écarta le rideau qui masquait la partie vitrée. Vêtu de son vieux poncho de pluie, Henry était penché en avant. Elle s'acharna sur la serrure et réussit enfin à ouvrir le battant gonflé par l'humidité. Une bourrasque de vent et de pluie pénétra dans la cuisine.

— Vous êtes fou, cria-t-elle en prenant le bras d'Henry.

Elle le tira à l'intérieur. Au moins, cette vieille tête de mule avait eu le bon sens de rabattre sa capuche.

— Alice va vous tuer.

— Qui est Alice ?

Tara fit un bond en arrière et se cogna contre le buffet. L'instant d'après, l'homme se tournait, offrant son profil à la lueur de la bougie, et elle comprit son erreur.

Elle avait laissé entrer un inconnu dans sa maison.

Il était grand avec de larges épaules et, d'après ce qu'elle avait pu apercevoir de son visage, il n'était pas de bonne humeur. Puis il repoussa sa capuche et elle vit du sang couler d'une plaie à son front.

Elle poussa un cri et se mit à courir vers le couloir. Il parvint à la rattraper avant qu'elle ne franchisse la porte d'entrée. Elle venait de l'entrebâiller quand il tendit le bras par-dessus son épaule et la claqua du plat de la main.

Elle pivota brusquement, le coude dirigé vers son visage.

— Du calme, dit-il.

Elle ne se laisserait pas faire. Pas cette fois. Elle distribua coups de pied et coups de poing, mais c'était comme frapper dans un mur.

— Arrêtez, dit-il.

D'une main, il lui maintint les bras au-dessus de la tête. De l'autre, il lui saisit le menton.

— Vous allez vous blesser.

Elle ne voulait pas supplier, mais la peur fit chevroter sa voix.

— Lâchez-moi, murmura-t-elle.

Comme il n'en faisait rien, elle leva le genou. Il parvint à faire un écart. Puis il passa un bras autour de sa taille, la fit pivoter dos à lui, et la souleva. Tandis qu'elle battait vigoureusement l'air de ses jambes, il la porta jusqu'au canapé, et l'y laissa tomber sans ménagement.

Elle s'attendait à ce qu'il plonge sur elle, mais il recula, en manquant de se prendre les pieds dans la table basse.

Recroquevillée contre l'accoudoir, elle resserra son vieux peignoir. Elle se sentait nue et vulnérable, et elle avait le cœur au bord des lèvres.

Pourquoi n'avait-elle pas été plus prudente ?

Elle avait fait tellement attention depuis quatorze mois, et il avait suffi d'un instant pour réduire tous ses efforts à néant.

L'homme sortit une torche de sa poche, l'alluma, et balaya l'espace composé d'une cuisine ouverte sur un salon. Son regard s'attarda sur l'évier, et elle sut qu'il avait noté l'unique assiette et la tasse de café.

Peu importe. Elle n'avait pas l'intention de lui faciliter les choses. A la minute où il s'approcherait, elle s'emparerait de la lampe posée sur le guéridon à côté du canapé et le frapperait avec. Elle utiliserait ses ongles, ses dents, n'importe quoi…

Mais lorsqu'il bougea, ce ne fut pas vers elle.

— Je suis désolé, dit-il, en se laissant tomber dans le vieux fauteuil de cuir craquelé qui faisait face au canapé. Je ne voulais pas vous faire peur. J'ai regardé par la fenêtre du garage, et j'ai vu une camionnette. J'ai pensé qu'il y avait quelqu'un dans la maison.

— Sortez de chez moi.

— J'ai eu un accident, dit-il en désignant son front. Mon pick-up est tombé dans une ravine à environ un kilomètre d'ici. Mon portable ne fonctionne pas. Tout ce que je veux, c'est appeler un garagiste pour me tirer de ce fichu pétrin.

Etait-il possible qu'il dise la vérité ?

Elle soutenait son bras replié contre ses côtes, percevant sous le tissu-éponge affiné par les nombreuses lessives l'épaisse boursouflure des cicatrices. L'humidité réveillait toujours ses vieilles douleurs. Et le fait d'avoir été brutalement poussée contre la porte n'arrangeait rien.

Son instinct lui avait soufflé de prendre la fuite. Elle avait osé se défendre quand elle s'était sentie acculée. Elle était fière d'elle.

Il n'empêche que l'inconnu n'aurait pu faire qu'une bouchée d'elle s'il l'avait voulu. Cependant, il avait battu en retraite et lui avait donné une chance de se calmer. Etait-ce une ruse ?

Ou bien, se pouvait-il qu'il n'ait rien à voir du tout avec Michael ?

— Où a eu lieu l'accident ? demanda-t-elle.

— A environ un kilomètre au sud. Je me rendais à Wyattville. S'il vous plaît, dites-moi que j'allais dans la bonne direction.

Elle ne lui dirait rien. Pas avant qu'elle sache ce qu'il faisait là.

— Comment vous appelez-vous ?

— Jake Vernelli.

Il plongea la main dans la poche arrière de son jean et en sortit un portefeuille, avant de récupérer dans la poche ventrale du poncho ce qui ressemblait à une feuille de papier pliée à la hâte.

Après lui avoir tendu son portefeuille ouvert, il essaya de lisser la feuille.

Elle se pencha pour observer la photo. C'était bien lui, la plaie à la tête en moins. Cheveux noirs, peau mate, charme italien. Un mètre quatre-vingt-huit, quatre-vingt-cinq kilos. Il aurait trente-trois ans dans deux semaines, ce qui en faisait son aîné d'un an presque jour pour jour. Le nom imprimé était bien Jake Vernelli.

Elle reporta son attention sur le papier. C'était un fax envoyé par le service juridique de Chase Montgomery, le maire nouvellement élu de Wyattville. En parcourant le fax, elle se souvint de la rumeur qu'elle avait entendue au restaurant le matin même. Le maire avait appelé en renfort un ami d'enfance, pour lui demander de remplacer le chef de la police qui venait de subir un pontage cardiaque.

— Vous connaissez le chef Wilks ? demanda-t-il.

Elle hocha la tête.

— Je vais le remplacer pendant six semaines.

— Alors, vous êtes flic ? demanda-t-elle d'un ton presque agressif.

— C'est exact.

Visiblement interloqué par son attitude, il grimaça.

— Compte tenu des circonstances, ça devrait jouer en ma faveur, non ?

Pour les honnêtes citoyens qui n'avaient rien à cacher, sans doute, songea Tara. Mais il y avait bien longtemps qu'elle vivait hors la loi.

2

— Vous êtes entré chez moi par effraction, dit-elle d'un ton accusateur.

— Absolument pas ! Vous m'avez ouvert la porte.

S'il s'en souvenait, c'est que sa blessure à la tête ne devait pas être trop sérieuse.

— Si vous le dites, admit-elle du bout des lèvres.

— Comment vous appelez-vous ?

Elle n'avait pas envie de le lui dire. Il y avait quelque chose chez cet homme qui la mettait mal à l'aise. Cela devait tenir à l'intensité de son regard, à son attitude sur le qui-vive.

Etait-il capable de voir des choses auxquelles les autres ne prêtaient pas attention ? Remarquerait-il un fil détaché et tirerait-il dessus jusqu'à ce que toute sa vie se détricote ?

— Tara Thompson, dit-elle, comme si elle avait prononcé ce nom toute sa vie.

Elle se leva, marcha vers le coin cuisine, ouvrit un placard, et en sortit un sachet en plastique. Puis elle ouvrit la porte du compartiment de congélation, remplit le sac de glaçon, et le lança à son visiteur.

— Vous avez une belle bosse.

— Merci, dit-il, en pressant le sac sur son front. Au fait, vous ne m'avez pas dit qui était Alice.

— Alice Fenton. Son mari et elle sont mes propriétaires. Ils vivent au croisement suivant.

Elle lissa du plat de la main le col de son vieux peignoir.

— Vous croyez que vous avez besoin de voir un médecin ?

— Pour m'entendre dire que je vais avoir un sacré mal de tête pendant deux jours ? Non, merci !

Tranchant avec son expression sérieuse, il lui décocha soudain un sourire dévastateur qui la laissa étrangement désemparée.

Elle recula et se cogna contre l'îlot central. Il se mit à l'étudier. Et s'il n'y avait pas assez de lumière à cette distance pour qu'elle puisse distinguer ses yeux, elle devinait à l'inclinaison de sa tête, à la subtile poussée de son menton qu'il la jaugeait, qu'il se posait des questions… Bref, qu'il évaluait ses chances de lui plaire.

C'était l'attitude d'un homme intrigué par une femme, et peut-être même intéressé.

Envahie par une étrange langueur, elle resserra les pans de son peignoir et tira sur la ceinture. Les pointes de ses seins durcies subissaient le frottement délicieux de l'étoffe usée, et elle imaginait déjà les mains caressantes de l'inconnu sur la rondeur pleine de sa poitrine.

Soulagée que l'obscurité lui dissimule la vive émotion qu'elle ressentait à cet instant, elle sortit une trousse de premier secours du placard sous l'évier, et revint la déposer sur la table basse, à côté de la bougie qui se consumait lentement.

— Vous devriez désinfecter cette plaie. Il y a de l'eau oxygénée et des compresses.

Tandis qu'elle retournait à son poste d'observation dans la cuisine, il ouvrit un sachet de compresses, et inclina dessus la bouteille de verre marron. Puis il s'essuya rapidement le front et se leva pour aller jeter la gaze souillée dans la poubelle au bout de l'îlot.

Tara eut un haut-le-cœur. Elle détestait le sang. Jamais

elle ne pourrait oublier les flots de sang qui coulaient de son bras, se répandant sur le sol.

— Merci, dit-il.

— Je vous en prie.

Pense à autre chose, s'exhorta-t-elle.

Généralement, ce conseil fonctionnait. Mais quand Jake se frotta la joue d'un geste absent, elle en ressentit les effets au creux de son ventre, comme si la main de l'homme avait couru sur son propre corps.

Cette réaction n'avait pourtant pas lieu d'être. C'était un inconnu. Un flic.

Et malgré tout, elle ne pouvait s'empêcher de se demander ce qu'elle éprouverait à être de nouveau enlacée avec force par un homme, à sentir le frottement de ses doigts calleux sur la soie chaude et vivante de son intimité…

— A propos de ma voiture ? demanda-t-il.

Brutalement ramenée à la réalité, Tara déglutit avec peine.

— Bien sûr. Toby Wilson possède le garage local. Il vend de l'essence et fait quelques réparations de base. Il lui arrive de travailler tard certains soirs, et vous aurez peut-être de la chance.

Au moment où elle s'approchait du téléphone pour composer le numéro, il sonna.

— Allô ? répondit-elle d'un ton hésitant, car il était rare qu'elle reçoive des appels.

— Tara, c'est Frank Johnson. Il y a eu un problème en ville.

Ses doigts se crispèrent autour du combiné.

— Quel genre de problème ?

— Eh bien, on dirait que quelqu'un a endommagé votre porte et cassé la vitrine. Je n'ai pas l'impression qu'ils sont rentrés, mais je ne suis pas sûr.

Tara eut l'impression qu'elle ne pouvait plus respirer, plus penser. Cela faisait un moment maintenant qu'elle était installée à Wyattville, et il ne s'était rien passé. Pourquoi maintenant ?

— Tara ? insista Frank.

— J'arrive.

Elle raccrocha et pivota sur ses talons, manquant heurter le nouveau chef de la police.

— Que se passe-t-il ?

— Je possède un café-restaurant en ville. Il y a eu des dégâts.

— A cause de l'orage ?

— Non. Enfin, pas d'après ce que dit Frank Johnson. C'est le propriétaire de la droguerie voisine.

Elle essayait de parler lentement, calmement, mais c'était impossible. Quatorze mois plus tôt, dans un accès de rage, Michael avait déchiré ses vêtements et saccagé son mobilier. Avait-il trouvé une nouvelle façon de la tourmenter en vandalisant son affaire ?

Elle n'avait pas envie de fuir de nouveau.

— Tara ?

Elle le dévisagea avec hébétude.

— Vous semblez à des millions de kilomètres d'ici.

Treize mille kilomètres, exactement. Mais était-ce suffisamment loin ?

— Je dois y aller.

Elle balaya du regard la cuisine à peine éclairée, en se demandant où elle avait déposé son sac. Cela n'avait pas d'importance. Elle prit ses clés sur l'îlot et se dirigea vers la porte.

— Vous ne voulez pas vous habiller avant ? suggéra-t-il.

Bien sûr. Elle devait arrêter de paniquer. Si Michael l'avait retrouvée, elle allait avoir besoin de tout son sang-froid.

Et pour commencer, elle devait se débarrasser de Jake Vernelli.

— Je peux vous déposer chez le garagiste en passant, proposa-t-elle.

Il haussa les épaules.

— Quelque chose me dit que je vais devoir prendre mes fonctions plus tôt que prévu.

— Mais, et votre pick-up ?

— Faites-moi confiance, il ne risque pas de s'envoler.

Quelle guigne ! Elle n'allait pas réussir à s'en dépêtrer. Mais elle n'avait pas le temps de s'en préoccuper maintenant.

Elle alluma une autre bougie, garda ses clés serrées au creux de sa main pendant qu'elle cherchait un autre verre, et s'en servit pour trouver son chemin jusqu'à l'étage, où elle enfila des sous-vêtements, un jean et un chemisier blanc à manches longues.

Lorsqu'elle revint dans le salon, Jake l'attendait près de la porte de service.

Elle glissa les pieds dans les mocassins encore humides qu'elle avait portés un peu plus tôt. Lorsqu'elle fit un mouvement vers la porte, il posa la main sur son bras. Une onde de chaleur remonta jusqu'à sa poitrine, et son cœur se mit à battre plus vite. Elle frissonna et baissa les yeux de peur qu'il ne devine l'étrange faiblesse qui l'envahissait, l'envie folle qu'elle avait soudain de se blottir contre lui.

— Ça va aller ? demanda-t-il. Vous vous sentez capable de conduire ?

— Oui.

Il n'insista pas et souffla les deux bougies. Puis ils s'élancèrent sous les trombes d'eau. Il ouvrit la porte du garage avant qu'elle ait eu le temps de s'en approcher.

— Sortez la camionnette, dit-il. Je refermerai derrière vous.

Garée en travers de la route, une voiture de police barrait le passage. Les réverbères étaient allumés et plusieurs fenêtres étaient éclairées, indiquant que le centre de Wyattville avait été épargné par la panne d'électricité.

Tara donna un brusque coup de volant à droite, s'arrêta sur un emplacement de stationnement, et bondit hors de la voiture.

Un homme d'une soixantaine d'années qui se tenait sur le seuil de la droguerie la vit et lui fit un signe de main. Elle fit quatre pas avant que Jake ne la rattrape.

— Restez derrière moi.

Jake remarqua le bref moment d'indécision et envisagea de la prendre à bras-le-corps. Compte tenu des courbes qu'il avait entraperçues sous son fin peignoir, et qui étaient à présent moulées dans un jean et un chemisier ajustés, ce ne serait pas un trop grand sacrifice.

— Bien, dit-elle entre ses dents serrées.

Il avança rapidement, Tara sur les talons. Heureusement, la plupart des magasins avaient des auvents, et ils purent rester à l'abri de la pluie tandis qu'ils progressaient vers l'homme qui les attendait devant sa boutique.

— Monsieur Johnson ? demanda Jake.

— Oui. Qui êtes-vous ?

— Jake Vernelli.

Le vieil homme sourit.

— Le remplaçant. Je fais partie du conseil municipal, et laissez-moi vous dire que nous sommes sacrément contents de vous avoir. Mais je ne voudrais pas que vous vous fassiez de fausses idées. Wyattville est un endroit très calme.

Tara s'avança.

— Que s'est-il passé, Frank ?

— L'agent Hooper est passé vers 21 heures, et tout était normal. Mais quand il a terminé sa ronde vers 22 heures, il a remarqué que quelque chose clochait. J'étais resté tard au magasin, et je l'ai vu qui inspectait la porte. Je vous ai appelée tout de suite.

Jake ajusta légèrement son angle de vision. La partie basse de la porte à deux battants du Nel's Café était en bois, et la partie supérieure en verre dépoli. A environ cinq centimètres au-dessus de la jonction entre les deux, il y avait un trou rond, à peu près comme celui qu'aurait pu faire une balle de base-ball. Tout autour, le verre s'était craquelé.

Jake se rapprocha et se pencha pour essayer de voir par le trou. Il faisait sombre à l'intérieur. De chaque côté de la porte se trouvaient deux grandes vitrines, mais les stores étaient tirés, bloquant l'éclairage fourni par les réverbères.

— Drôle de temps pour traîner dehors et jouer les vandales, remarqua Frank. Probablement des gamins qui n'avaient rien de mieux à faire.

— Sans doute, dit Tara.

Et Jake n'y aurait probablement pas songé davantage s'il n'avait pas jeté un bref coup d'œil par-dessus son épaule. Ce fut son regard qui lui serra le cœur. Son expression faisait penser à celle d'un animal traqué.

Un jeune agent en uniforme beige s'approcha. Ses cheveux bruns en brosse avaient la coupe réglementaire, mais son visage empourpré et couvert de sueur n'inspirait pas vraiment confiance.

Un bleu. C'était ainsi que Charles lui avait décrit Andy Hooper. Et le pauvre garçon avait effectivement l'air dépassé par les événements.

Frank Johnson s'avança.

— Andy, voici ton nouveau supérieur, Jake Vernelli.

Andy tendit la main.

— Ravi de vous rencontrer, chef. M. le maire nous a dit le plus grand bien de vous.

Jake lui serra la main.

— Ravi également. Racontez-moi un peu ce qui s'est passé ici ce soir.

Le jeune agent ouvrit son carnet de notes.

— La porte de devant est endommagée. La porte de service n'a pas été touchée. Apparemment, personne n'est entré. J'attendais l'arrivée de Mme Thompson avec la clé pour vérifier à l'intérieur. Voilà, c'est tout. Ah oui, et il n'y a pas de témoins.

Le gosse avait besoin de consulter ses notes pour si peu ? Jake retint un soupir. Ces six semaines promettaient d'être les plus longues de sa vie.

Ses clés à la main, Tara se dirigea vers la porte.

Jake savait qu'un quelconque danger était peu probable. Un intrus aurait dû passer son bras par le trou pour atteindre le verrou à l'intérieur, provoquant un bris de glace plus important. Cependant, il avait vu beaucoup de choses étranges durant sa carrière.

— Attendez que l'agent Hooper et moi ayons vérifié, dit-il, en tendant la main pour qu'elle y dépose ses clés.

Il sortit son arme de la ceinture de son jean, et décela immédiatement la question dans les yeux de Frank : « Est-ce vraiment nécessaire ? » Bon sang, il n'en avait pas la moindre idée. Mais le temps n'était pas si loin où il avait été trop lent à sortir son arme, et il n'avait pas l'intention de commettre de nouveau cette erreur.

Il déverrouilla la porte et repoussa le battant d'un coup de pied, laissant entrer la lumière de la rue. Il put ainsi observer l'intérieur du restaurant. Il y avait des tables au milieu, des banquettes en alcôves de part et d'autre le long du mur, et une allée centrale menant à un long comptoir flanqué de huit tabourets.

— Je vais jeter un œil dans la cuisine, dit-il. Restez là, ordonna-t-il à Andy.

Il se dirigea vers la porte battante à l'arrière de la salle.

Mais, au lieu de la franchir, il passa derrière le comptoir et se pencha pour regarder par le passe-plat.

Les veilleuses de sécurité éclairaient d'un lugubre halo jaunâtre l'évier, le gril et le fourneau d'un côté, l'armoire réfrigérée et le plan de travail de l'autre. A côté de l'évier, derrière une demi-cloison, se trouvait le lave-vaisselle et plus loin une porte de service qui semblait intacte. Il alla s'en assurer et signala à Andy qu'il pouvait faire entrer Tara.

Le temps qu'il revienne dans la salle, elle se tenait devant la caisse enregistreuse. Le tiroir était ouvert et les cases étaient vides.

— Vous gardez de l'argent ici ? demanda-t-il.

Tara eut un signe de dénégation.

— Après la fermeture, je dépose la recette du jour à la banque. Je garde juste ce qu'il faut pour démarrer la caisse le matin, mais je le cache dans la cuisine.

— Dans le congélateur, je parie.

Elle eut un sourire qui fit pétiller ses yeux — ses très jolis yeux vert mousse qui s'accordaient admirablement à ses cheveux blond vénitien coupés aux épaules.

— Trop évident. Je le mets dans la cuve du mixeur.

— Allez vérifier s'il est toujours là.

Il actionna un interrupteur et regarda autour de lui. La décoration n'était pas très recherchée, mais c'était propre et chaleureux. Il prit machinalement un menu, le parcourut rapidement, et s'étonna de voir combien les prix étaient raisonnables.

Finalement, les petites villes n'avaient pas que de mauvais côtés.

Sur ce constat, il se mit au travail, et il ne lui fallut pas longtemps pour trouver la balle de base-ball coincée sous l'une des banquettes recouvertes de skaï rouge.

— Andy, vous avez un sachet pour les pièces à conviction dans votre voiture ?

— Oui, chef.

— Jake, ça suffira. Allez le chercher.

— Bien, chef.

Le gamin revint si rapidement avec un sac, des gants et un appareil photo que Jake fut quasi certain qu'il avait couru.

Il essaya de se souvenir si lui aussi avait été anxieux de bien faire. En tout cas, il avait passionnément aimé son métier et jamais il n'aurait cru qu'un jour viendrait où il envisagerait de faire autre chose.

Il prit quelques clichés, avant d'enfiler les gants et de ramasser la balle avec précaution. Il venait de la déposer dans le sachet quand Tara s'approcha.

— Nous allons faire un relevé d'empreintes, expliqua-t-il, mais s'il s'agit de mineurs, ils n'auront pas de casier.

— C'est quelque chose que feraient des gamins, n'est-ce pas ?

Il haussa les épaules.

— Allez savoir. Vous avez eu un différend avec quelqu'un récemment ? Un employé que vous auriez renvoyé, par exemple ?

Elle secoua la tête.

— J'ai bien un plongeur qui est parti, mais je ne l'ai pas renvoyé. C'est lui qui a démissionné.

— Pour quelle raison ?

— Je n'en sais rien. J'aurais aimé qu'il me prévienne à l'avance, mais il s'est contenté de laisser un message sur mon répondeur disant qu'il ne reviendrait pas. J'espère qu'il a trouvé un meilleur emploi. Il avait pris celui-ci faute de mieux, après avoir été licencié quand son entreprise s'est délocalisée en Chine.

Plongeur. Ce n'était certes pas un choix de carrière qui était venu à l'esprit de Jake quand il restait éveillé jusqu'à 2 heures du matin, à se demander ce qu'il allait bien pouvoir faire s'il ne pouvait plus être flic.

— Son nom ?

— Donny Miso.

Facile à se rappeler. Jake se dirigea vers la porte d'entrée et prit quelques photos supplémentaires, puis il tendit l'appareil à Andy.

— Je m'occupe du reste. Vous pouvez aller dégager la rue.

Jake regarda s'éloigner le jeune agent d'un œil dubitatif. Lorsqu'il fut presque arrivé à la voiture de patrouille, il se tourna vers Tara.

— Quelque chose me dit qu'il n'a pas souvent l'occasion d'utiliser la sirène et le gyrophare.

Elle esquissa un sourire.

— Il est plein de bonne volonté. On ne peut pas lui retirer ça.

Elle se pencha pour ramasser un morceau de verre et sursauta presque aussitôt, en poussant un petit cri. Elle s'était entaillé le bout du doigt.

Tétanisée, elle fixait le sang qui coulait de la blessure quand Jake s'approcha et lui prit le poignet pour y voir de plus près.

— Allez laver ça, dit-il. Je vais nettoyer les débris de verre.

— Ce n'est pas nécessaire, protesta-t-elle mollement.

Elle s'éloigna d'une démarche hésitante vers la cuisine. Il la suivit.

— Que faites-vous ? demanda-t-elle, en regardant par-dessus son épaule.

Il décida que la vérité était préférable.

— Je m'assure que vous ne tombiez pas dans les pommes.

Elle redressa fermement les épaules.

— Je ne suis pas du genre à m'évanouir.

— D'accord.

Il revint vers l'avant de la salle et ramassa les plus gros morceaux de verre, tout en tendant l'oreille vers la cuisine, en quête d'un bruit insolite.

Il avait presque terminé quand une ombre apparut sur le seuil. Relevant la tête, il aperçut Frank.

— J'ai apporté une planche de contreplaqué pour clouer au-dessus de la vitre, expliqua le voisin.

— Parfait.

Jake le rejoignit à l'extérieur et il ne fallut que quelques minutes aux deux hommes pour fixer le panneau.

Quand ce fut fini, Frank lui serra la main.

— Avec tout ça, je ne vous ai même pas souhaité la bienvenue. Et il faut aussi que je vous dise que ma fille, Lori Mae, occupe le poste de régulateur de jour et assure le secrétariat du poste de police. Si vous avez besoin d'un renseignement, elle vous le fournira.

Le vieil homme lui adressa un sourire chaleureux.

— Et si je peux vous aider, ce sera avec plaisir. D'ailleurs, si vous avez le temps demain, j'aimerais vous inviter à boire un café ici, vers 10 heures, par exemple.

— Avec plaisir, répondit Jake.

Lorsqu'il retourna à l'intérieur, Tara l'attendait près de la porte.

— Vous n'avez pas chômé, remarqua-t-elle.

— Frank m'a aidé. Il a l'air d'un brave type.

Tara hocha la tête.

— Quand j'ai ouvert, il y a quatorze mois, il a été mon premier client. Et depuis, il prend son petit déjeuner ici tous les jours.

— Vous avez grandi à Wyattville ?

— J'ai déménagé de Floride.

Il avait passé cinq des pires semaines de sa vie à Miami, en infiltration dans un gang de trafiquants.

— Où ça, en Floride ?

Il se faisait peut-être des idées, mais il lui sembla qu'elle marquait une légère hésitation.

— J'ai beaucoup bougé, répondit-elle évasivement.

Puis elle s'empressa de changer de sujet.

— Vous savez, je suis vraiment fatiguée. J'aimerais terminer rapidement ici et rentrer chez moi.

A vrai dire, Jake se moquait un peu de connaître l'histoire de sa vie. Elle avait beau être tout à fait charmante, il n'était que de passage.

Dans six semaines, il aurait payé sa dette à Chase. Et alors, adieu Wyattville, bonjour Minneapolis.

— Il faut quand même que je discute avec Toby Wilson, à propos de Veronica. Ma voiture, ajouta-t-il rapidement.

Sans paraître surprise qu'il ait donné un nom à son pick-up, elle prit un stylo près de la caisse enregistreuse, tira une serviette en papier du distributeur posé sur le comptoir, y griffonna un numéro, et lui signala qu'il y avait un téléphone dans la cuisine.

Pour la seconde fois, Jake consulta les instructions pour se rendre chez Chase Montgomery.

— D'après mes calculs, remarqua-t-il, la maison de Chase devrait se trouver à cinq cents mètres d'ici. J'appellerai sur place.

— Je croyais que le maire était en visite chez ses parents.

— C'est exact. Il doit revenir dans deux semaines. Je vais habiter chez lui pour la durée de mon remplacement.

Il commença à se diriger vers la porte, et ajouta :

— Au fait, prenez garde aux cerfs en rentrant chez vous.

Une fois encore, il surprit le regard angoissé que Tara portait vers la rue, et quelque chose lui dit que l'objet de ses craintes n'avait pas quatre pattes.

3

Il faisait encore sombre quand Tara se réveilla. Les chiffres verts de son réveil clignotaient, preuve que l'électricité était revenue à un moment ou à un autre de la nuit.

Elle tendit la main vers l'interrupteur de la lampe posée sur la table de chevet et consulta sa montre. 4 h 55.

D'un mouvement souple, elle s'étira et roula hors du lit. Après un bref passage par la salle de bains, elle enfila un short et un T-shirt, laça ses chaussures de sport, et descendit l'escalier en sautillant.

Elle essayait de courir au moins trois fois par semaine, généralement avant le travail. Quand elle était en forme, elle pouvait aller jusqu'à l'entrée de Wyattville, faire demi-tour, prendre une douche, et en prime s'offrir le luxe d'arriver au restaurant avec dix minutes d'avance.

Elle attrapa une bouteille d'eau en passant devant le réfrigérateur et ouvrit la porte de service.

Le soleil ne s'était pas encore levé, mais la nuit s'estompait, enveloppant la campagne paisiblement endormie d'un voile bleu-gris.

Elle trotta pendant les premiers cinq cents mètres, puis elle accéléra le rythme.

A chaque foulée, elle se sentait plus forte, plus confiante.

Elle ne courait pas quand elle vivait à Washington. D'ailleurs, elle faisait rarement du sport, préférant passer le peu de temps libre qu'elle avait avec Michael. Mais, peu après s'être installée à Wyattville, elle avait soudain éprouvé le besoin de se mettre au jogging et de soulever des poids.

Ce n'était pas par crainte de ne plus pouvoir fermer son jean. Non, elle voulait simplement développer sa force musculaire. Dans l'hypothèse où Michael parviendrait à la retrouver, elle devait être préparée mentalement et physiquement.

Sur le plan psychologique, ce n'était pas facile mais elle faisait des progrès. Elle avait cessé de faire des cauchemars depuis plusieurs mois, et ce n'était déjà pas si mal.

Normalement, courir lui vidait la tête. Il n'y avait pas de place pour des broutilles comme un robinet qui fuit ou un thermostat de four capricieux. Elle était concentrée sur la cadence de ses pas, le rythme de sa respiration, et la satisfaction extrême de repousser ses limites.

Une liberté totale de pensées, il n'y avait pas mieux.

Mais aujourd'hui, rien n'allait comme elle le voulait. Elle était fatiguée, sur les nerfs, et s'en voulait de s'infliger une telle dose de stress pour une vitre brisée. Ce n'était quand même pas un cambriolage à main armée. Elle n'avait pas risqué sa vie…

Elle était en train de devenir une vraie poule mouillée.

Il fut pourtant un temps où le crime faisait partie de son quotidien. Elle en avait parlé, l'avait commenté… Elle en avait même plaisanté parfois. La plupart des reporters du journal le faisaient, même si peu d'entre eux l'admettraient. Bien évidemment, la criminalité n'avait rien d'un sujet hilarant, mais en rire était souvent la seule façon de décompresser.

Voilà de quoi sa vie était faite avant Wyattville. Aujourd'hui, elle parlait de la météo, se plaignait de l'augmentation du prix des fruits et légumes, et se forçait à rire aux blagues stupides que lui racontaient ses clients.

Elle n'en revenait toujours pas de la façon dont la

transaction s'était faite. Nel's Café, situé sur Main Street, avait été mis en vente une semaine avant qu'elle ne fasse étape à Wyattville durant sa cavale vers nulle part. Elle avait jeté un coup d'œil au charmant petit café-restaurant et l'avait payé comptant deux jours plus tard. Elle y avait englouti presque toutes ses économies, mais elle avait eu l'impression que c'était la seule décision possible.

Et durant les quatorze mois qui venaient de s'écouler, il n'y avait pas eu un jour où elle ne s'était pas félicitée de son audace. Elle avait une raison de se lever, de faire un effort pour être présentable, de travailler dur.

Une raison d'oublier. Même si certains souvenirs étaient plus difficiles que d'autres à déloger.

Elle fit quelques moulinets de bras pour assouplir ses muscles. Comme d'habitude, elle portait des manches longues. Même si elle avait chaud en courant, ou si la température de la cuisine du restaurant devenait suffocante, elle ne laissait jamais personne voir les dégâts.

Cela donnerait lieu à trop de questions, trop de spéculations. Elle n'avait pas non plus besoin de ce rappel constant. Quoi qu'elle n'eût pas besoin de regarder les deux cicatrices qui s'étiraient du poignet au coude pour se rappeler la douleur intolérable, la terreur absolue. Le chirurgien orthopédique lui avait dit que les traces roses et boursouflées continueraient à s'estomper jusqu'à devenir un jour complètement blanches et lisses.

Elle ne savait pas si c'était vrai. Son bras avait meilleure allure, même si les cicatrices étaient toujours hideuses.

Et, d'une certaine façon, elle préférait qu'une trace de son agression demeure. Cette blessure lui avait fait comprendre que Michael finirait un jour par la tuer.

C'était le déclic dont elle avait eu besoin pour quitter son fiancé. Pour quitter sa vie.

Sinon, elle serait devenue un de ces faits divers qu'ils

relataient dans l'édition du matin. Un de ceux dont ils riaient ou qu'ils commentaient avec un hochement de tête de commisération.

Elle s'était inventé une nouvelle vie, ici à Wyattville. C'était différent, mais elle n'était pas malheureuse.

Et surtout, elle était en sécurité.

L'air estival était déjà chargé d'humidité, et la sueur coulait sur son front et le long de son dos. Il y avait à peine un souffle d'air sur ses jambes nues. Elle but une gorgée d'eau et força le rythme.

Elle était à moins d'un kilomètre de Wyattville lorsqu'elle vit apparaître au loin une voiture. Sans changer d'allure, elle continua à avancer et, s'attendant à croiser un voisin, agita amicalement la main. La voiture fit alors un écart et se dirigea droit vers elle.

Jake avait désespérément besoin d'un café. Dans ses meilleurs jours, il était généralement incapable de soutenir une conversation avant d'avoir bu au minimum deux tasses de son poison favori. Et il n'était pas au mieux de sa forme aujourd'hui.

Il avait mal dormi. Et s'il était tenté de blâmer le dépaysement — un lit inconnu dans une maison inconnue — et la perspective de passer six semaines à se morfondre dans ce trou perdu, quelque chose lui disait qu'il fallait chercher l'explication ailleurs. Par exemple, du côté d'une jolie rousse aux yeux verts.

Chase lui avait laissé un mot pour lui souhaiter la bienvenue, les clés du 4x4 de fonction réservé au chef de la police, et deux uniformes beiges semblables à celui d'Andy Hooper.

Quinze minutes après avoir posé le pied par terre, s'être douché, et avoir enfilé la tenue réglementaire, il se trouvait dans sa voiture et se dirigeait vers le Nel's Café.

La veille, il avait vu la pancarte sur la porte indiquant que l'établissement ouvrait à 6 heures et fermait à 15 heures.

Il se gara, sortit de voiture, et vit que les stores étaient relevés. La salle était encore vide mais il pouvait apercevoir de la lumière dans la cuisine et quelqu'un qui se déplaçait. Une femme. Mais définitivement plus petite et plus corpulente que Tara.

Oh ! il n'était pas déçu de ne pas la voir. Non, absolument pas.

Il envisagea de retourner attendre dans sa voiture, mais la fraîcheur et le calme du matin étaient tentants, et il décida plutôt de prendre appui contre le mur.

Quelques minutes à peine s'étaient écoulées quand un vieil homme apparut au coin de la ruelle desservant l'arrière-cour du restaurant.

— Bien le bonjour, dit-il. Nicholi Bochero. J'habite au-dessus du restaurant.

— Jake Vernelli.

— J'avais deviné. Andy est mon petit-fils, et il m'a parlé de vous hier soir. Il ne devrait pas tarder à arriver. On prend toujours notre petit déjeuner ensemble.

Les portes du Nel's Café s'ouvrirent. Une femme enveloppée dans un tablier blanc porté sur un pantalon et un chemisier bleu nuit leur fit signe d'entrer. Ses cheveux gris étaient coupés très court, presque à la militaire, et son visage était sillonné de rides profondes.

— Euh… bonjour, Janet. Comment… hmm… ça va, ce matin ? demanda Nicholi, soudain rougissant et emprunté.

— Bah, on fait aller, marmonna l'intéressée, avant de leur tourner le dos.

Tandis que Nicholi se hissait péniblement sur l'un des tabourets qui s'alignaient le long du bar, Janet lui servit son café. Il la remercia d'un signe de tête et suivit chacun de ses mouvements. De son côté, Janet se donnait beaucoup de mal pour ne pas le regarder.

Songeant avec amusement qu'il y avait anguille sous roche, Jake prit place à côté de Nicholi, acquiesça tandis que Janet levait la verseuse de café dans sa direction, et faillit pousser un soupir de soulagement après avoir bu sa première gorgée.

— Alors comme ça, c'est vous le nouveau chef de la police ? demanda Janet.

— Par intérim, corrigea immédiatement Jake.

Heureusement, la situation n'était pas définitive. S'il devait finir sa carrière ici, il périrait d'ennui avant d'avoir atteint l'âge de la retraite.

La porte s'ouvrit et l'agent Hooper entra. Son visage était fraîchement rasé et, avec son air poupin et sa peau rougissante, il avait l'air d'avoir seize ans.

— Bonjour, chef.

Jake jugea inutile de le reprendre. Apparemment, il n'obtiendrait jamais qu'Andy l'appelle par son prénom. Il n'empêche, une telle déférence de la part d'un gamin, ça lui donnait un fichu coup de vieux.

— Bonjour, Andy.

Le jeune agent passa derrière Jake, tapota gentiment le dos de son grand-père, et prit place sur le tabouret voisin de celui du vieil homme.

— Où est Tara ? demanda-t-il.

— Je ne sais pas, répondit Janet. Quand je suis arrivée, j'ai vu qu'elle n'était pas là et j'ai appelé chez elle. Ça ne répondait pas, alors j'ai pensé qu'elle devait être en route. Mais dans ce cas, elle devrait déjà être là depuis quinze minutes.

Jake essaya d'ignorer le sentiment de malaise qui prenait naissance au creux de son estomac, mais il ne put balayer le souvenir de la peur qu'il avait lue dans les yeux de Tara Thompson, bien qu'elle fît tout pour la cacher.

— Elle n'est jamais en retard, remarqua Andy.

— Tu as raison, mon garçon, approuva Nicholi. Même quand nous avons eu soixante centimètres de neige en janvier.

Jake se leva précipitamment et jeta un billet sur le comptoir.

— Vous me rendriez un grand service en me donnant un gobelet à emporter.

— Vous allez chercher Tara ? demanda Janet.

Il hocha la tête.

Elle repoussa le billet d'un dollar vers lui, et remplit un gobelet grand modèle de café frais.

— C'est la maison qui offre.

Huit cents mètres après la sortie de la ville, Jake aperçut un vélo couché sur le côté. Il ralentit pour mieux voir, et remarqua un homme à genoux sur le bas-côté.

Il y avait une femme étendue sur le sol. Jake vit des cheveux blond vénitien et s'arrêta dans un crissement de pneus.

Il entendit du bruit derrière lui mais ne prit pas la peine de regarder. Andy Hopper avait décidé de le suivre, et il n'avait pas perdu de temps à lui donner un contre-ordre.

L'homme tapotait la main de Tara. Elle avait les yeux fermés et tenait un mouchoir ensanglanté sous son nez.

Jake tomba à genoux dans l'herbe.

— Tara. C'est Jake Vernelli. Vous m'entendez ?

Elle ouvrit les paupières et fit un effort pour s'asseoir.

— Je vais bien, dit-elle, la voix étouffée par le mouchoir.

A d'autres ! songea Jake. Elle avait des griffures sur les jambes et une entaille sur le genou droit. Il y avait aussi des taches de sang sur son T-shirt, dont il espérait qu'elles provenaient de son nez.

— Ne bougez pas, lui ordonna-t-il.

Tous les flics possédaient des rudiments de secourisme. Il lui prit le poignet. Son pouls était un peu rapide, mais il n'y avait rien d'alarmant. Il se pencha et vérifia ses pupilles. Rien à signaler de ce côté-là non plus.

— Quelles sont vos blessures ?

— Ce ne sont que des égratignures. Il n'y a pas de quoi s'affoler.

Elle regarda par-dessus son épaule.

— Salut, Andy.

— Je pensais que vous auriez besoin de renfort, chef, expliqua-t-il. Ça va, Tara ? Vous êtes dans le même état que mon chien quand il s'est battu avec un raton laveur.

Jake sentait monter le mal de tête, mais il résista à l'envie de se masser le front.

— Que s'est-il passé ?

— Je courais. Une voiture qui venait en face a perdu le contrôle, et j'ai dû sauter dans le fossé.

Elle disait cela comme si ça n'avait vraiment aucune importance. Jake sentit le café provoquer des remous dans son estomac vide. Il s'adressa à l'inconnu au vélo.

— Qui êtes-vous ?

Tara s'assit. Elle écarta le mouchoir de son nez et le déposa derrière elle. Sans le regarder.

— Jake, je vous présente Gordon Jasper. C'est un bon client. Il a eu la gentillesse de me prêter son mouchoir. Gordon, voici Jake Vernelli, le remplaçant du chef Wilks.

Jake salua Gordon d'un signe de tête.

— Vous avez assisté à la scène ?

— Je venais d'attaquer la colline à vélo, et j'ai aperçu Tara qui courait au loin devant moi. Une voiture venait vers nous. Il n'y avait rien d'anormal, jusqu'à ce qu'elle bifurque brutalement vers Tara. De là où j'étais, j'ai cru qu'elle avait été touchée. Vous imaginez mon soulagement quand je l'ai découverte en un seul morceau.

— L'un de vous a pu voir sa plaque ?

— Non, dit Tara.

— Moi non plus, ajouta Gordon. Mais je sais qu'elle était blanche. Une berline à quatre portières. Peut-être une Buick.

— Le conducteur était un homme ou une femme ?

Gordon eut une mimique désolée.

— Je ne pourrais pas le dire.

Tara secoua la tête.

— Ce n'est pas grand-chose, mais je vais quand même lancer une recherche, déclara Andy. Nous aurons peut-être de la chance.

Voyant que Tara essayait de se lever, Jake lui tendit la main pour l'aider. Après une brève hésitation, elle la prit. Sa peau était douce et tiède, et il sentit son propre pouls s'accélérer légèrement. Mais son cœur marqua un brusque arrêt quand il vit du sang à l'arrière de sa tête.

— Tara, dit-il en la prenant par la taille pour la soutenir, ne faites pas d'efforts. Vous avez une blessure à la tête.

Elle trébucha.

— C'est vrai ?

Elle leva le bras et tâta son crâne. Lorsqu'elle regarda ses doigts et vit le sang, elle devint si pâle que Jake eut peur de la voir s'évanouir. Il la sentait fragile et vulnérable, et il aurait bien voulu passer cinq minutes avec le fichu lâche qui ne s'était même pas arrêté pour l'aider.

Il passa derrière elle et écarta doucement ses cheveux. Elle avait une petite coupure près de l'oreille. Il y avait beaucoup de sang, mais il savait que les blessures à la tête saignaient toujours beaucoup, sans que cela soit le signe d'un traumatisme sévère.

— On dirait que vous vous êtes entaillé le cuir chevelu sur une pierre. Ça va aller.

Voulant la rassurer, il ajouta :

— Le médecin vous confirmera certainement que vous n'avez pas besoin de points de suture.

Elle se tourna pour le dévisager, les yeux écarquillés.

— Il n'est pas question que je voie un médecin !

— Vous pourriez avoir une commotion cérébrale. Vous devez vous faire examiner.

— Non.

— Je peux au moins vous reconduire chez vous pour que vous désinfectiez la blessure ?

Une fois sur place, il y regarderait de plus près et, au besoin, il la jetterait dans la voiture et la conduirait à l'hôpital le plus proche.

Elle déglutit avec peine.

— Je veux bien.

Se tournant vers Gordon, elle ajouta :

— Nous pouvons vous déposer ?

— Non, merci. Vous savez que je déteste tout ce qui possède un moteur. En tout cas, je suis content de voir que vous n'avez rien.

Tandis qu'il remontait en selle, Jake soutint Tara jusqu'à la voiture, auprès de laquelle les attendait Andy.

— J'ai passé l'information à Lori Mae. Les forces de police des quatre comtés environnants sont en alerte pour retrouver la voiture.

Il adressa un chaleureux sourire à Tara.

— Heureusement que le chef Vernelli a décidé de partir à votre recherche.

Tara l'observa d'un air peu amène.

— Pourquoi avez-vous fait ça ?

Il pouvait difficilement lui répondre qu'il n'avait pas

cessé de penser à elle depuis qu'elle lui avait ouvert sa porte en pleine nuit.

Il haussa les épaules.

— Je suis flic. Ça fait partie de mon travail.

Il lui fallut quelques secondes, mais elle se résolut finalement à lui sourire.

— Je suis désolée. Je crois que nous sommes partis du mauvais pied, et je n'ai pas encore totalement retrouvé mes esprits.

Dans ce cas, ils étaient deux. Il avait lui-même la tête un peu tournée et manquait de souffle.

Il ouvrit la portière passager, et aida Tara à se hisser à bord du 4x4.

— Andy, je raccompagne Tara chez elle. Allez prendre votre petit déjeuner avec votre grand-père.

Le court trajet jusqu'à la ferme se fit en silence. Jake n'avait pas encore coupé le moteur que Tara se ruait hors de la voiture. Il la rejoignit sur les marches de la terrasse de bois et attendit qu'elle écarte la moustiquaire et déverrouille la porte.

— Merci, dit-elle en tournant brièvement la tête vers lui.

On lui signifiait son congé, et il n'aimait pas ça.

— Je devrais peut-être entrer. On ne sait jamais, vous pourriez tomber sous la douche.

— Ça n'arrivera pas.

Etant donné qu'il était déjà entré une fois de force chez elle, il recula et s'assit sur les marches.

— Si vous n'êtes pas ressortie dans vingt minutes, je viens vous chercher.

Elle se mordilla la lèvre, hésitante, et finit par hausser les épaules.

— Si vous n'avez rien de mieux à faire…

Elle se tourna, poussa la porte et, après un temps d'hésitation, lança par-dessus son épaule :

— Puisque vous êtes là, vous voulez bien surveiller que personne n'entre pendant que je suis sous la douche ?

C'était une demande anodine, faite sur un ton détaché... Peut-être un peu trop détaché, d'ailleurs.

— Vous attendez quelqu'un ?

— Non, mais une fois arrivé en ville, Gordon risque de propager la nouvelle, et il ne serait pas étonnant que des gens viennent prendre de mes nouvelles.

Ce n'était pas dénué de logique, mais Jake sentait que quelque chose n'allait pas.

— D'accord. Personne ne franchira le barrage, plaisanta-t-il.

Elle ne sourit pas, mais il eut le temps de lire du soulagement dans ses yeux avant qu'elle ne lui tourne le dos.

4

Dix-sept minutes plus tard, Tara tournait le verrou et s'avançait sur le porche, vêtue d'une jupe en jean bleu délavé et d'un T-shirt blanc à manches longues.

Elle avait l'air jeune, fraîche et innocente, et Jake se reprocha de penser qu'elle lui cachait probablement quelque chose.

— Asseyez-vous, dit-il en désignant les marches.

Il écarta ses cheveux pour observer la coupure. Une odeur de framboise montait de sa peau ou de ses cheveux, et il eut peur soudain d'inspirer trop profondément, peur que cette odeur s'inscrive de manière indélébile dans sa mémoire.

L'entaille mesurait moins de deux centimètres, elle avait cessé de saigner et elle semblait propre.

— Je pense que ça va.

— Tant mieux, dit Tara en se levant. Je dois aller travailler. Janet doit être débordée.

— Nous n'avons pas eu beaucoup de temps pour faire connaissance, mais j'ai eu l'impression que Janet est très compétente. Ne peut-elle s'occuper du restaurant un moment pendant que vous vous reposez ?

— Je n'ai pas besoin de me reposer. Mais ce que vous dites est vrai. Un jour normal, Janet pourrait tout gérer avec une main attachée dans le dos. Seulement, il nous manque un plongeur et, surtout, nous sommes à la veille du pique-nique municipal. La chambre de commerce fournit la viande et m'a chargée de préparer le repas. Nous avons plus de cent livres de rosbif qui doit être cuit aujourd'hui afin de pouvoir le couper demain pour confectionner des sandwichs au bœuf.

Le pique-nique de la ville. Bizarrement, Chase avait oublié de lui en parler. Cent livres de viande, cela faisait une belle quantité de sandwichs. Il fallait donc s'attendre à ce qu'il y ait beaucoup de monde et, partant de là, un certain niveau de grabuge.

— Et alors, que se passe-t-il au cours de cet événement ? demanda-t-il.

— Tout le monde se rassemble pour la parade. Puis le déjeuner a lieu dans le parc, avec des jeux pour les enfants, des parties de volley pour les adultes… En fin d'après-midi, les gens se dispersent. Beaucoup ont des vaches laitières et ne peuvent pas manquer la traite.

Des vaches. La traite. Le pique-nique de la ville. Il avait l'impression d'avoir atterri au beau milieu d'un tableau de Norman Rockwell. Il aurait vraiment payé sa dette à Chase au prix fort. Bon sang, ce qu'il avait envie de retrouver son appartement, et ses voisins qu'il connaissait à peine de vue et qui ne se mêlaient pas de sa vie.

Sans un mot de plus, Tara se dirigea vers le garage, et sortit sa camionnette. Quand il lui fit signe qu'il fermerait la porte, elle se précipita hors de son véhicule et le fit elle-même. Puis elle agita la main pour lui faire comprendre qu'il pouvait s'en aller.

Le message ne pouvait pas être plus clair. Elle n'avait pas envie qu'il contrôle ses faits et gestes, même si c'était pour la protéger.

Lorsque Tara ferma la porte du restaurant en milieu d'après-midi, elle tremblait d'épuisement. La vitre brisée avait déjà copieusement éveillé l'attention, et le temps que le récit par Gordon de sa dernière mésaventure fasse le tour de la ville, le restaurant avait fait le plein. D'ailleurs, en comptant la caisse, elle avait pu constater une hausse de vingt pour cent du chiffre d'affaires.

Entretemps, elle avait répondu en souriant aux mêmes questions dix fois répétées, et avait acquiescé aux mêmes commentaires.

Oui, quelqu'un va venir réparer la vitre.

Oui, c'est vrai que je suis tombée dans un fossé en voulant éviter une voiture.

Oui, moi aussi, je me demande parfois dans quel monde on vit, et où tout ça va nous mener…

Elle avait refait des dizaines de fois les mêmes gestes pour servir des cafés et des parts de tarte framboise-rhubarbe.

Un de ses habitués lui avait proposé un chien pour la protéger des intrus.

Chase Montgomery l'avait appelée pour lui exprimer sa consternation et lui apporter son soutien, en se félicitant de la présence de Jake à ses côtés. A l'en croire, il n'y avait pas meilleur flic que lui. Rien ne pouvait lui échapper. A vrai dire, cela n'arrangeait pas Tara, et elle aurait bien aimé qu'il se passe quelque chose en ville pour détourner l'attention de Jake. Un bon petit braquage de banque, par exemple…

Bref, la journée avait été bien remplie. Elle avait la plante des pieds en feu, et une douleur sourde dans le bas du dos. Son T-shirt collait à sa peau à cause de la chaleur intenable dans la cuisine, et la sueur s'accumulait entre ses seins. Quand elle avait lavé le sol, il lui avait semblé que la serpillière pesait une tonne.

Pour couronner le tout, Janet s'était mis en tête de lui faire la conversation tandis qu'elles récuraient les casseroles côte à côte devant l'évier. C'était tellement étonnant de la part d'une employée d'ordinaire taciturne que Tara avait failli laisser tomber une lourde poêle sur son pied.

— Que pensez-vous du nouveau chef de la police ? avait demandé Janet.

— Il a l'air bien, avait marmonné Tara, en grattant vigoureusement la fonte encrassée.

— Il était inquiet de ne pas vous voir ce matin. Il était prêt à remuer ciel et terre pour vous retrouver.

Et cette remarque avait trotté dans la tête de Tara.

En moins de douze heures après l'arrivée de Jack Vernelli, son commerce avait été vandalisé et elle avait failli être tuée. Michael l'avait-il retrouvée ? Etait-il lié d'une façon ou d'une autre au nouveau chef de la police ?

Personne à Wyattville ne savait pour Michael. Quand elle était arrivée en ville, le traumatisme était trop récent. Puis, à mesure que son corps cicatrisait et que son esprit s'éclaircissait, elle avait décidé que la seule façon de se protéger était de s'assurer que personne, surtout pas la police qui l'avait déjà trahie auparavant, ne connaisse la vérité.

Et jusqu'à présent, cela avait été facile. Joanna Travis avait disparu pour laisser place à Tara Thompson.

Mais Jake Vernelli la rendait nerveuse.

En milieu de matinée, il était passé et avait pris un café avec Frank Johnson. Sa présence au comptoir l'avait perturbée. Elle se savait observée, notamment quand un client l'interrogeait sur l'accident. Essayait-il de voir si sa version des faits changeait ?

Il n'y avait pas de raison. Elle lui avait dit la vérité. La voiture avait dévié de sa trajectoire, elle avait réagi et heurté violemment le sol. L'impact lui avait coupé le souffle.

Le temps qu'elle essaie de se redresser, la voiture avait déjà disparu de l'autre côté de la colline. Elle avait à peine entrevu le conducteur avant de plonger à terre. Il ou elle portait un chapeau rabattu sur les yeux.

C'était peut-être une personne âgée qui avait fait une fausse manœuvre. Ou une infirmière de l'hôpital du comté, épuisée par une garde prolongée et qui s'était brièvement assoupie, avant de se ressaisir au dernier moment.

Il était impossible de savoir s'il s'agissait de Michael.

Michael Watson Masterly, troisième du nom. Des Masterly de New York.

Vieille fortune. Des relations haut placées. Pervers et manipulateur. Mais elle ne savait rien de tout cela quand elle avait rencontré Michael à la réunion de financement pour la campagne du gouverneur. Elle faisait son travail de journaliste. Il s'était montré amical et drôle. Et quand il lui avait fait une cour assidue pendant des semaines, elle avait été assez naïve pour croire qu'elle vivait un conte de fées.

Six mois après leur rencontre, ils vivaient ensemble et elle préparait leur mariage.

Quelques semaines plus tard, elle fuyait pour rester en vie.

Si Jake Vernelli était aux ordres de Michael, il était là pour la tuer.

Si ce n'était pas le cas, il représentait quand même un danger. Il suffisait qu'il regarde d'un peu trop près pour s'apercevoir que sa vie n'était qu'un château de cartes prêt à s'effondrer au moindre courant d'air.

A 9 heures le lendemain matin, Tara se tamponnait le visage à l'aide d'une serviette en papier. En venant travailler, elle avait apprécié le ciel radieux et la douce caresse du soleil. A présent, la température extérieure atteignait les trente-deux degrés, et il faisait au moins trente-huit dans la cuisine.

L'été le plus chaud depuis cinquante-cinq ans. Les présentateurs météo s'en gargarisaient, répétant tous les mêmes commentaires convenus, jusqu'à sombrer parfois dans le catastrophisme.

Dans le Minnesota, où les étés duraient à peine deux mois, et où on considérait qu'il faisait chaud à partir de vingt-trois degrés, quinze jours ininterrompus dépassant les trente degrés faisaient figure d'exception. C'était bien simple, on ne parlait plus que de cela en ville.

Sauf ces derniers jours, où le pique-nique municipal s'immisçait dans les conversations. Depuis cent dix ans, il se déroulait tous les 15 juin, et rassemblait plus de cinq cents personnes au parc Washington, un vaste terrain d'un hectare aux confins de Wyattville. Comme d'habitude, on évoquerait de vieilles anecdotes, on échangerait des recettes, on présenterait les nouveaux bébés, et on consommerait d'énormes quantités de nourriture.

Depuis ce matin, Janet et Tara avaient tranché la viande cuite la veille. Le Lions Club fournirait trois larges chauffe-plats qui maintiendraient la viande à température, afin d'en garnir de petits pains ronds, avec un mélange d'oignons et de poivrons sautés.

Quelques volontaires s'occuperaient des barbecues et on ne tarderait pas à entendre grésiller hot dogs et hamburgers. Chaque famille participante apporterait un plat à partager — salades, desserts… —, il y aurait de la limonade, du thé glacé et de grands tonneaux de bière fraîche. Personne ne repartirait l'estomac vide.

La parade serait constituée de remorques à foin décorées de fleurs en crépon et de rubans, et tirées par des tracteurs. Certains des équipages accueilleraient les membres du conseil municipal ou de la chambre de commerce, ou de quiconque était considéré comme « quelqu'un ». Chacun aurait un sac de bonbons à son côté, qu'il ou elle jetterait par poignées sur la foule, pour la plus grande joie des enfants, qui courraient derrière les chars fleuris pour récolter cette manne.

Les scouts, garçons et filles, défileraient en portant

fièrement des drapeaux. Wyattville n'avait pas de lycée, et les élèves étaient conduits en bus à Bluemond, à quarante kilomètres de là. En échange, la fanfare de Bluemond, composée de soixante-quinze personnes, venait participer à la parade de Wyattville. Le départ ayant lieu à deux cents mètres du Nel's, Tara avait dû supporter une cacophonie de trompettes, flûtes et tambours tandis que les musiciens, quelque peu fébriles, répétaient avant de commencer le défilé.

A 10 h 45, quinze minutes avant le début de la parade, Tara verrouilla la porte de devant. En temps normal, le restaurant fermait à 14 heures le vendredi, mais aucun des habitants ne s'attendait à ce que l'établissement reste ouvert aujourd'hui. Le pique-nique municipal était une institution, et personne à Wyattville n'aurait manqué ça.

Deux chaises pliantes calées sous le bras, Tara se dirigea vers le parc et choisit une place à l'ombre d'un grand chêne. Tout en dépliant les chaises, elle salua quelques clients d'un signe de main. Ce fut une fois assise qu'elle le vit.

Un mètre quatre-vingt-huit de muscles.

Avant le cauchemar que lui avait fait vivre Michael, elle aurait probablement apprécié les longues jambes, la taille étroite, le torse puissant. Peut-être même aurait-elle plaisanté avec ses collègues sur la tonicité de ses fesses, risquant une remarque osée sur d'autres attributs.

Mais, outre qu'elle avait perdu son insouciance et son goût de la raillerie, elle devait reconnaître que la personnalité de Jake n'incitait pas à l'irrévérence. Surtout avec son uniforme parfaitement repassé et ses chaussures réglementairement lustrées. A vrai dire, il s'en dégageait une impression d'autorité qui lui nouait l'estomac de crainte.

L'attitude de Jake était pourtant bienveillante et décontractée lorsqu'il aborda un groupe d'adolescents ayant décidé que la barricade en travers de la route ne s'appliquait pas à eux.

Mais Tara ne s'y trompait pas. Il n'avait pas l'air d'un type qui avait perdu le feu sacré en s'encroûtant derrière un bureau, sans jamais mettre les pieds sur le terrain. Certainement pas. Et hier soir, elle l'avait vu tenir son arme comme si elle était une extension de son bras.

Etait-ce aussi simple que cela en avait l'air ?

Etait-il réellement venu à Wyattville pour aider un vieil ami ?

Mais qui pouvait quitter son emploi au gré de ses envies et aller travailler ailleurs pendant six semaines ? Non, l'histoire devait être plus complexe.

Et elle n'aimait rien autant qu'une bonne histoire. Rassembler des bribes d'informations, reconstituer une série d'événements… Elle était douée pour ça autrefois.

Qu'il s'agisse de couvrir une campagne politique, un procès pour meurtre, ou les dérives des grandes banques, elle avait adoré être journaliste, voir le résultat de son travail s'afficher dans les kiosques…

Elle en aimait d'ailleurs chaque étape, jusqu'aux délais éditoriaux impossibles, au stress sans cesse renouvelé du bouclage… Il lui arrivait même parfois de regretter le café notoirement infect de la salle de rédaction.

Mais tout cela était bien loin. Aujourd'hui, elle devait faire profil bas, et se tenir autant que possible à l'écart du chef Vernelli.

Tournant sa chaise de façon à le garder dans sa vision périphérique, sans toutefois que leurs regards puissent se croiser, elle acheta à deux jeunes filles de la limonade artisanale un peu trop sucrée à son goût, et accueillit avec soulagement le début de la parade.

Elle applaudissait au passage des pompiers volontaires quand une silhouette lui fit de l'ombre.

Elle se tourna si rapidement qu'un des côtés de la chaise pliante quitta le sol, et elle serait tombée si une main puissante ne l'avait soutenue.

— Faites attention, dit-il.

— Chef Vernelli, marmonna-t-elle, tout en priant pour qu'il s'éloigne.

Mais il se campa solidement sur ses jambes, les pouces glissés dans la ceinture lestée de tout l'équipement réglementaire — arme, matraque, menottes… — et observa la parade avec un sourire.

Elle l'ignora, et il n'en parut pas le moins du monde affecté.

Au passage du premier char, une pluie de caramels sous cellophane s'abattit sur la foule. Jake tendit le bras et attrapa facilement un bonbon qu'il jeta sur les genoux de Tara.

— C'est à vous, protesta-t-elle.

Il haussa les épaules.

— Je n'aime pas les sucreries. Mais je serais capable de me battre comme un chiffonnier pour un sachet de chips.

Une preuve de plus qu'il n'était pas normal. Elle déballa le caramel et le savoura tandis que les tracteurs, auréolés d'un âcre nuage de carburant, roulaient au pas dans un vacarme de moteurs toussotant et crachotant.

Quand ce fut fini, elle se leva et plia sa chaise.

— Qu'y a-t-il après ? demanda Jake.

— Le repas. Et ensuite, place aux jeux.

— Quel dommage que je sois de service, dit-il d'un ton faussement contrit. J'aurais tellement aimé participer à toutes ces fantastiques animations que j'aperçois.

Il lui adressa un sourire, et elle sentit un petit pincement au creux de l'estomac.

C'était indéniablement un homme séduisant.

Il pouvait même être charmant quand il s'en donnait la peine.

Elle saisit le premier prétexte venu pour déguerpir.

— Il faut que je me dépêche. Janet doit m'attendre.

Jake s'était mis à l'écart pour discuter avec ceux qui voulaient mieux connaître le nouveau chef de la police, mais il n'en gardait pas moins un œil sur la partie de volley-ball à laquelle participait Tara.

Son enthousiasme compensait son manque de technique. Ses déplacements et ses gestes étaient un enchantement pour les yeux, et il surprit dans la foule quelques jeunes hommes qui en tiraient presque la langue.

Etait-il possible que ses récents ennuis aient quelque chose à voir avec un amoureux évincé ?

Il lui avait demandé avec qui elle avait eu un différend récemment. Mais la question aurait peut-être dû être celle-ci : « Qui avez-vous laissé tomber ? »

Lorsque la partie se termina, il observa attentivement qui s'approchait d'elle. Ce fut le cas de plusieurs des jeunes hommes, mais elle se comporta avec naturel et décontraction, échangeant quelques mots avec chacun d'eux… jusqu'à ce que s'approche un homme d'une maigreur presque maladive. Il portait un jean délavé et un débardeur blanc révélant des bras couverts de tatouages, et fumait une cigarette.

Tara parut surprise de le voir, puis elle lui fit signe de la suivre, jusqu'à ce qu'ils soient hors de portée de voix. Il parlait, et elle se contentait pour l'essentiel d'écouter. Puis il jeta sa cigarette et, avec plus de force qu'il n'était nécessaire, enfonça le mégot dans la terre avec le talon de sa botte. Tara plissa le front, secoua la tête et fit demi-tour.

En voyant l'homme la saisir par le bras, Jake se précipita.

— Un problème ? demanda-t-il, en se plaçant à côté de Tara.

— Non. Aucun problème.

Il ne s'en laissa pas compter.

— Vous sembliez avoir une conversation plutôt animée, dit-il en fixant l'inconnu.

Tara s'interposa.

— Ce n'était rien du tout. Je vous présente Donny Miso.

Repoussant une mèche de cheveux derrière son oreille, elle ajouta :

— Donny, voici le chef Vernelli.

L'homme ne répondit pas, gardant la tête baissée. De près, Jake put constater qu'il avait les cheveux sales. Il ne s'était pas rasé depuis plusieurs jours, et les cercles noirs sous ses yeux attestaient de nombreuses nuits sans sommeil. Il avait l'air un peu désespéré et, normalement, Jake éprouvait de la compassion pour les gens au bout du rouleau. Mais il n'avait aucune sympathie pour les hommes qui utilisaient leur force pour dominer les femmes, les contraindre.

— Donny, je crois que vous feriez mieux de vous en aller, dit-il avec une calme autorité.

— Je ne veux pas d'ennuis.

— Dans ce cas, nous voulons la même chose. Tara, je crois que Janet vous cherchait. Je vous conduis à elle.

Sans ajouter un mot, Donny s'éloigna. Lorsqu'il fut presque hors de vue, Jake se tourna vers Tara.

— Il veut récupérer son poste ?

— Non. Mais ce qui est curieux, c'est qu'il n'a pas trouvé d'autre emploi. Je ne sais pas à quoi il joue. J'ai l'impression qu'il est complètement déboussolé, et qu'il est en train de sombrer.

— Vous pensez qu'il pourrait avoir quelque chose à voir avec les récents événements ?

— Je crois qu'il en veut à la vie, pas à moi.

Quand bien même. Jake se promit d'avoir une conversation sérieuse avec Donny avant que la journée ne se termine.

— Excusez-moi, dit Tara, je vais voir si Janet a besoin d'aide.

Elle disparut dans la foule, et Jake attendit plusieurs minutes avant de la suivre. Il trouva facilement les deux femmes, et ne fut pas surpris de découvrir que Nicholi avait réussi à installer sa chaise près de celle de Janet.

Tara était étendue sur l'herbe. En appui sur les coudes, les jambes tendues devant elle, la tête rejetée en arrière, elle offrait son visage au soleil.

— Comment était cette partie de volley ? demanda Nicholi.

— Fatigante. Mais je crois que j'ai éliminé votre salade de pommes de terre mayonnaise, Janet. Heureusement qu'Alice n'était pas là avec sa tourte aux cerises. La combinaison des deux m'aurait achevée.

Nicholi mit une main en visière au-dessus de ses yeux.

— Je n'ai pas souvenir qu'Alice et Henry aient déjà raté un pique-nique.

Tara hocha la tête.

— Je sais. Ils sont partis tôt hier pour aller voir leur fils. Vous savez que Bill doit se marier bientôt.

— Je me demande si Alice sera enfin satisfaite, marmonna Janet. Cela fait des années qu'elle harcèle ce pauvre garçon pour qu'il se marie. Dieu sait qu'elle n'a pas ménagé ses efforts pour vous caser tous les deux.

Voilà qui était intéressant, songea Jake, en se rapprochant aussitôt.

— Tiens, comment allez-vous, chef ? demanda Nicholi.

Tara ouvrit les yeux et se redressa si précipitamment que Jake eut peur qu'elle se soit démis une vertèbre. L'arrivée soudaine d'Andy la dispensa de répondre.

— Venez, dit le jeune homme. C'est l'heure de la course en sac. J'ai besoin d'une coéquipière.

Elle gémit piteusement.

— Le volley m'a épuisée.

— Cela fait des mois que vous mettez des sacs de pommes de terre de côté. Vous êtes en quelque sorte le sponsor de la course.

L'idée qu'elle colle ses jambes nues contre celles d'un autre homme parut soudain révoltante à Jake.

Il fit un pas de plus en avant.

— J'espérais que Tara ferait la course avec moi.

5

— Je ne peux pas, répliqua immédiatement Tara. Je suis vraiment désolée.

Elle se leva et recula d'un pas.

— Je ne voudrais pas décevoir Andy.

Ce dernier, bien que visiblement dépité, leva les mains en signe de capitulation. Il devait se dire qu'il valait mieux ne pas contrarier son nouveau supérieur.

— Pas de problème, chef. Je trouverai quelqu'un d'autre. Mais j'espère qu'il n'y aura pas de représailles quand nous vous aurons battus tous les deux.

Tara se mordilla la lèvre, prit une grande inspiration, et croisa brièvement le regard de Jake.

— Allons-y.

Sur ces mots, elle se dirigea vers la ligne de départ et tendit la main pour qu'on lui donne un sac. Jake se plaça derrière elle sans mot dire.

La fanfare de Bluemond jouait en fond sonore. Apparemment, les musiciens étaient déterminés à fournir une animation musicale durant tout l'après-midi. C'était la troisième fois qu'ils jouaient la même chanson. Seule concession à la chaleur, ils avaient ôté leur veste d'uniforme.

Tara lui tendit le sac et il glissa une jambe à l'intérieur.

— Si je meurs d'une crise cardiaque, promettez-moi de ne révéler à personne que c'était pendant une course en sac, dit-il d'un ton narquois.

Elle haussa les épaules.

— Vous pourriez mourir couvert de jaune d'œuf. Le concours de lancer d'œufs vient tout de suite après.

Il leva les yeux au ciel, mais la moquerie déserta son visage quand Tara glissa sa jambe nue dans le sac.

Même à travers l'étoffe de son pantalon, il avait l'impression de sentir la douceur de sa peau. Et son trouble ne fit que s'amplifier quand la hanche de Tara frôla la sienne.

— Prêt ? demanda-t-elle d'un ton cassant.

— Plus que jamais.

Il s'était mis tout seul dans cette situation, à lui de s'en sortir.

Le sifflet retentit et ils se mirent à sautiller, faillirent tomber, se redressèrent, sautillèrent de nouveau, et finirent par trouver leur rythme.

A trois mètres de la ligne d'arrivée, Jake se dit qu'ils avaient une chance de gagner mais, du coin de l'œil il vit un autre couple les rattraper.

Il était si concentré sur eux qu'il ne vit pas le duo de l'autre côté qui, au lieu de sautiller, faisait de grands bonds comme s'il s'agissait d'une compétition de saut en longueur. Ils perdirent l'équilibre et vinrent les percuter, provoquant leur chute.

Avant qu'il ait eu le temps de comprendre ce qui lui arrivait, Jake se retrouva couché sur le dos. Tara était étendue de tout son long sur lui, le visage enfoui dans son cou, les seins pressés contre son torse. D'instinct, il avait refermé les bras autour d'elle et la tenait fermement. Elle était solide et pourtant délicate. Avec des rondeurs où il fallait.

Elle bougea, rejetant la tête en arrière si vite qu'une longue mèche blond vénitien vint lui effleurer la joue. Il inhala profondément, et lorsqu'une bouffée de framboise vint emplir ses narines, il se dit qu'il avait commis une erreur fatale. Désormais, cette odeur ne cesserait de le hanter.

Elle le dévisagea, les pupilles dilatées, les lèvres entrouvertes, et soudain il n'entendit plus rien autour de lui.

L'orchestre, le brouhaha de la foule, s'étaient fondus en une lointaine rumeur qui palpitait au rythme de la course du sang dans ses veines, et de la respiration altérée de Tara, comme en écho à son propre trouble. Il songea qu'il lui suffirait de relever la tête et de l'incliner légèrement pour…

— Tara, vous allez bien ?

Andy était apparu à leurs côtés. Lorsqu'il tendit une main secourable à Tara, elle s'en empara aussitôt et s'extirpa du sac de pommes de terre.

Quand Andy voulut l'aider à son tour, Jake refusa d'un geste impatient. Il mit plus de temps à se relever, en se sentant vaguement désorienté.

— Vous auriez pu gagner, dit Andy.

— En tout cas, nous n'avons pas ménagé nos efforts, répondit Jake.

Il tourna les yeux vers Tara, mais elle était occupée à dépoussiérer son short du plat de la main.

— Vous voulez essayer le lancer d'œufs ? proposa Andy.

Jake leva les mains devant lui.

— Non. Je crois que je vais passer mon tour.

Il leur tourna le dos et s'engagea dans la foule. Une rapide inspection des lieux le convainquit que l'acte le plus dangereux était le fait de Riley et Keller, les jumeaux de sept ans de Lori Mae, dont il avait brièvement fait la connaissance hier au poste, alors qu'ils venaient retrouver leur maman pour déjeuner. Perchés dans un arbre, les deux frères s'amusaient à jeter des graines de pastèque sur les passants.

Il fit semblant de ne pas les avoir vus, mais les chenapans devaient l'avoir remarqué car il entendit un hoquet de surprise et des froissements de feuilles. Il croisa les doigts pour qu'il n'y ait ni chute ni jambe cassée. Il ne se voyait pas expliquer ça à leur mère. Lori Mae avait passé une heure hier à l'aider à se familiariser avec son poste, et s'était montrée particulièrement utile dans l'organisation de la sécurité du pique-nique. Elle avait trente-cinq ans, et avait épousé son amoureux du lycée douze ans plus tôt. Militaire, celui-ci venait de repartir pour une nouvelle mission au Moyen-Orient. Elle travaillait de 8 heures à 17 heures, du lundi au vendredi, et gérait remarquablement la partie administrative du service. Le soir et les week-ends, le standard était basculé sur le centre d'appels du comté.

Il se douta qu'elle ne devait pas être loin et la retrouva en effet assise près de Janet et Nicholi. Il s'avança et prit appui contre un tronc d'arbre. Tout le monde se concentrait sur le concours de lancer d'œufs qui n'allait pas tarder à commencer.

Tara et Andy se faisaient face à cinq mètres l'un de l'autre. Après chaque tir gagnant, chacun des participants devait reculer d'un pas. Lorsqu'il ne resta plus que trois duos en lisse, une bonne dizaine de mètres séparaient Andy et Tara.

C'était maintenant à Tara de lancer. Son tir était peut-être un peu haut, mais Andy était un géant et il n'eut aucun mal à le réceptionner. Il éclata de rire comme un enfant, et Tara applaudit. Un pas en arrière pour chacun.

Andy fit tout un cinéma pour tirer, s'amusant à faire de faux lancers.

Soudain, la complainte déchirante d'un saxophone s'éleva.

L'œuf quitta la main d'Andy et traversa l'air, tandis que Tara… Eh bien, Tara avait relâché son attention et scrutait la foule des yeux.

L'œuf la frappa à l'épaule et se brisa.

Andy traversa en courant la pelouse pour la rejoindre.

— Tara, vous ne regardiez pas, protesta-t-il.

— Je… Je suis désolée, Andy.

Jake était assez près pour se rendre compte qu'elle était livide, et que la main qui recueillait les débris de coquille sur sa manche tremblait. Il regarda autour de lui et ne vit rien d'insolite, rien qui puisse justifier ce genre de réaction.

Il remarqua que le saxophone s'était tu.

— C'est pour ça que je ne participe jamais à cette animation, commenta Lori Mae.

Nicholi et Janet échangèrent un sourire.

Jake regarda la fin de la compétition d'un œil distrait, tout en se demandant ce qui avait pu affecter Tara de la sorte. Après avoir félicité les gagnants, Andy et Tara rejoignirent le petit groupe.

— Chef, je vais y aller, déclara Andy. Ma garde commence dans quelques minutes. Je me changerai au poste.

Jake hocha la tête d'un air absent. Tara était toujours beaucoup trop pâle à son goût.

— Vous devriez en faire autant, mon chou, remarqua Janet. Votre T-shirt est un désastre.

Tara baissa la tête, comme si elle s'en apercevait seulement maintenant.

— Ce n'est que la manche, dit-elle à mi-voix.

Ce qui incita Jake à y regarder de plus près.

Tout à l'heure, il était si occupé à observer ses longues jambes mises en valeur par un short très court, qu'il n'avait pas prêté attention au fait qu'elle portait des manches longues. D'accord, c'était un vêtement léger, mais il faisait quand même trente-deux degrés. Cela lui fit penser que, même pour courir, elle portait un T-shirt à manches longues.

Qu'est-ce que cela pouvait bien cacher ?

Il songea immédiatement à la drogue. Des traces de piqûres ? Peu probable. Elle avait l'air en trop bonne santé.

Un excès de pudeur ? Dans ce cas, elle n'aurait pas autant dévoilé ses jambes.

Lori Mae se leva.

— Je ferais bien d'aller chercher mes petits hooligans et de les ramener à la maison.

— Deuxième arbre sur la gauche.

— Merci, chef. Alors, qu'avez-vous pensé de votre premier pique-nique à Wyattville ?

Le premier et le dernier, songea Jake. Il serait parti d'ici la fin de l'été, et il ne risquait pas de revenir. Mais ça n'avait pas été aussi terrible qu'il l'avait craint. Il pensait que ce serait de mauvais goût et ennuyeux mais, si cela avait parfois été le cas, il avait été touché de voir toute une communauté se rassembler pour le simple plaisir de partager un repas et une conversation.

En ville, il y avait aussi des festivals qui attiraient une foule nombreuse, mais uniquement parce que les gens partageaient un intérêt pour l'événement lui-même, pas pour leurs prochains.

— C'était un plaisir, dit-il avec sincérité.

— Bon, eh bien, bonne fin de journée à tous, dit Lori Mae.

— Je ferais bien d'y aller aussi, déclara Tara.

Voyant que Nicholi se levait avec difficulté et tentait maladroitement de plier sa chaise, elle ajouta, tout en lançant un regard à Janet :

— Vous voulez que je vous aide ?

— Je m'en occupe, répondit Nicholi.

Tara n'insista pas, et Jake réalisa qu'elle ne voulait pas vexer le vieil homme.

— Très bien. Bonne soirée.

Puis elle s'éloigna. Elle n'avait pas fait dix mètres que Nicholi remarqua :

— J'adore cette petite. C'est une vraie bouffée d'air frais.

— Espérons que cette mauvaise passe soit terminée, dit Janet. D'abord la vitre brisée, puis cette voiture qui manque de la percuter… Elle a bien le droit à un peu de chance pour changer.

Jake ne croyait pas à la chance, bonne ou mauvaise. Il ne croyait pas non plus aux coïncidences. Il croyait fermement que les actions causaient des réactions.

Les coups reçus et les coups portés conservaient à l'univers son équilibre. Quelqu'un avait un compte à régler avec Tara, et il avait bien l'intention de découvrir de qui il s'agissait.

Tara avait cessé de trembler quand elle arriva chez elle. Elle avait entendu le saxophone, reconnu la chanson préférée de Michael, et pris peur.

C'était une chanson populaire que presque tout le monde connaissait. Cela ne voulait rien dire. Pas plus que le fait que le saxophone était l'instrument favori de Michael.

N'est-ce pas ?

Elle devait se ressaisir, ne pas s'imaginer qu'il y avait des monstres sous son lit ou dans les placards. Et encore moins au pique-nique municipal, pour l'amour du ciel.

Elle tourna dans son allée, et se dit que ce n'était pas un signe de névrose de ralentir pour observer son environnement, de prendre quelques secondes de plus pour s'assurer que tout était normal. C'était une marque d'intelligence. De sens pratique.

Elle se gara, sans perdre de temps à rentrer dans le garage. Après s'être changée, il faudrait qu'elle aille à l'épicerie. Elle grimaça en sortant de la camionnette, consciente que ses muscles la feraient souffrir encore quelques jours.

Elle était à mi-chemin de la maison quand elle remarqua quelque chose d'anormal.

Elle ne se risqua pas à faire un pas de plus et se rua

vers la camionnette. Les doigts gourds, elle manipula confusément ses clés, et perdit quelques secondes avant de démarrer le moteur. Elle enclencha la marche arrière, tourna vigoureusement le volant et, le regard rivé au rétroviseur, quitta l'allée dans un crissement de pneus.

Elle était à mi-chemin de la ville quand elle retrouva une respiration normale.

L'estomac toujours noué de peur, elle s'arrêta devant l'immeuble en brique qui abritait à la fois le poste de police, la mairie, et la caserne des pompiers.

Elle s'engouffra dans le poste de police et constata qu'il n'y avait personne à l'accueil. Tout au bout, la porte des toilettes était ouverte et la lumière était éteinte.

— Andy ? appela-t-elle, tout en se demandant avec agacement où il était passé.

Tenant un dossier à la main, Jake Vernelli sortit d'une pièce située sur l'arrière.

— Que faites-vous ici ? lança Tara.

Il la toisa d'un air narquois.

— Je croyais que nous avions déjà évoqué le sujet. Je travaille ici.

Tara déglutit nerveusement.

— Oui, pardon. Ce n'est pas ce que je voulais dire. Je m'attendais à voir Andy.

Il leva un sourcil.

— Et il vous attendait aussi ? Cela intéresserait peut-être les bons citoyens de Wyattville de savoir à quoi servent leurs impôts.

Elle comprit le message implicite.

— Ne soyez pas ridicule. Il n'y a absolument rien entre nous.

Elle prit une profonde inspiration et tenta de contrôler sa colère.

— Oubliez ma visite. Je suis désolée de vous avoir dérangé.

Il arriva à la porte avant elle.

— Andy a dû manger trop de hot dogs. Il ne se sentait pas très bien quand il a pris la voiture. Il m'a appelé et je lui ai dit que je ferais la garde à sa place.

Elle essaya de le contourner, mais il fut de nouveau plus rapide et continua à lui barrer la porte.

— Qu'avez-vous ? demanda-t-il. Vous semblez sur le point de vous effondrer.

Tara n'avait pas envie de lui répondre. Elle ne savait pas si elle pouvait se fier à Jake. Mais Chase Montgomery lui faisait confiance, et ce n'était pas un idiot.

De toute façon, vers qui d'autre pouvait-elle se tourner ? S'il s'agissait de Michael, elle avait besoin de quelqu'un qui puisse l'affronter. Et qui soit plus rapide et plus fort que lui.

— J'ai besoin d'aide, dit-elle. Quelqu'un est entré chez moi aujourd'hui.

Elle avait les jambes flageolantes, comme si elle avait monté en courant plusieurs étages. Elle se dirigea vers l'une des vieilles chaises en skaï terne et craquelé de l'accueil, et s'y laissa tomber.

— Expliquez-moi, déclara Jake en se rapprochant.

— En rentrant du pique-nique, je me suis aperçue que quelqu'un était entré dans la maison. Ou peut-être y est-il encore. Je ne sais pas.

— Vous avez vu quelqu'un ?

— Non.

— Et vous n'êtes pas entrée ?

— Non.

— Votre porte était fracturée ?

— Non.

— Mais alors, comment savez-vous que quelqu'un est entré ?

— L'écran de la moustiquaire ne se referme pas complètement. Quand vous l'ouvrez, le battant se rabat lentement, mais ne s'enclenche pas dans l'encadrement. Il y a du jeu dans les charnières. Il faut pousser dessus pour bien le fermer.

Il ne dit rien, mais elle vit à sa moue sceptique qu'il n'était pas convaincu.

— Je ferme toujours la moustiquaire, insista-t-elle. Je vérifie et je revérifie avant de partir. Et quand je suis rentrée, elle n'était pas fermée.

Jake se massa la joue sans rien dire.

— D'accord, dit-il après un temps de réflexion. Je vais aller y jeter un œil.

Jake s'arrêta sur le bas-côté de la route, à quelques mètres du chemin d'accès à la ferme, suivi de Tara. Il sortit du 4x4 de patrouille et s'avança jusqu'à la camionnette.

— J'ai besoin de vos clés.

Elle les lui tendit.

— La première est pour la porte de devant, la seconde pour le verrou. La troisième ouvre à la fois la serrure et le verrou de la porte de service.

— Très bien. Je vais vérifier. Restez ici.

Elle hocha la tête. Quel choix avait-elle ? Ses jambes tremblaient tellement qu'elles ne la soutiendraient probablement pas.

La végétation qui entourait la maison était assez dense pour dissimuler les voitures garées le long de la route, et elle perdit de vue la silhouette de Jake dès qu'il eut dépassé l'entrée.

Elle se mit à inspirer et expirer profondément, en comptant les secondes. Au bout de deux minutes, elle abandonna toute ambition d'attendre patiemment et ouvrit la portière.

Elle se déplaça précautionneusement le long du chemin,

en serrant de près la haie, redoutant à chaque instant qu'on lui tire dessus.

Elle était à deux mètres de la porte d'entrée quand celle-ci s'ouvrit à la volée. Elle distingua une silhouette d'homme qui lui parut familière.

— C'est moi, dit-elle à mi-voix.

La réaction de Jake tenait plus du sifflement agacé que du soupir de soulagement.

— Je vous avais dit de rester dans la camionnette.

— Je sais. Tout va bien ?

— Il n'y a personne à l'intérieur. Vous pouvez venir.

Elle passa devant lui, mais s'arrêta au bout de trois pas dans le couloir. Les lourds rideaux de velours du salon étaient tirés, donnant l'impression que la lumière du jour s'était volatilisée à jamais. Elle les avait tirés avant de partir pour protéger la pièce de la chaleur, mais elle avait à présent le sentiment d'entrer dans un tombeau.

Jake actionna l'interrupteur et elle se laissa tomber sur le canapé.

— Ça va ? demanda Jake en s'accroupissant devant elle. Vous êtes toute pâle.

— Oui, oui… ça va.

— J'ai vérifié toutes les pièces. Tout a l'air normal. Les portes étaient verrouillées.

Donc, personne n'était entré chez elle. C'était l'explication la plus simple.

Elle était folle.

Mais non, elle était certaine que son intuition ne la trompait pas. Sa maison semblait différente. Les franges du tapis étaient relevées sur quelques centimètres, comme si quelqu'un avait buté dedans. Le tiroir central de l'ancien bureau à cylindre n'était pas repoussé à fond… Or, elle était d'une précision qui confinait à la maniaquerie, et elle veillait toujours à ce que chaque chose soit à sa place.

— Vous persistez à croire que quelqu'un est entré dans la maison ? insista Jake.

Elle était à bout de nerfs et avait envie de pleurer. Mais elle devait se maîtriser. Sa capacité à agir rapidement, sans que personne s'attende à ce qu'elle en soit capable, l'avait déjà sauvée une fois.

Si quelqu'un savait qu'elle était terrorisée, elle perdrait le bénéfice de l'effet de surprise, et cela pouvait s'avérer mortel.

6

Elle s'obligea à sourire.

— Je suis désolée de vous avoir dérangé pour rien.

Jake haussa les épaules.

— Pas de problème. Quelqu'un d'autre que vous a les clés ?

— Non.

— Un ancien petit ami, peut-être ?

— Je ne donne pas mes clés aux hommes avec qui je sors.

— Même pas Bill Fenton ?

Elle écarquilla les yeux.

— Je vous demande pardon ?

Il eut une petite moue contrite.

— Je n'ai pas pu m'empêcher d'entendre la conversation au pique-nique.

Il voyait et entendait trop de choses. C'était précisément cela qui le rendait dangereux.

— L'année dernière, Bill vivait chez Alice et Henry, et il passait beaucoup de temps à boire des cafés au Nel's. Il était sans emploi et il s'ennuyait.

— Vous voulez dire que vous n'êtes jamais sortis ensemble ?

— Nous sommes allés une fois au cinéma. Je pense qu'il a peut-être exagéré notre relation. Quand il a quitté la ville du jour au lendemain, Alice m'a laissée entendre que c'était à cause de moi. Je ne sais pas ce que Bill lui a raconté, s'il a menti délibérément ou s'il s'est mal expliqué. Quoi qu'il en soit, j'ai pensé que ça passerait. Et, en effet, Alice ne m'en a plus jamais reparlé.

— Je suppose que vos propriétaires ont les clés.

— Bien sûr.

— Ils sont peut-être passés.

C'était possible, mais ils ne devaient rentrer de voyage que le lendemain.

— Peut-être, admit-elle.

— Ou alors, quelqu'un d'autre s'est arrêté, a frappé à la porte, a essayé d'ouvrir, et a fini par partir en se rendant compte que vous n'étiez pas là.

— Vous avez probablement raison.

Il ne devait pas manquer d'explications raisonnables. Ils pourraient jouer à ce jeu-là toute la soirée.

Jake la dévisagea intensément, puis alla s'asseoir dans le fauteuil qui lui faisait face.

Il avait l'air très sérieux. L'ironie de la situation n'échappa pas à Tara. On aurait dit qu'ils rejouaient la scène de la nuit où il s'était présenté chez elle. Cette fois-là aussi, il était très sérieux.

— Il n'y a pas quelque chose que vous voudriez me dire, Tara ?

Zut ! Etait-il capable de lire dans ses pensées ?

— Non. Enfin, si : je vous remercie. J'apprécie votre aide. Vous devez avoir des quantités de choses à faire. Surtout en étant nouveau à ce poste. Je suis sûre que vous devez retourner en ville.

Il secoua la tête.

— Non. Je viens d'avoir un texto d'Andy. Il se sent mieux et il va finir la garde. Je suis libre pour la soirée.

C'était de pire en pire.

— Je suppose que vous êtes fatigué. Il a fait tellement chaud, aujourd'hui.

Il jeta un coup d'œil vers la cuisine.

— Je ne refuserais pas une tasse de café.

Comporte-toi normalement, s'encouragea-t-elle. Mais savait-elle encore comment faire ?

— Bien sûr.

Elle fit couler de l'eau et remplit le réservoir de la cafetière, en s'assurant de ne préparer que la quantité nécessaire pour deux tasses. Puis elle s'occupa nerveusement à ranger la vaisselle propre qui avait séché dans l'égouttoir. Elle ouvrit ensuite le tiroir à couverts, et fit la même chose avec les ustensiles, en répartissant soigneusement chacun d'entre eux dans son casier. Pour finir, elle passa l'éponge sur les plans de travail déjà propres. Quand le café eut fini de passer, elle en versa dans deux tasses.

Agir comme une personne normale.

Cela allait devenir son nouveau mantra. En agissant normalement, les gens finiraient par penser qu'elle était normale, et peut-être parviendrait-elle à s'en convaincre elle-même.

— Alors, qu'avez-vous pensé du pique-nique ? demanda-t-elle.

— C'est la première fois que je voyais un tracteur d'aussi près. C'est vraiment impressionnant. Et vous avez vu le confort à l'intérieur ? Je parierais qu'il y a même un bar et un canapé dans la cabine.

Elle sourit de sa plaisanterie, tout en se souvenant combien elle avait été surprise elle-même par les machines agricoles.

— Peut-être pas un canapé, mais un fauteuil confortable, un petit réfrigérateur, la télévision et la climatisation.

— On dirait mon appartement à Minneapolis, sans la climatisation.

— Vous avez toujours vécu en ville ?

Elle fut surprise de constater qu'il ne s'agissait pas d'une simple conversation de salon. Elle avait vraiment envie de mieux le connaître.

— Oui. La seule fois que j'en suis parti, c'est quand je me suis engagé dans les marines.

— Quel âge aviez-vous ?

— Dix-neuf ans. J'avais été inspiré par l'opération « Tempête du désert ». Je ne suis pas allé en Irak, mais je me suis retrouvé en Somalie, où j'ai failli laisser ma peau.

Elle avait interviewé un grand nombre de vétérans au fil des années, et elle était toujours sidérée par ce qu'ils avaient vécu.

— J'imagine que cela a dû être très dur.

— Bien sûr. Mais il y avait aussi des bonnes choses. Ça a changé ma vie.

— De quelle façon ? Pourquoi ?

Il éclata de rire.

— Vous ne seriez pas du *National Enquirer* par hasard ?

Zut ! Elle devait être plus prudente.

— Je suis simplement curieuse. Si vous ne voulez pas en parler…

Il haussa les épaules.

— Non, ça ne me dérange pas. Je me suis marié en sortant du lycée. Wendy et moi avions tous les deux dix-huit ans. Elle était enceinte de deux mois.

Il avait une femme. Un enfant. Peut-être plus d'un, maintenant. Son intuition de journaliste ne l'avait jamais trompée à ce point.

— Je n'avais pas deviné que vous étiez marié.

Elle se rendit compte qu'elle s'était exprimée d'un ton pincé, presque accusateur.

— Wendy a fait une fausse couche à quatre mois.

— Je suis désolée, Jake. La perte d'un enfant est sans doute l'épreuve la plus difficile qui soit pour un couple.

— En tout cas, je voulais que ça marche entre nous.

J'avais cette idée romantique et sans doute un peu folle qu'un mariage est pour la vie. Mais c'était difficile. Nous avions un emploi, mais nous gagnions si peu que nous arrivions à peine à nous en sortir.

— Que s'est-il passé ?

— Moins d'un an après, elle était de nouveau enceinte.

Il se leva et se dirigea vers la cuisine. Il lui tournait le dos.

— Vous ne vouliez pas de l'enfant ?

Il s'écoula plusieurs secondes avant qu'il ne se retourne.

— Je suis désolé. Je n'aime pas beaucoup en parler.

— Excusez-moi, je suis indiscrète.

— Non, c'est moi qui… Oh ! et puis après tout, maintenant que j'ai commencé …

Il soupira en se passant une main dans les cheveux.

— Wendy et moi n'avions pas fait l'amour depuis trois mois, donc je savais que le bébé n'était pas de moi. J'ai fini par apprendre que le père était le propriétaire d'une chaîne de laveries automatiques. Il avait quarante ans, une maison, un bateau… Il n'avait pas de mal à boucler les fins de mois.

Il le disait calmement, sans émotion, mais Tara devina que la douleur ne s'était jamais totalement effacée.

— Qu'avez-vous fait ?

— J'ai demandé le divorce, et je suis parti. En réalité, je ne lui en voulais pas vraiment. Je n'avais pas de perspective d'avenir, pas de diplômes. Qu'aurais-je pu lui offrir ?

— Et c'est à ce moment-là que vous vous êtes engagé dans les marines ?

— Oui. J'y ai appris la discipline, le respect de l'autorité. Et aussi que la différence entre la vie et la mort, la différence entre rentrer chez soi en un seul morceau ou dans une caisse en bois, ne tient le plus souvent qu'à un fil. Ils ont fait de moi un homme.

Il ne s'accordait pas suffisamment de crédit, songea

Tara. Il avait accepté les responsabilités d'un homme à l'âge de dix-huit ans, bien avant de devenir un marine.

— Vous êtes rentré, dit-elle, soulignant l'évidence.

— Oui. Mais je n'avais toujours pas de diplôme, ni de travail, et ma vie familiale ne ressemblait à rien. Mes parents étaient séparés, et mon frère avait plongé dans la drogue.

— Que s'est-il passé pendant que vous étiez parti ?

— Sam n'a qu'un an de moins que moi. Il a toujours été le bon élève de la famille. Il a obtenu une bourse pour Northwestern, une université privée plutôt huppée de Chicago. Ils ont un très bon programme de journalisme.

Tara s'efforça de ne pas réagir. Elle connaissait la réputation de cette université. Certains de ses anciens collègues y avaient obtenu leur diplôme.

— Sam a obtenu un stage au *Chicago Tribune*, poursuivit Jake, et il rêvait d'y travailler après son diplôme.

Il s'interrompit et soupira.

— Pendant que je prenais un omnibus, Sam grimpait à bord d'un express et filait tout droit vers le succès.

— Mais quelque chose l'a fait dérailler.

— Oui. Sa fiancée a été assassinée. C'est lui qui l'a trouvée, le crâne défoncé.

La voix de Jake s'était durcie, et il avait la mâchoire crispée.

— Le pire, c'est qu'il a été considéré un moment comme le suspect principal.

— Mon Dieu !

Cela semblait inadéquat, mais Tara ne savait pas quoi dire d'autre. Même après toutes ces années, la douleur était manifeste dans la voix de Jake, et elle savait qu'il avait souffert pour son frère.

— Je suis désolée. Cela a dû être une époque terrible.

— C'est le genre de choses qui change une personne et ceux qui l'entourent.

Elle comprenait parfaitement. La violence l'avait changée.

— C'est pour cela que le couple de vos parents s'est brisé ?

— Sam est devenu ingérable. Mes parents ne savaient plus quoi faire. Ma mère lui trouvait toutes les excuses, et mon père pensait qu'il devait prendre sur lui. Ils se disputaient sans cesse à ce propos…

Il haussa les épaules en grimaçant.

— Je crois qu'ils avaient peur tous les deux de ne pas être capables d'empêcher Sam de sombrer. Cela a fini par devenir tellement invivable qu'ils se sont séparés.

— Vous vous attendiez sûrement à être accueilli dans d'autres conditions pour votre retour au bercail.

— C'est certain. Mais j'ai réussi à obtenir de mon frère qu'il se fasse désintoxiquer, qu'il reprenne ses études et qu'il trouve un travail.

— A vous entendre, on croirait que cela était facile, mais je suis sûre du contraire.

Il haussa les épaules.

— Quand vous frôlez la mort à plusieurs reprises, vous apprenez à relativiser.

— Et vos parents ?

Un grand sourire éclaira son visage.

— Ils se sont remis ensemble. Sans eux, je me serais probablement dit que tous les mariages étaient voués à l'échec. Mais ils m'ont montré ce que l'amour peut accomplir.

— Pourtant, vous ne vous êtes jamais remarié ?

Cette question à peine posée, elle la regretta. C'était bien trop personnel et, de plus, ça ne la regardait en aucune façon.

— Oubliez ça, dit-elle en agitant la main.

— Non, ça va. Vous savez, ça ne m'a pas traumatisé.

Peut-être qu'un jour, si je trouve la femme idéale, et que je suis sûr qu'elle ne me mentira pas, alors, qui sait…

Il se tourna pour rincer sa tasse, et la posa sur l'égouttoir, avant de lui faire face de nouveau.

— Et vous ? Vous avez déjà été mariée ?

— Non.

— Vous n'avez même pas failli l'être ?

C'était l'occasion idéale. Elle pouvait lui dire la vérité. Mais c'était un flic. Comment pouvait-elle espérer qu'il ferme les yeux sur son histoire ?

Elle fit un effort considérable pour sourire.

— Même pas.

— Espérons que vous aurez plus de chance que moi. Je vais y aller, maintenant. Ça ira ?

— Absolument.

Elle le regarda franchir la porte, puis se leva pour la verrouiller.

Si je trouve la femme idéale, et que je suis sûr qu'elle ne me mentira pas…

Elle avait fait plus que simplement lui mentir. Toute sa vie était un mensonge. Tara Thompson existait vraiment. Mais ce n'était pas elle.

Le lendemain matin, Tara fit route vers la ville à une vitesse plus respectueuse des limitations que la veille. Il n'était pas encore 6 heures, mais il faisait déjà jour quand elle entra sur le parking situé à l'arrière du restaurant.

Comme elle le faisait chaque matin, elle prit une minute pour jeter un coup d'œil aux alentours afin de s'assurer que personne ne l'attendait. Ses clés à la main, elle se dirigea vers la porte, la déverrouilla et la tira derrière elle.

Elle alluma d'abord le gril, et démarra la machine à café. Puis elle rapporta de la réserve des plateaux d'œufs en carton alvéolé, et entra dans la chambre froide pour y prendre le bacon et les saucisses que Janet ferait frire en arrivant.

Quinze minutes plus tard, elle avait terminé de préparer la pâte à biscuits.

— Bonjour.

Tara sursauta et faillit renverser un saladier sur le comptoir. Elle n'avait pas entendu s'ouvrir la porte de service.

— Ah, bonjour, Janet. Je vous laisse terminer. Je vais aller allumer l'enseigne.

Elle ouvrit la porte et sourit à Nicholi qui entra, son journal plié sous le bras. Il agita la main à l'intention de Janet, qui lui répondit par un bref signe de tête. Tara lui servit un café auquel il ajouta une dosette de crème et un demi-sachet de sucre, comme il le faisait tous les matins.

La porte s'ouvrit et Toby Wilson entra.

— Comme d'habitude ? demanda Tara, tandis que l'homme prenait place sur le tabouret voisin de celui de Nicholi.

Il mangeait deux œufs au plat avec des pommes de terre sautées et du bacon, et terminait par une grosse part de tarte. Son taux de cholestérol devait grimper en flèche rien qu'en regardant son assiette.

— Attendez une minute avant de lancer la commande, dit-il, tandis que Tara lui servait un café. Le chef Vernelli doit me rejoindre.

Tara reposa si violemment la verseuse de café sur le comptoir, que du liquide brûlant rejaillit sur sa main.

Nicholi fronça les sourcils.

— Vous devriez faire plus attention.

Et encore, il était loin de tout savoir.

— Dites-moi quand vous serez prêt, dit-elle à Toby Wilson.

Elle reposa la verseuse et se tourna pour trouver refuge dans la cuisine.

Elle n'eut pas fait deux pas qu'elle entendit la porte s'ouvrir. D'un coup d'œil par-dessus son épaule, elle vit entrer Andy Hooper et Jake Vernelli. Andy s'assit à côté de son grand-père, tandis que Jake prenait place à côté de Toby. Ses cheveux étaient encore humides de la douche et sa peau rougie la veille par le soleil affichait déjà un hâle profond. Ses larges épaules tendaient sa chemise, et sa ceinture de service soulignait avantageusement ses hanches.

En termes de restauration, il était éminemment comestible. Et probablement aussi créateur d'addiction qu'un fondant au chocolat, qui était connu pour être le péché mignon de Tara.

— Du café ? demanda-t-elle, presque surprise de parvenir à s'exprimer sans que son trouble se manifeste.

— Oui, merci, répondit Jake d'un air absent, avant de se tourner vers Toby. Dans quel état est mon pick-up ?

— Excepté un pare-chocs tordu et un pare-brise en miettes, elle est impeccable. Dans un jour, vous la récupérerez comme neuve.

Andy se pencha dans le dos de son grand-père.

— Toby, pourquoi employez-vous toujours le féminin pour désigner un véhicule ?

— Parce qu'elles sont capricieuses et chères, et parfois difficiles à maîtriser, mais tous les hommes en rêvent.

C'était une vieille plaisanterie, mais Nicholi et Toby s'esclaffèrent bruyamment, imités plus discrètement par Andy.

Impavide, Jake continua à siroter son café en observant Tara par-dessus le rebord de sa tasse.

Avec un sourire bon enfant, celle-ci procéda à une deuxième tournée de café.

— Quand vous aurez fini de vous amuser, dit-elle, je serai ravie de prendre vos commandes.

— Je suis prêt, dit Jake.

Elle sortit un carnet de la poche de son short kaki.

— Pancakes et bacon. Au fait, ajouta-t-il en baissant la voix, j'ai discuté avec Donny Miso après être parti de chez vous, hier soir.

— Pourquoi ?

— Il a quitté le pique-nique juste avant le lancer d'œufs. Je voulais savoir ce qu'il a fait après.

Donny n'avait aucune raison de lui vouloir du mal. Elle avait fait tout ce qu'elle pouvait, y compris le payer en espèces car il était interdit bancaire. Ce type traversait une mauvaise passe et elle savait ce que c'était.

— Et ? demanda-t-elle.

— Je l'ai trouvé au bar La Bonne Pinte. Evidemment, il n'y buvait pas de l'eau. Il s'était déjà fait servir plusieurs verres de vodka quand je suis arrivé. Le barman a confirmé qu'il était arrivé quelques minutes après que je l'ai vu quitter le parc. Il ne pouvait donc pas être chez vous.

— J'espère que vous ne lui avez pas fait peur. Il est assez fragile en ce moment.

— C'est un alcoolique. A mon avis, c'est une chance pour vous qu'il ait démissionné.

Elle n'était pas d'accord. Donny buvait peut-être trop en ce moment, et il s'était comporté de façon étrange, mais tout le monde avait droit à une seconde chance. En outre, elle avait besoin d'un plongeur, et Donny avait laissé un message sur son répondeur pour lui demander s'il pouvait passer dans l'après-midi.

Trois heures plus tard, Tara ajoutait de la crème à sa soupe de brocolis quand Alice Fenton fit irruption dans la cuisine. Vêtue d'un jean, d'un polo et de mocassins, elle mesurait dix centimètres de plus que Tara, et pesait probablement quinze kilos de plus, ce qui lui donnait une allure imposante, même à l'âge de soixante ans. Son visage était peu ridé, et ses yeux bleus pétillaient d'intelligence et de gaieté. Plus d'une fois, Tara avait regretté que cela n'ait pas fonctionné avec Bill. Alice aurait fait une belle-mère formidable.

Alice l'embrassa avec effusion, et ignora Janet, qui terminait de préparer la quantité de pancakes pour le petit déjeuner, avant de passer à la préparation du déjeuner.

Tara ne s'attendait pas à autre chose. Elle savait que les deux femmes ne s'appréciaient pas. Elles avaient eu un différend quinze ou vingt ans plus tôt, et aucune des deux ne semblait décidée à enterrer le passé. Janet avait un fils du même âge que Bill Fenton, et Tara avait l'intuition que le problème était lié aux deux garçons.

Peu après son arrivée, elle avait été témoin de l'animosité entre les deux femmes et avait essayé de les interroger discrètement. Aucune des deux n'avait voulu se confier, et elle déplorait que les deux personnes qu'elle appréciait le plus à Wyattville ne puissent se supporter.

Elle aurait bien sûr pu interroger ses clients, mais elle ne voulait pas qu'Alice ou Janet pensent qu'elle prêtait l'oreille aux ragots qui circulaient sur elles.

— Je suis contente de voir que vous êtes bien rentrés, dit-elle.

Quinze minutes plus tôt, elle avait aperçu Alice et Henry dans la salle, et s'était doutée que sa propriétaire se précipiterait dans la cuisine à la première occasion. Henry, sachant que sa femme lui ferait un compte rendu sur le trajet jusqu'à chez eux, était resté à discuter avec un groupe de fermiers.

— Que s'est-il passé exactement ? demanda Alice, en allant droit au but.

— Je pense qu'un gamin amateur de base-ball a voulu améliorer son lancer.

— C'est ce que la police a dit ?

— Oui. C'est la seule explication cohérente.

Evidemment, ils ignoraient que Michael Masterly ne possédait pas une once de cohérence. Irrationnel, capricieux, manipulateur, voilà des adjectifs qui lui convenaient davantage. Et il était très habile à le masquer.

Tara se pencha et remua la sauce qui bouillonnait dans la large sauteuse à côté de la marmite de soupe. Le plat du jour se composait de spaghettis bolognaise. Les parents de Janet avaient apporté avec eux la recette de leur Italie natale, et Tara, qui en raffolait, n'était pas le moins du monde offensée de n'être autorisée qu'à tourner la préparation.

— Le voyou qui a fait ça devrait payer le remplacement de la vitre, déclara Alice.

— Encore faudrait-il le retrouver.

— On m'a dit que le nouveau chef de la police vous avait aidée à nettoyer les dégâts. De quoi a-t-il l'air ?

Décidé. Peut-être un peu autoritaire…

Sexy en diable.

— C'est un flic de la grande ville qui aide un vieil ami. J'ai cru comprendre que notre rythme de vie est un peu trop lent pour lui.

— Je crois que je vais l'inviter à dîner. Puisque Chase est absent, le pauvre homme doit errer comme une âme en peine dans cette maison vide. Et je pense que ce serait l'occasion idéale de lui présenter Madeline.

Tara comprenait mieux, maintenant. La jumelle de Bill était revenue au domicile familial l'année précédente, après son divorce. Pendant quelques mois, les deux enfants adultes avaient vécu sous le même toit que leurs parents.

Se fiant à certaines remarques de Bill, Tara avait toujours pensé qu'il venait chercher refuge au Nel's pour éviter Madeline. De nombreuses rumeurs couraient au sujet de celle-ci. La dernière en date faisait état d'une liaison avec un homme marié. Madeline aimait les hommes, et il était certain qu'elle ne ferait qu'une bouchée de Jake.

— Vous voulez jouer les marieuses ? demanda-t-elle à Alice, en faisant un effort pour paraître détachée.

Pour une raison qu'elle ne s'expliquait pas, l'idée que Madeline plante ses griffes dans Jake la hérissait.

Alice haussa les épaules.

— Et alors ? Pourquoi pas ? Mais j'aimerais que vous veniez aussi.

La cuillère glissa des mains de Tara et plongea dans l'épaisse sauce tomate. Janet se tourna vers elle, les sourcils froncés.

Tara s'empara prestement d'une pince de service et s'en servit pour repêcher la cuillère. Ce faisant, elle se creusait l'esprit pour trouver une raison de refuser.

Elle n'avait aucune envie de regarder Madeline flirter toute la soirée avec Jake. Malheureusement, Alice ne supportait pas qu'on lui refuse quelque chose. C'était peut-être aussi en partie pour cela que son fils se réfugiait au Nel's.

— Je suis très occupée avec le restaurant, Alice. Et j'ai une pile de documents à vérifier.

— Ridicule. Vous avez besoin de vous nourrir. Et je ne veux pas que mes intentions soient trop évidentes, vous comprenez ? Je vous en prie, venez.

Tara s'encouragea à agir normalement. Inutile d'en faire tout un drame. Et puis, Alice lui avait bien souvent rendu service.

— D'accord. Dites-moi seulement quand.

— Ce soir. Je suis déjà passée au poste de police, et il est disponible. J'ai pris la liberté de lui dire que vous seriez des nôtres. Rendez-vous à 19 heures.

Tara fit un effort surhumain pour continuer à sourire.

— Très bien. A ce soir, donc.

Sa propriétaire était presque sortie de la cuisine quand Tara la héla.

— Dites-moi, Alice, seriez-vous passée chez moi, hier en fin de journée ?

— Pourquoi ?

Alice paraissait un peu désarçonnée, et Tara se demanda si elle avait changé de sujet de façon trop abrupte.

— Quand je suis rentrée chez moi après le pique-nique, l'écran de la moustiquaire n'était pas bien fermé. Vous savez qu'il ne s'enclenche pas correctement. J'ai pensé que vous aviez eu besoin d'entrer prendre quelque chose. Je sais qu'Henry a encore des outils dans la cave.

Alice afficha un sourire bienveillant.

— Ma chère petite, vous savez bien que nous étions absents.

— C'est ce que je pensais. Ça n'a aucune importance de toute façon.

— Je vais demander à Henry qu'il répare cette moustiquaire.

— C'est gentil, mais ce n'est vraiment pas la peine.

Elle ne voulait pas que la moustiquaire soit réparée. Le moindre détail pouvant la mettre en garde contre la présence d'un intrus était vital.

7

Jake achevait sa patrouille à travers la ville. Il n'en avait pas eu pour longtemps, étant donné que la rue principale faisait à peine un kilomètre et demi.

Il y avait le Nel's, la droguerie de Frank Johnson, une quincaillerie, un dépôt-vente de vêtements, un autre restaurant, le cabinet d'avocats de Chase, une banque, une épicerie de bonne taille, La Bonne Pinte et un autre bar plus petit. Pour trouver un médecin, un dentiste ou un comptable, il fallait aller à Bluemond.

Dans les rues adjacentes, on pouvait trouver toutes sortes de boutiques, alternant avec des maisons et immeubles d'habitation. Il fallait ajouter à cela une crèche, deux églises, un tailleur, un garage automobile et sa station-service, et une voyante.

Cette activité l'avait fait sourire. Peut-être ferait-il bien de consulter afin de savoir ce qu'il allait faire quand il quitterait Wyattville.

Son supérieur attendait son retour. Il avait admis que Jake avait besoin d'un peu plus de temps pour faire le point, mais lui avait bien fait comprendre qu'il espérait le revoir très rapidement en selle. « Vous n'avez rien à vous reprocher », avait-il dit.

Peut-être était-ce vrai. Il avait travaillé avec Marcy pendant presque huit ans. Il lui faisait confiance, admirait son éthique professionnelle et appréciait son ironie mordante. Il avait écouté ses histoires de neveux et nièces, et avait sorti son chien quand elle s'était cassé la cheville. Il l'avait aidée à rapporter chez elle un immense sapin de Noël, et avait réparé sa toiture. Il lui avait donné des conseils pour ses rendez-vous amoureux, et elle avait fait de même. Il buvait une bière avec elle presque tous les vendredis soir.

Il n'y avait jamais rien eu de sexuel entre eux. Il la considérait comme un bon copain. Si elle lui avait envoyé des signaux de séduction, il n'en avait pas eu conscience.

En tout cas, sa mort laissait un terrible vide. Et peut-être avait-il accepté cette affectation temporaire parce qu'il avait besoin d'un endroit où se cacher le temps de guérir.

Et si ce n'était pas parfait, ce n'était pas non plus épouvantable. A dire vrai, il se sentait un peu coupable d'avoir méprisé cette mission et d'en avoir plaisanté avec sa famille, persuadé qu'il passerait son temps à distribuer des amendes pour stationnement gênant et à récupérer des chats dans des arbres.

Depuis son arrivée, il avait arrêté deux voleurs à l'étalage, répondu à un appel pour violence conjugale, assisté à une réunion inter-comtés sur le renforcement de la lutte contre la drogue. Demain, il avait rendez-vous à la banque pour discuter de sécurité car les petites agences étaient de plus en plus prises pour cible.

Finalement, c'était plutôt intéressant. En ville, il ne travaillait plus que sur la délinquance ordinaire et, pour un malfrat arrêté, cinq autres prospéraient. C'était une spirale sans fin.

A l'inverse, dans des communautés plus restreintes, un flic pouvait mettre à profit toute l'étendue de ses compétences.

Aussi, quand il avait vu Alice Fenton entrer au poste ce matin, avec l'air d'une femme en mission, s'était-il préparé à enregistrer une plainte. Il avait même, par automatisme, sorti un formulaire.

Quand elle l'avait invité à dîner, il avait été si surpris

qu'il avait accepté sans même essayer de réfléchir à une excuse.

Evidemment, cela avait peut-être quelque chose à voir avec le fait qu'elle avait mentionné la présence de Tara.

La veille, quand Tara avait fait irruption au poste en appelant Andy d'une voix presque désespérée, il avait redouté le pire. Et, pendant un instant, il avait envisagé de renvoyer le jeune homme.

Puis il avait compris l'absurdité de sa réaction.

D'abord, il n'était chef que par intérim, il n'avait pas l'autorité pour prendre ce genre de décision. Et ensuite, comment l'aurait-il justifiée ? *J'étais jaloux de sa relation avec une femme qui fait comme si je n'existais pas ?* Oui, cela faisait très professionnel !

Quand Tara lui avait expliqué pourquoi elle avait besoin de l'aide de la police, il avait été sceptique. Mais elle semblait tellement convaincue par cette histoire de porte… Pourtant, une fois sur les lieux, elle avait rapidement capitulé et admis qu'elle s'était fait des idées.

C'était pour le moins curieux.

Il ne la connaissait pas depuis longtemps, mais il était persuadé que ce n'était pas une girouette. Elle était solide. Elle possédait sa propre affaire, et excellait dans son domaine.

Il avait testé l'autre restaurant de la ville et n'avait pas été enthousiasmé. La nourriture était banale, le service inattentif… Il n'y avait pas de chaleur, ni cette sensation d'être invité à un repas de famille, comme au Nel's. Et c'était Tara Thompson qui faisait toute la différence.

Il n'avait pas été aussi intrigué par une femme depuis… depuis jamais.

C'était encore une des expériences qu'il ne s'attendait pas à vivre à Wyattville. Et on ne pouvait pas dire que cela tombait au meilleur moment.

Qu'avait-il à offrir ? Dans quelques semaines, il serait parti. Et si la perspective d'une aventure n'était pas pour lui déplaire, il n'était pas certain que Tara voie les choses de la même façon.

Jake gara son véhicule de patrouille sur l'emplacement réservé devant l'immeuble municipal et sortit. Franck Johnson et sa femme Ginny, qui gardait les garçons de Lori Mae quand elle travaillait, se tenaient à côté de leur voiture. Riley et Keller étaient avec eux.

Riley tenait un carton de pâtisserie et Keller serrait dans son poing une brassée de ballons retenus par leur ficelle. Il s'en fallut de peu que le gâteau tombe à terre et que les ballons s'envolent.

C'était le trente-quatrième anniversaire de Lori Mae, et sa famille venait lui faire une surprise. Ils avaient demandé son aide à Jake. Normalement, Lori Mae ne travaillait pas le week-end, et il avait dû trouver une excuse pour la faire venir le samedi.

Ils virent la voiture d'Andy longer la rue et l'attendirent. Puis le groupe entra, mené par les jumeaux.

Une heure plus tard, il ne restait plus que Jake et Lorie Mae au poste. Le gâteau avait été mangé, les ballons percés. Lori Mae avait pleuré, embrassé ses enfants, ses parents, et même Andy.

— Vous m'avez bien menée en bateau, remarqua-t-elle.

— Je pensais que vous vous douteriez de quelque chose, en devant venir travailler le samedi.

— Non, ça se produit parfois aussi avec le chef Wilks. En revanche, une qui a été surprise, c'est Alice Fenton. Elle ne s'attendait vraiment pas à me voir. Que voulait-elle ?

— M'inviter à dîner.

— Je m'en doutais. Nous n'avons pas tant de célibataires que ça.

— Je crois qu'elle est mariée. Et elle est un peu âgée pour moi, vous ne croyez pas ?

— Mais pas sa fille. Elle a divorcé il y a un an, et elle est revenue vivre chez ses parents. Faites attention à elle. Mon mari et moi sommes allés à l'école avec Madeline. Même si elle avait un an de moins que nous, elle m'a toujours fait un peu peur. Ça tenait à quelque chose dans son regard.

— Que voulez-vous dire ?

— Ce ne sont que des rumeurs, bien sûr, mais il paraît qu'elle a dévasté la maison de voisins qui ne lui avaient pas payé ce qu'elle pensait mériter pour avoir gardé leurs enfants. Elle a tout détruit à l'intérieur et inscrit des insultes à la bombe sur la façade. Elle a même ouvert les enclos du bétail. Les vaches se sont dispersées à travers tout le comté. La police n'a rien pu prouver car ses parents ont juré qu'elle avait passé toute la soirée à la maison, à jouer à des jeux de société avec eux. Croyez-moi, même à quinze ans, Madeline Fenton n'était pas du genre à jouer à des jeux de société avec ses parents un vendredi soir.

— Eh bien, en tout cas, elle dîne avec ses parents ce soir. Et Tara Thompson doit se joindre à nous.

Lori Mae s'esclaffa.

— Intéressant. Je pourrais dire quelque chose de terriblement déplacé à propos des trios, si vous n'étiez pas mon supérieur. Mais je suppose qu'Alice ne veut pas que ses manigances paraissent trop évidentes. Depuis un an, Madeline avait jeté son dévolu sur Jim Waller, le directeur de la banque. En fait, elle a commencé à y travailler peu après qu'ils ont commencé à sortir ensemble. Il se disait qu'elle passait plus de temps dans le bureau de Jim, porte fermée, qu'à travailler à son guichet. Récemment, on m'a rapporté qu'ils avaient rompu. Ça doit être vrai.

*
* *

A 18 h 45, Jake s'arrêtait sur le parking jouxtant le Nel's Café. Un peu plus tôt dans l'après-midi, il avait appelé Tara pour lui proposer de faire la route ensemble.

— Comment allez-vous ? demanda-t-il poliment tandis qu'elle s'installait sur le siège passager.

— Bien, mentit-elle.

Elle était à la fois fatiguée et frustrée. Donny ne s'était pas montré, et elle avait perdu un temps fou à réparer une fuite du lave-vaisselle. La chaleur, le surcroît de travail lui portaient sur les nerfs. Et le fait que le téléphone ait sonné quatre fois tandis qu'elle avait les mains plongées dans l'eau de vaisselle saumâtre, sans qu'il y ait d'interlocuteur au bout du fil, n'avait pas aidé.

C'était la cerise sur le gâteau, mais une cerise aigre sur un gâteau vraiment très mauvais.

Elle était d'une humeur de dogue et elle allait devoir faire un réel effort pour donner le change.

— Espérons que la soirée ne s'éternise pas, dit-elle. J'aimerais me coucher tôt.

— Heureusement que nous ne travaillons pas demain. Le café est bien fermé le dimanche, n'est-ce pas ?

— Oui. Et vous avez votre dimanche ?

— En effet. C'est la police du comté qui prend le relais. Cela permet à de petits départements comme le nôtre de contrôler les dépenses de personnel.

La conversation se tarit et Tara ne reprit la parole que pour donner à Jake les indications nécessaires pour trouver la maison.

Quand ils arrivèrent au bout du long chemin de terre battue qui desservait la bâtisse, Henry les attendait de pied ferme devant la porte.

— Il était temps que vous arriviez, marmonna-t-il. Alice était prête à organiser une battue pour vous ramener ici.

Elle a fait tout un drame parce que son rôti risquait d'être trop cuit. Quand elle cuisine pour moi, elle ne se donne pas autant de peine.

— Allons, allons, cessez de ronchonner, dit Tara. Et laissez-moi plutôt vous présenter Jake Vernelli. Jake, voici mon propriétaire, Henry, qui d'habitude n'est pas aussi grincheux.

Henry afficha un grand sourire dévoilant des dents jaunies et mal implantées.

Jake tendit la main.

— Je suis ravi de vous rencontrer, monsieur. Merci pour l'invitation.

Suivant le fil de ses pensées, Henry était déjà passé à autre chose.

— Je n'ai pas oublié votre carrelage descellé, dit-il à Tara. Je ne vais pas tarder à m'en occuper.

— Je ne m'inquiète pas.

Elle se tourna vers Jake.

— Les Fenton sont les meilleurs propriétaires du Minnesota.

Alice apparut, en s'essuyant les mains dans son tablier.

— Mais que faites-vous à discuter dehors ? Ma sauce a tellement épaissi qu'elle est en train de se figer.

— Et vous trouviez que j'étais grincheux, plaisanta Henry, en passant un bras autour des épaules de Tara.

Alice l'ignora et les poussa vers la salle à manger.

— Nous sommes ravis que vous ayez pu remplacer ce bon Wilks, Jake. J'espère que vous trouvez vos marques.

Madeline, vêtue d'un pantalon blanc très ajusté et d'un débardeur vert assorti à ses yeux, se tenait près de la table.

Alice fit un large geste du bras, comme si elle était une hôtesse présentant une voiture de luxe dans un salon automobile.

— Jake, voici ma fille, Madeline. Elle travaille à la

banque. Madeline, Jake Vernelli, notre nouveau chef de la police.

— Par intérim, seulement, précisa Jake en tendant la main.

— Vous êtes de Minneapolis, je crois, dit Madeline. Vous devez mourir d'ennui, ici. Il va falloir que nous trouvions de quoi vous divertir.

Sa voix était basse et rauque, presque intime, et son regard charmeur.

Elle réserva un tout autre accueil à Tara.

— Salut, dit-elle avec froideur, presque méprisante.

— Bonsoir, Madeline. Comment allez-vous ?

Madeline lança un regard coulé à Jake.

— Mieux, maintenant.

Tara observa discrètement Alice et Henry pour voir s'ils étaient embarrassés par l'attitude de leur fille, mais ni l'un ni l'autre ne semblait avoir remarqué son manège. Cela devait durer depuis si longtemps qu'ils étaient probablement immunisés, songea-t-elle. Ou peut-être espéraient-ils que quelqu'un ou quelque chose réussisse à lui faire quitter leur maison.

— Je vous en prie, asseyez-vous, dit Alice.

Elle fit signe à Tara de prendre la chaise en face de Jake. Madeline s'assit à côté de lui.

Jake accepta le plat qu'Alice lui tendait, se servit, et le passa à Madeline. En prenant le plat, cette dernière en profita pour lui caresser langoureusement les mains. Jake ne réagit pas.

Pestant en son for intérieur, Tara balaya la table du regard, dans l'espoir de se concentrer sur autre chose que sur l'attitude pitoyable de Madeline.

Ses yeux se posèrent sur Henry. Sa peau tannée comme un vieux cuir était écarlate et son nez pelait.

— On dirait que vous avez passé du temps au soleil, Henry.

— Bah, pour sûr que je ne suis pas allé dans un de ces fichus centre de bronzage.

Il jeta un coup d'œil à sa femme.

— Alice voulait un cabanon de jardin pour tout son outillage, mais l'artisan que j'avais engagé est tombé d'une échelle et s'est blessé au dos. Du coup, j'ai dû m'y attaquer moi-même.

Jake releva la tête de son assiette et s'adressa d'abord à Alice.

— Ce repas est un délice.

Puis il se tourna vers Henry.

— J'ai travaillé dans la construction pour payer mes études. Je peux peut-être vous aider.

Tara faillit s'étouffer avec sa nourriture. Jake avait l'air de chercher un prétexte pour passer du temps avec les Fenton. Etait-il attiré par Madeline ?

— Eh bien, mais pourquoi pas, mon cher Jake, roucoula Alice.

A l'évidence, son plan fonctionnait beaucoup mieux qu'elle n'avait osé l'espérer.

— C'est tellement gentil à vous, insista-t-elle. Nous promettons de ne pas prendre trop de votre temps.

Jake lui sourit.

— Je serais heureux de rendre service.

Paraissant tout à coup se souvenir qu'elle avait une autre invitée, Alice se tourna vers Tara.

— Parlez-nous donc de ce pique-nique.

Tara fut ravie de cette diversion. Au moins, elle pouvait se concentrer sur Alice et Henry et ignorer Jake et Madeline, dont les seins semblaient sur le point de jaillir hors de son débardeur outrageusement échancré.

Elle parla de la parade, des diverses animations, et même

de la course en sac, en évitant toutefois de mentionner qu'elle avait fini couchée sur Jake. Elle n'avait pas envie de donner à Madeline l'impression qu'elles étaient en concurrence.

Le repas était presque terminé quand Tara prit des nouvelles de Bill. Il lui semblait que cela aurait été grossier de ne pas le faire.

— Oh ! il va bien, dit Alice avec enthousiasme. Très, très bien. Il va se marier, vous savez.

Comment aurait-elle pu ne pas le savoir ? Alice le lui avait dit au moins cinq fois.

— Vous avez déjà rencontré sa fiancée ?

— Oh oui. C'est une fille ravissante. Et tellement intelligente. De plus, elle a un excellent travail.

— Et Bill ? A-t-il retrouvé un emploi ?

Alice se troubla, et lança un regard à Henry, qui piqua du nez vers son assiette.

— Eh bien, il est dans la vente. Comme avant.

Madeline intervint.

— Je te trouve bien vague, maman. Pourquoi ne nous dis-tu pas exactement ce que fait ce cher Bill ?

Alice repoussa sa chaise, et commença à desservir à grands gestes brusques. L'ambiance tournait au vinaigre. Madeline jeta sa serviette sur la table.

— Je viens de me souvenir que j'ai un rendez-vous, dit-elle.

Se tournant vers Jake, elle ajouta, non sans l'avoir lentement évalué du regard :

— Peut-être une prochaine fois ? suggéra-t-elle.

Puis elle quitta la pièce sans un mot pour les autres convives.

Alice empilait les assiettes, le visage fermé. Henry grimaçait, l'air mal à l'aise. Tara aurait voulu dire quelque chose pour les réconforter, mais elle ne trouvait pas les mots.

C'était une chose que Madeline soit grossière avec ses parents, mais qu'elle le fasse en public était particulièrement choquant. Cela ressemblait au comportement d'une gamine de treize ans, pas à celui d'une femme adulte.

Le malaise se dissipa quand Alice servit une tarte aux pêches accompagnée de glace à la vanille. Ils parlèrent de tout et de rien et, vingt minutes plus tard, Jake donna le signal du départ.

Ils se dirent au revoir sur le seuil. Tara constata que le soleil s'était couché. Ses derniers rayons d'or illuminaient le ciel et le zébraient de longues traînées pourpres. Mais il faisait encore chaud.

Jake déverrouilla sa voiture de patrouille et lui tint la portière. Elle ne s'attendait pas à cela, et son « merci » se transforma en un étrange coassement.

— C'est bien, il y a un peu de vent, dit-elle, consciente qu'Alice restait sur le perron et pouvait entendre leur conversation.

Jake ne répondit pas et fit le tour de la voiture. Tara baissa sa vitre.

— N'oubliez pas que vous devez me déposer au Nel's. Ma voiture est là-bas, dit-elle, plus fort que la normale.

Il l'observa en levant un sourcil.

— D'accord, dit-il en tournant la clé dans le contact.

Il enclencha la marche arrière et fit un rapide demi-tour. Tara jeta un bref coup d'œil par-dessus son épaule, et vit qu'Alice les observait toujours.

— On peut savoir pourquoi vous hurliez ? demanda-t-il.

— Je ne hurlais pas vraiment, répliqua-t-elle d'un ton boudeur.

— Si vous le dites.

Elle prit deux profondes inspirations.

— En fait, je ne veux pas qu'Alice se fasse de fausses idées.

— A propos de quoi ?

Elle résista à l'envie de soupirer. Il essayait délibérément de la pousser à bout, et elle était trop fatiguée pour se disputer avec lui.

— A l'évidence, elle espère que vous vous intéressiez à Madeline. Alice n'est pas seulement ma propriétaire, c'est aussi une amie. Je ne veux pas qu'elle croie qu'il y a quelque chose entre nous.

Elle attendit qu'il réponde, mais il ne semblait pas disposé à le faire. Nerveuse, Tara décida de mettre les pieds dans le plat.

— Ecoutez, cette conversation est ridicule. Parlons d'autre chose.

Comme il gardait le silence, elle enchaîna :

— C'était gentil à vous de proposer d'aider Henry à construire son cabanon. Je ne savais pas que vous saviez travailler de vos mains.

— Je me débrouille. Mon père avait la passion du bois et, très jeune, je l'ai aidé à réaliser différents projets.

Elle comprenait mieux maintenant pourquoi il avait les mains calleuses.

Quant à elle, c'était l'amour des mots qu'elle avait partagé avec son père. C'était un éditeur de presse, et elle était fière de suivre en quelque sorte ses pas. Elle s'était imaginé qu'elle aurait beaucoup de temps pour apprendre de lui. Puis la vie avait pris un tour des plus inattendus quand ses parents, alors qu'ils rentraient d'un gala de charité, avaient trouvé la mort dans un accident de voiture, victimes d'un conducteur ivre.

Le choc avait tétanisé Tara, et elle ne savait toujours pas comment elle avait trouvé la force d'organiser les funérailles. Deux mois après, elle rencontrait Michael. Rétrospectivement, elle se demandait si son jugement n'avait pas été altéré.

— Eh bien, j'espère que vous aurez bien avancé durant les six semaines de votre séjour.

— Bah, si je dois rester une semaine ou deux de plus, je crois que Chase ne s'en plaindra pas.

Tara se demanda quel genre d'arrangement il avait avec son supérieur pour se mettre en disponibilité aussi longtemps.

— Vous devez avoir accumulé beaucoup de congés pour pouvoir vous absenter tout ce temps, remarqua-t-elle.

Elle se demanda s'il allait répondre. Ou esquisser le moindre mouvement. Ils étaient arrêtés au premier carrefour après la maison des Fenton. Il n'avait pas la moindre raison de ne pas avancer. Il n'y avait aucune autre voiture sur la route.

— Jake, insista-t-elle.

— Je suis en convalescence. J'ai reçu une balle dans la jambe, il y a trois mois.

— Je ne m'en serais jamais douté. Je veux dire que ça ne se voit pas du tout. Vous ne boitez pas.

Il esquissa un sourire.

— J'ai suivi à la lettre les conseils du kinésithérapeute.

— Ça a dû être horrible.

Elle tendit la main et lui toucha le bras.

— Que s'est-il passé ?

Jake observa sa main, puis releva lentement la tête jusqu'à ce que leurs regards se croisent.

— Je n'aime pas beaucoup en parler.

Tara nota qu'il avait dit la même chose à propos de son divorce.

— Je comprends. En tout cas, je suis désolée que ça vous soit arrivé.

Au moment où Jake allait redémarrer, la radio de bord grésilla et un message d'alerte fut diffusé, arrachant à Tara un cri d'effroi.

8

Ils arrivèrent sur les lieux presque au même moment que les pompiers. Jake fut soulagé de constater que c'était le garage qui était en feu, pas la maison.

— Restez là, ordonna-t-il à Tara, avant de bondir hors de la voiture.

La brise dont elle s'était réjouie un moment plus tôt ne les aidait pas. Le garage était complètement englouti par les flammes, et le tour de la maison ne tarderait pas.

A moins que les pompiers ne puissent agir rapidement.

Il regarda les hommes descendre du camion et connecter les lances. Une fois que les puissants jets furent en action, il se tourna pour chercher Tara des yeux.

Il eut un mouvement de panique en s'apercevant qu'elle n'était plus dans la voiture de patrouille. Puis il la vit, entourée d'Alice et d'un groupe d'autres voisins accourus pour voir l'incendie. La vieille dame avait un bras autour de son épaule, mais Tara ne cherchait pas de réconfort. Le regard dur, elle passait la foule en revue, comme si elle cherchait quelqu'un.

Mais qui, bon sang ? Une fois de plus, Jake songea qu'elle avait des choses à cacher.

Il fallut cinquante minutes pour éteindre le feu. Dès que les ruines ne furent plus qu'un amas fumant, le chef de section se dirigea vers Jake et se présenta.

— Bonsoir, monsieur, je suis Chad Wilson, le fils de Toby.

Jake lui serra la main.

— Que pensez-vous de cet incendie ?

— Je pense que nous avons eu de la chance que la camionnette ne se soit pas trouvée à l'intérieur, avec le réservoir plein. Cela aurait été compliqué à maîtriser avec ce vent. Le bâtiment est totalement fichu.

— Y a-t-il un enquêteur spécialiste des incendies criminels ?

Chad hocha la tête.

— Vous l'avez devant vous.

— Et quelles sont vos premières conclusions ?

— Il est évident qu'il s'agit d'un acte délibéré.

— Comment le savez-vous ? demanda une voix de femme.

Jake se retourna brusquement. Il n'avait pas entendu Tara approcher. Son visage était livide, mais elle ne semblait pas réellement surprise.

Chad parut embarrassé.

— Je ne devrais pas en dire davantage, Tara. Il faut d'abord que vous fassiez une déposition.

— Comment cela, une déposition ?

A présent, Chad fixait le sol.

— Le chef Vernelli voudra sûrement s'assurer de votre emploi du temps…

— Je n'ai pas mis le feu à mon propre garage, protesta Tara. C'est la chose la plus ridicule que j'aie jamais entendue. Vous devriez avoir honte…

Comme elle menaçait Chad du doigt, Jake décida d'intervenir.

— Je n'ai pas besoin d'interroger Tara, dit-il. Je sais où elle se trouvait, puisqu'elle était avec moi.

Une lueur de curiosité s'alluma aussitôt dans le regard de Chad.

— Nous dînions chez les Fenton, s'empressa de préciser Jake.

Son intonation était explicite : arrêtez vos spéculations. Cet aspect de la conversation est clos.

— Et maintenant, dites-nous pourquoi vous pensez qu'il s'agit d'un incendie criminel.

— Il y a plusieurs points de départ évidents.

— J'aimerais y jeter un œil, dit Jake.

— Il faut attendre que les cendres refroidissent. Je reviendrai demain matin, quand il fera jour. Si je trouve quoi que ce soit qui pourrait aider à identifier le coupable, vous serez le premier averti. Pour le moment, je vais sécuriser la zone.

Il se tourna vers Tara.

— Deux de mes hommes vont rester dans le coin. Parfois, la cendre est assez chaude pour se renflammer, et avec ce vent vous pourriez être en danger dans la maison.

— Elle ne sera pas dans la maison, déclara Jake, d'un ton péremptoire.

— Si vous croyez…, commença Tara, en se tournant avec brusquerie de son côté.

Elle s'interrompit pour s'adresser à Chad.

— Vous voulez bien nous excuser ?

Il eut l'air désemparé.

— Bien sûr.

Lorsque le pompier se fut assez éloigné pour ne plus les entendre, Jake prit les devants.

— Tara, je ne suis peut-être qu'un remplaçant qui ne sait pas grand-chose, mais je sens bien qu'il se passe quelque chose d'anormal. Depuis quelques jours, il ne vous arrive que des ennuis. A présent, nous avons affaire à quelqu'un qui est assez inconscient pour déclencher un feu par une journée venteuse d'été. Vous êtes en danger. Vous devez me dire ce qu'il se passe, ou je ne pourrai pas vous aider.

L'indécision dans ses yeux était flagrante, et il crut pendant un instant qu'elle allait céder.

— Je comprends que ce n'est pas dans mon intérêt de rester ici, mais je dois prendre des affaires chez moi. Ensuite, je demanderai à Alice et Henry de m'héberger au moins pour cette nuit.

— Restez avec moi.

— Mais…

— Si Chad a raison et que l'incendie est bien d'origine criminelle, quelqu'un cherche au mieux à vous irriter, au pire à vous faire du mal. Alice et Henry pourraient courir un risque si on sait que vous demeurez chez eux.

Elle se mordilla la lèvre.

— Je ne vais mettre personne en danger. *Personne.*

On aurait dit qu'elle essayait de le mettre en garde. Mais contre quoi ?

— Je suis policier, Tara. Je peux prendre soin de moi. Et de vous aussi.

Elle ne répondit pas et se dirigea vers la maison. Jake en profita pour rejoindre Andy qui discutait avec deux pompiers.

— Hé, chef, on a eu de la chance ce soir, pas vrai ?

Jake hocha la tête.

— Il est vrai que cela aurait pu être dramatique. Qui a prévenu ?

— Un type. Il n'a pas donné son nom. Le numéro était masqué.

En dépit de la chaleur, un frisson courut le long de la colonne vertébrale de Jake. Quelqu'un avait délibérément mis le feu et prévenu les pompiers. Cette personne voulait-elle que Tara soit présente, afin d'assister à sa réaction, à son désespoir ?

Il balaya la foule du regard, en regrettant pour la

première fois de ne pas être de la région. Pratiquement tous les visages lui étaient inconnus.

— Andy, regardez autour de vous. Y a-t-il quelqu'un que vous ne connaissez pas ?

Il attendit que le jeune homme ait passé la foule en revue.

— Non. Il y a deux, trois personnes que je n'avais pas vues depuis quelques mois, mais tout le monde est d'ici.

Ce ne fut pas une consolation pour Jake, car cela signifiait qu'il fallait chercher le coupable dans l'entourage de Tara. Peut-être parmi ceux en qui elle avait confiance.

— Je vais appeler le commissariat principal du comté et voir s'ils peuvent nous envoyer quelqu'un pour surveiller la maison cette nuit.

— Je peux rester, proposa Andy.

— Non, je veux que vous me retrouviez Donny Miso. S'il n'a pas un très bon alibi pour ce soir, vous l'embarquez.

Tara resta silencieuse durant le trajet jusqu'en ville. Ce devait être la fatigue, en conclut Jake. Il était presque minuit, et il savait qu'elle était debout depuis à peu près 5 heures du matin.

Lorsqu'il gara son véhicule de service devant la belle maison en brique de Chase et coupa le moteur, elle resta assise sans bouger.

— Vous avez l'intention de dormir dans la voiture ?

— La vie est drôle, vous savez ?

— Drôle dans le sens hilarant, ou dans le sens étrange ?

— Pour ce soir, principalement étrange. Si on m'avait dit ce matin que je dormirais dans la maison du maire de Wyattville, je n'aurais pas voulu y croire. Et pourtant, m'y voici.

Elle semblait démoralisée, et il détestait la voir ainsi. Dès leur première rencontre, elle lui avait paru débordante d'énergie et de motivation. Le Nel's était plus qu'un simple restaurant pour elle. C'était un endroit où se rassemblaient les gens, où se racontaient les histoires, où se cimentaient les amitiés. C'était la contribution de Tara à une communauté qu'elle adorait.

— Ça va aller, Tara. Demain, vous serez reposée et prête à affronter la situation. Et nous attraperons le coupable.

Elle prit une profonde inspiration.

— Un garage, ce n'est rien, je le sais bien. Je ne gardais même pas de choses de valeur à l'intérieur.

Sa voix s'était brisée sur la fin, et c'était comme s'il entendait les larmes qu'elle essayait de retenir. Il n'en fallut pas plus pour le bouleverser.

— Oh ! Tara, murmura-t-il en l'attirant dans ses bras.

Elle appuya son visage contre son épaule et se mit à pleurer, comme si son cœur se brisait, avec de grands sanglots vibrants et des larmes qui mouillaient sa chemise.

Il la tint contre lui en lui massant le dos, se sentant tout à la fois un peu maladroit et inutile, et en proie à une terrible colère contre celui qui avait fait ça.

Tara était mortifiée de s'être laissée aller ainsi. Jake avait été adorable avec elle sur le moment, et il avait continué à l'être après. Il lui montra la chambre libre et la salle de bains. Il lui apporta un verre d'eau et lui proposa des magazines à lire. Devant son refus, il alluma la télévision et lui demanda quel était son programme favori. Puis il lui proposa une coupe de glace.

Finalement, plus agacée que flattée par sa courtoisie, elle avait pris une douche. Ses vêtements empestaient la fumée, et elle ne voulait pas laisser l'odeur dans la maison de Chase. Il y avait des produits de beauté de marque dans la chambre d'amis, et elle s'était demandé si l'austère maire de Wyattville avait eu l'occasion de recevoir chez lui des femmes qui appréciaient les petits luxes de la vie.

Une fois couchée, elle resta un moment à fixer le plafond avant de se décider à éteindre. Puis elle ralluma, se leva et alla fermer la porte à clé.

Etait-ce pour maintenir Jake à l'extérieur, ou se garder en sécurité à l'intérieur ? Il s'était conduit en parfait gentleman, mais depuis Michael il lui était impossible de faire confiance à un homme.

De retour dans le lit, elle s'autorisa une remise en question qu'elle évitait depuis qu'elle avait vu les flammes jaillir du garage.

Devait-elle prendre la fuite maintenant, sans être sûre que c'était l'œuvre de Michael ? Elle n'allait quand même pas quitter tout ce pour quoi elle avait travaillé…

Son esprit s'affolait.

Elle s'obligea à respirer calmement et à visualiser des images apaisantes : champ de fleurs à perte de vue, chiots et chatons attendrissants, flocons de neige, tourte tiède aux cerises…

Elle essaya de faire le vide, en espérant désespérément que son esprit cesserait de vibrionner. Si seulement elle avait pu le faire basculer en mode veille, comme un ordinateur !

Mais quand le sommeil vint enfin, l'ombre maléfique de Michael y planait, et ses rêves furent peuplés de fureur et de sauvagerie.

9

Le soleil, semblable à une grosse orange lumineuse, commençait à poindre à l'horizon. Jake abaissa les vitres de sa voiture de patrouille pour profiter de la relative fraîcheur, et fit route vers la maison de Tara.

Avant de partir, il lui avait laissé un mot pour lui expliquer qu'il serait parti plusieurs heures. Il allait d'abord inspecter ce qu'il restait du garage, puis il irait au bureau terminer de remplir des papiers.

Il ne vit pas une voiture sur la route, jusqu'à ce qu'il se gare dans l'allée de Tara et constate que Chad Wilson était déjà au travail.

Chad releva la tête au moment où il sortait de voiture.

— J'ai presque terminé, annonça-t-il.

— Vous avez trouvé quelque chose ?

— La confirmation de ce que je pensais hier. Trois départs différents. Pas de trace d'accélérant, ce qui nous indique que le type était soit très confiant, soit chanceux — peut-être les deux.

— Que voulez-vous dire ?

— Il a dû démarrer un point, se déplacer jusqu'au second, puis au troisième. Le temps que le troisième point s'embrase, il devait déjà y avoir une belle quantité de fumée. Et il devait encore ressortir, ce qu'il a fait car nous n'avons pas trouvé de cadavre à l'intérieur.

Une lueur ironique s'alluma dans l'œil de Chad.

— Tant mieux, d'ailleurs, car ça m'aurait fait de la paperasse en plus.

Cette plaisanterie arracha un sourire à Jake. Ce n'était pas faux, mais au moins il aurait pu dormir à poings fermés.

— Autre chose ?

— Non. Mais si je peux partager mon intuition, ce n'est sans doute pas son premier incendie. Ce n'est pas un pro, mais il a une certaine technique.

Chad ôta ses gants ainsi que les protections sur ses chaussures.

— Je rédige un rapport, je vous en envoie une copie, et une autre pour la compagnie d'assurances de Tara.

Il ouvrit sa portière et déposa sa mallette à l'intérieur.

— Au fait, mon père m'a dit que votre pick-up était prêt. Vous pouvez passer le prendre quand vous voulez.

— Très bien. Je vais rester quelques heures au bureau, et je m'en occuperai après.

Jake monta dans sa voiture, mit le contact et composa le numéro d'Andy. Celui-ci répondit à la troisième sonnerie, la voix ensommeillée.

— Jake Vernelli, s'annonça-t-il. Vous avez parlé à Donny Miso ?

— Euh… ouais… Laissez-moi regarder mes notes.

Jake avait pris la direction du poste de police. Il croisa une voiture dont le conducteur lui adressa un signe de la main. C'est fou ce que les gens étaient amicaux dans la région.

Sauf celui qui s'en prenait à Tara. Et Jake ne pouvait se défaire du sentiment qu'elle en savait plus qu'elle ne voulait le dire.

— O.K., chef. Je l'ai trouvé à La Bonne Pinte. Le barman a confirmé qu'il était là depuis 20 heures.

— Qu'a-t-il fait avant ?

— Il a dit qu'il était resté assis sur un banc, dans le parc Washington.

— Quelqu'un peut le confirmer ?

— D'après lui, il y avait des ados avec des skate-boards. Il pense qu'ils se souviendront de lui. J'ai essayé de les trouver au parc, mais il n'y avait plus personne. J'y ferai un saut dans la journée. Ah, et au fait, Janet a appelé. Elle n'avait pas votre numéro. Elle a dit que c'était important.

— Et c'est à moi qu'elle voulait parler ? Pas à Tara ?

— C'est bien vous qu'elle a demandé, chef.

Jake prit le numéro de la serveuse de Tara, remercia Andy, et mit fin à la communication. Il composa aussitôt le numéro de Janet, qui répondit à la première sonnerie.

— Bonjour, Janet, c'est Jake Vernelli. Vous vouliez me parler ?

— Comment va Tara ?

— Bien, je crois.

— Tant mieux. Ecoutez, j'ai quelque chose à vous dire. Ce n'est peut-être pas important mais quand j'ai entendu parler d'un incendie, j'ai su que je devais dire quelque chose…

Elle marqua une légère hésitation.

— Ce n'est pas le premier incendie criminel qui se produit à Wyattville.

Jake trouva curieux que Chad Wilson ne l'ait pas mentionné.

— Quand se sont produits les autres ?

— Il y a presque dix-sept ans. Mon fils avait seize ans, le même âge que Bill Fenton. Ils étaient inséparables.

Il comprenait mieux maintenant pourquoi Chad n'en avait pas parlé. Il était peu probable qu'il existe un lien à tant d'années d'intervalle, mais comme Janet n'était pas connue pour répandre des commérages, ou parler pour ne rien dire, il ne voulut pas la rembarrer.

— Parlez-moi de ces feux.

— Plusieurs étables ont été incendiées. Du bétail est mort. Cela a provoqué la colère de beaucoup de gens.

— Que s'est-il passé ?

— Mon fils a été arrêté. Il n'est pas allé en prison, ni rien… Nous avons pris un avocat, et finalement les charges ont été abandonnées car il n'y avait aucune preuve. Mais certaines personnes n'ont jamais voulu croire qu'il était innocent, et ça a été difficile pour lui. Je sais qu'il n'avait rien fait. Il n'était pas ce genre d'adolescent.

— Qui a déclenché les incendies, Janet ?

— Je n'en suis pas certaine, mais j'ai toujours pensé que Bill Fenton avait quelque chose à voir là-dedans. Du jour au lendemain, ils ont cessé d'être amis et ne se sont plus jamais reparlé. J'ai interrogé mon fils, mais il n'a jamais rien voulu me dire.

— Et vous pensez qu'il peut y avoir un rapport avec l'incendie chez Tara ?

— Je ne sais pas. Tout ce que je sais, c'est que je n'ai pas envie que ça recommence. C'est tout ce que j'ai à dire. Au revoir.

Jake tambourina du bout des doigts sur le volant, en ne sachant pas quoi penser de cette conversation.

C'était un peu tiré par les cheveux d'envisager que Bill Fenton soit revenu pour incendier le garage de Tara, alors qu'il était en train de changer de vie. Mais il gardait à l'esprit cet étrange échange entre Madeline et sa mère… Et maintenant qu'il y pensait, le comportement d'Henry avait été un peu bizarre aussi.

Il décida que ça ne coûtait rien de se renseigner sur le fiston, simplement pour vérifier que les parents ne se méprenaient pas totalement sur lui.

Il se gara devant le poste de police, mais au lieu de

sortir de voiture, il se mit à réfléchir à toutes les choses qu'il pourrait faire par ce beau dimanche matin ensoleillé.

Personne ne l'attendait, c'était sa journée de repos. Et, aussi puéril que ça puisse paraître, il était impatient de conduire de nouveau sa propre voiture, sa chère Veronica.

Il ignorait si Toby Wilson serait au travail, mais il décida de tenter sa chance. Il tourna à droite à la première intersection, puis tout de suite à gauche, et se gara devant l'atelier. L'une des deux portes était relevée, et il vit Toby penché sous le capot d'un véhicule utilitaire noir.

En l'affaire de quelques minutes, Jake fit le tour de Veronica, admira la qualité des réparations, paya la facture et empocha ses clés.

— Je reviens très vite, dit-il au garagiste, le temps de déposer la voiture de patrouille au poste et de revenir à pied chercher mon pick-up.

Ce fut fait en moins d'un quart d'heure. En quittant le garage, il agita la main à l'intention de Toby, ravi comme un enfant retrouvant son jouet favori.

Tandis qu'il longeait la rue, il songea à acheter des viennoiseries et du café. Andy lui avait confié que l'épicerie avait un rayon boulangerie-pâtisserie des plus corrects.

Et Tara semblait avoir un penchant pour le sucré… Tout à coup, il eut la vision idyllique d'un petit déjeuner pris ensemble sur la terrasse de Chase. Pour compléter ce charmant tableau d'harmonie domestique, il se voyait bien lisant le journal et commentant avec Tara les menus événements locaux.

En empruntant la rue principale, il jeta un coup d'œil au Nel's Café. Les vitrines et la porte étaient intactes. Sur une intuition, il décida de vérifier la porte de service.

Lorsqu'il entra dans le parking, ses pensées s'emballèrent. Pas à cause de ce qu'il voyait, mais plutôt de ce qu'il ne voyait pas.

Le véhicule de Tara n'était pas là. Quelqu'un avait-il volé la vieille camionnette ?

Jake sortit de voiture et emprunta l'escalier extérieur qui menait à l'appartement de Nicholi, en songeant que le vieil homme avait peut-être vu quelque chose. A la dernière minute, il se dit qu'il allait faire une peur bleue à Nicholi s'il ne se calmait pas. Le pauvre penserait qu'il était arrivé quelque chose à Andy et aurait peut-être un malaise.

Quand Nicholi ouvrit la porte, Jake était nonchalamment accoudé à la rambarde.

— Bonjour, Nicholi. Comment allez-vous ?

— Plutôt bien. Mais il commence à faire chaud dans mon appartement. Le climatiseur est trop vieux, et il n'arrive pas à suivre.

— Dites-moi, vous allez peut-être pouvoir me renseigner… Je croyais que Tara avait laissé sa camionnette ici, et j'ai été surpris de ne pas la voir.

— Oh ! mais elle est passée la prendre, il y a dix minutes. Je n'ai pas eu le temps de lui parler. Elle m'a fait un signe ; mais elle semblait pressée. Cette petite ne tient pas en place. Il faut toujours qu'elle s'occupe à quelque chose.

Oui, mais à quoi ? Et pourquoi ?

— Très bien. Merci, Nicholi. Prenez soin de vous.

Jake remonta dans sa voiture, et prit la direction de la maison de Tara. Ce faisant, il aperçut au loin sa camionnette.

Elle quittait la ville.

Il accéléra et se rapprocha, pas au point qu'elle puisse le repérer, mais suffisamment pour ne pas perdre sa trace.

Elle tourna vers le sud, et il la suivit sur la route à quatre voies. Finalement, elle s'engagea sur l'autoroute, en direction des Twin Cities.

Les doigts crispés autour du volant, Jake aurait donné cher pour savoir où elle allait ainsi. Qu'avait-elle à faire de plus important que de retourner chez elle ? N'était-elle pas impatiente de connaître les conclusions de Chad Wilson sur l'incendie ?

Jake oscillait entre la déception et l'inquiétude. Il avait presque réussi à se convaincre qu'il avait mal interprété les réactions de Tara, et qu'elle n'avait en réalité rien à cacher. Maintenant, avec cette escapade imprévue en ville, elle l'obligeait à admettre qu'elle dissimulait bel et bien des secrets qu'il ne pouvait plus ignorer.

Soixante minutes plus tard, Tara engageait sa camionnette dans un parking du centre de Minneapolis. Jake eut le plus grand mal à se retenir de bondir hors de sa voiture, de se ruer vers elle, et de lui arracher la vérité en la secouant par les épaules. Au lieu de quoi il se gara un peu en contrebas et la regarda traverser la rue et se diriger vers la bibliothèque municipale.

Elle gardait la tête baissée, en évitant de croiser le regard de quiconque. Elle marchait si vite qu'il faillit la perdre quand elle se précipita soudain dans l'un des ascenseurs. Il attendit le temps de voir qu'elle s'arrêtait au troisième étage, avant de prendre une autre cabine.

En arrivant à l'étage, il la vit déjà installée devant un terminal d'ordinateur, dos à l'entrée. Il attrapa un journal, trouva une table à l'écart, et orienta sa chaise de manière à pouvoir la surveiller, tout en faisant mine de lire.

Il ne pouvait pas voir ce qu'elle regardait, mais pas un instant elle ne détacha les yeux de l'écran. Le seul mouvement provenait de son poignet tandis qu'elle déplaçait la souris.

Des gens allaient et venaient mais personne ne l'approcha ou n'essaya d'établir un contact. La bibliothécaire, à la banque d'accueil, ne lui avait prêté aucune attention.

*
* *

Le temps s'écoulait avec une lenteur exaspérante. Consultant sa montre, Jake vit que quarante minutes s'étaient écoulées. Pour autant, il ne savait toujours pas ce que manigançait Tara.

Soudain, elle repoussa sa chaise et s'arrêta aussi rapidement qu'elle avait commencé. Il releva le journal devant son visage, en continuant d'observer juste au-dessus des feuillets.

Elle attendit l'ascenseur, en gardant les yeux fixés au sol. Une minute plus tard, les portes s'ouvraient et elle disparaissait de sa vue.

Jake jeta le journal sur la table et se précipita vers les escaliers. Il atteignit le hall juste à temps pour voir Tara s'engouffrer dans la porte à tourniquet de l'entrée. Il courut derrière elle, contrôlant à peine son énervement tandis qu'il la regardait avaler le trottoir à longues enjambées cadencées.

Une heure plus tard, Jake vit la camionnette entrer dans le parking derrière le restaurant. Tara était rentrée directement, à l'exception d'un bref arrêt au service à emporter d'un fast-food dans la banlieue de Minneapolis.

Il attendit dix minutes avant de s'engager à son tour sur le parking et de se garer à côté d'elle. Il frappa à la porte de service. Elle lui ouvrit et lui fit signe d'entrer.

— Bonjour, dit-elle d'un ton dégagé. Vous avez terminé de remplir vos dossiers ?

— Oui. Comment ça se passe ici ?

Elle désigna d'un large geste la table où s'amoncelaient carottes, céleris et pommes de terre.

— J'aime bien prendre de l'avance le dimanche pour le lundi. Je vais couper ces légumes, les mettre dans des seaux et les recouvrir d'eau. Ça fait vraiment gagner du temps pour la préparation des soupes.

— Je pensais que vous feriez la grasse matinée.

— C'est ce que j'ai fait un moment, et puis je suis venue ici.

Elle mentait avec un aplomb incroyable. Cela le mettait hors de lui, et pourtant il devait à tout prix garder un ton neutre.

— Je croyais que vous seriez intéressée par ce que Chad Wilson avait à dire.

— Je l'ai appelé peu après que vous vous êtes parlé. Il m'a dit que vous veniez de partir pour le poste de police.

Ce qui l'avait incitée à penser qu'il serait occupé pendant quelques heures. Peut-être même était-elle passée devant l'immeuble pour vérifier que sa voiture de patrouille y était.

— Il vous a dit ce qu'il avait trouvé ?

— Oui. Apparemment, il n'en sait guère plus qu'hier.

— Qu'espériez-vous qu'il découvre ?

Elle haussa les épaules.

— Je ne sais pas. Peut-être un moyen d'identifier la personne qui a fait ça.

— Et vous n'en avez aucune idée ?

Elle fixa sa main, et il se rendit compte qu'il tambourinait nerveusement sur la table. Elle l'agaçait au plus haut point, et il était incapable de le dissimuler. Lui qui avait fait craquer des malfrats autrement plus coriaces, il en était réduit à se comporter comme un bleu tout juste sorti de l'académie ne sachant plus comment mener son interrogatoire.

— Non, je ne vois pas, répondit-elle d'un ton parfaitement innocent.

C'était décidément une comédienne de talent pour être capable de donner le change de cette façon. Il était incontestable qu'elle cachait quelque chose et, quoi qu'il arrive, il finirait par trouver de quoi il s'agissait. Il n'était pas question qu'il laisse une seconde de plus ses sentiments entraver son jugement.

— Eh bien, je crois que je vais y aller, dit-il.

Il avait besoin de taper sur quelque chose. Peut-être Henry serait-il disposé à travailler sur le cabanon. Ainsi, il pourrait se défouler en martelant du bois de charpente qui ne lui avait rien fait.

Elle fit un petit geste de la main, et se mit à peler une pomme de terre comme si sa seule ambition dans la vie se résumait à cela.

10

Cinq jours plus tard, il faisait tellement chaud que même les buveurs de café les plus endurcis s'étaient convertis au thé glacé.

Tara posa un verre devant l'un de ses clients réguliers, et rit nerveusement quand le gobelet, rendu glissant par l'humidité, manque de lui échapper des mains.

— Désolée, dit-elle. Vous avez failli être baptisé.

— Pas de problème. Ça m'aurait rafraîchi.

En retournant vers le comptoir, Tara sourit à James Waller. Il prenait tous ses repas de midi au Nel's Café, et revenait souvent l'après-midi pour s'acheter une part de tarte. Il était calme, ne dérangeait personne, avait toujours la monnaie… Mais il est vrai qu'il était banquier et que ce dernier détail devait faire partie de la panoplie.

Elle avait dépassé sa table quand Jim fit quelque chose qui l'étonna.

— Tara, dit-il, je me demandais si vous voudriez m'accompagner demain soir. Je connais un endroit très sympa à Bluemond, où ils font des entrecôtes du tonnerre.

Tara retint un sourire. Qui employait encore ce genre d'expressions ?

Mais le problème n'était pas là. En arrivant à Wyattville, elle avait compris que les femmes jeunes et célibataires étaient plutôt rares dans cette petite ville rurale, et elle avait dû refuser des quantités de demandes. Un premier rendez-vous en entraînait un second. Un second rendez-vous se transformait en relation suivie. Puis venait le mariage.

Joanna Travis aurait pu se marier. Tara Thompson ne le pouvait pas.

Jim ne l'avait jamais invitée. En fait, cela faisait peu de temps qu'il fréquentait le Nel's. Quand Madeline Fenton et lui sortaient ensemble, ils n'y venaient jamais. Les gens bien informés disaient que leur relation était tumultueuse, oscillant entre ruptures et réconciliations. Ce qui, pour Tara, ressemblait beaucoup à un comportement d'adolescents. Comme dans une série télévisée à petit budget, l'histoire était toujours la même d'un épisode à l'autre. Madeline disait à Jim que c'était terminé, Jim rampait devant elle et lui achetait un bijou, et c'était reparti pour un tour. Jusqu'à la fois suivante.

Quelques mois plus tôt, cela s'était terminé pour de bon. Jim avait été le seul à être surpris. C'est à ce moment-là qu'il avait commencé à venir au Nel's. Peut-être pour éviter Madeline.

Mais il n'avait pas pu éviter les parents de Madeline. A sa troisième visite, Alice et Henry étaient déjà au comptoir. Les autres clients n'en avaient évidemment par perdu une miette, attendant de voir si les assiettes allaient voler. Tara avait vu Henry poser la main sur le bras de sa femme, peut-être pour lui rappeler qu'ils étaient en public.

Pas un mot n'avait été échangé ce jour-là. Une semaine après, Alice avait fait remarquer à Tara que Jim Waller n'était pas assez bien pour Madeline. Tara n'avait fait aucun commentaire. Si Alice voulait regarder sa fille à travers des lunettes roses, ce n'était pas à elle de lui dire qu'elle ferait bien de s'équiper d'une bonne paire de verres progressifs.

Quoi qu'il en soit, Tara s'était félicitée que la rencontre n'ait pas fait d'étincelles. Elle tenait à l'amitié d'Alice et Henry, mais elle ne voulait pas perdre la clientèle de Jim.

Grâce à lui, son chiffre d'affaires hebdomadaire avait augmenté de quarante dollars.

La situation était redevenue potentiellement explosive quand Madeline s'était tout à coup prise de passion pour le café du Nel's.

Cela avait commencé le lundi suivant le repas chez Alice et Henry. Depuis, Madeline venait tous les jours, et se débrouillait toujours pour arriver quand Jake était là. Tara était persuadée que Madeline guettait à sa fenêtre l'arrivée de la voiture de patrouille de Jake. Le schéma s'était établi dès le premier jour. Madeline avait ignoré Jim en passant à côté de lui, et Jim n'avait manifesté aucune réaction. Elle s'était dirigée tout droit vers Jake, que cela n'avait pas vraiment l'air de déranger.

En ce moment même, ils étaient assis à une table pour deux. Jake avait dû dire quelque chose de follement drôle, car Madeline riait à gorge déployée. Franchement, elle en faisait un peu trop. Comment les hommes pouvaient-ils se laisser avoir par ces simagrées ?

Il s'était écoulé presque une semaine depuis l'incendie. Après leur brève conversation au restaurant ce dimanche matin-là, alors qu'elle était encore sous le choc de son expédition à Minneapolis, elle n'avait pas eu l'occasion de reparler à Jake. Elle ne se rappelait plus très bien ce qu'elle lui avait dit, mais elle avait remarqué qu'il avait l'air un peu bizarre.

Après ça, il s'était fait plutôt rare. Il avait parfois déjeuné au restaurant, mais n'avait guère fait plus qu'un signe de tête dans sa direction.

Voyant qu'il s'était levé et n'allait pas tarder à passer à proximité, elle se retourna vers Jim.

— Vous savez quoi, Jim, j'adorerais dîner avec vous. Pour quelle heure dois-je me préparer ?

*
* *

Jake ouvrit la portière de son véhicule de patrouille, soulagé d'être enfin débarrassé de Madeline.

Lori Mae avait raison : Madeline envoyait d'étranges vibrations. Elle était aussi subtile qu'un néon clignotant, et tout aussi irritante. Mais il était troublé par ce que lui avait raconté Janet, et il espérait que Madeline pourrait lui en apprendre davantage sur son frère. Malheureusement, elle changeait de sujet dès qu'il essayait d'aborder la question.

Il avait fait des recherches sur Bill Fenton. Il vivait à Chicago et travaillait dans un fast-food. Alice avait un peu embelli les choses en disant qu'il était dans la vente, mais c'était de bonne guerre de la part d'une mère. Le fiston ne présentait pas d'absences inexpliquées à son travail, et se trouvait à son poste le lendemain de l'incendie chez Tara. S'il avait mis le feu au garage, il aurait fallu qu'il roule à vive allure cette nuit-là pour être au travail à 5 heures du matin. C'était matériellement possible, mais peu probable.

Jake appuya sur l'accélérateur et laissa Wyattville derrière lui. Sa matinée avait déjà été bien occupée. Il sortait à peine de la douche quand Lori Mae avait appelé. Quelqu'un avait vandalisé le distributeur de monnaie de la laverie automatique. Par chance, la voyante vivait dans la crainte de l'insécurité et avait fait installer sur la façade de sa maison une caméra pointée vers la rue. Les images, ainsi que les indices trouvés sur place, avaient permis d'arrêter deux étudiants qui étaient déjà en route pour la prison du comté.

Après avoir réglé ce cas, il s'était arrêté au Nel's Café pour s'assurer que Tara s'y trouvait et qu'elle avait de quoi s'occuper. Il n'avait pas envie que, bénéficiant d'un peu de temps libre, l'idée lui vienne de faire un saut chez elle. Ce serait pour le moins bizarre qu'elle le surprenne en train de fouiller sa maison.

L'idée avait germé dans sa tête la veille, quand il était passé chez Alice et Henry. Un peu plus tôt dans la journée, ce dernier avait laissé un message à Lori Mae, pour demander à Jake s'il pouvait venir l'aider à la construction du cabanon samedi après-midi. Jake s'était donc arrêté pour lui dire que c'était d'accord. En sa présence, Henry avait mentionné qu'il devait aller chez Tara pour changer des ampoules. Jake avait proposé de le faire à sa place, et Henry lui avait donné les clés.

Il avait la permission du propriétaire d'entrer dans la maison. Ce n'était pas illégal. Mais il avait débattu pendant une partie de la nuit pour savoir si c'était vraiment approprié. Il s'agissait de l'espace personnel de Tara. Elle avait droit au respect de son intimité. Mais elle était évasive et avait menti sur son voyage à Minneapolis. Au mieux, ce qu'elle cachait n'avait pas d'importance, peut-être s'agissait-il de quelque chose d'embarrassant. Au pire, son secret pouvait la mettre en danger.

Toute la semaine, il avait observé Tara au restaurant, en espérant qu'elle se confierait spontanément à lui. Mais elle ne lui avait prêté aucune attention. Il n'avait donc pas d'autre choix que de se livrer à des agissements qu'en d'autres circonstances il n'aurait même pas envisagés.

Chez Tara, il se gara derrière la maison, près du squelette carbonisé du garage. Il ne tenait pas à ce que sa voiture de patrouille soit visible de la route, sinon Tara serait au courant de sa visite avant même qu'il soit retourné en ville.

Peu importait que le réseau de téléphonie mobile soit réduit à sa plus simple expression dans la région. La rumeur se propageait par les airs et, si l'information était vraiment croustillante, elle voyageait à la vitesse de la lumière.

Il franchit la porte de service et emprunta l'escalier, commençant sa fouille par la penderie de la chambre, qui lui parut très bien organisée, pantalons et chemisiers d'un côté, jupes et robes de l'autre.

Sur l'étagère, Tara avait disposé en piles bien nettes des boîtes de chaussures et d'autres boîtes de tailles variées. Il les vérifia toutes, et découvrit un nécessaire de couture, un assortiment de cartes de vœux, et trois cartons de livres de poche.

Il ouvrit ensuite tous les tiroirs et sentit sa bouche s'assécher en découvrant de la lingerie sexy. En faisant courir ses doigts sur la soie et la dentelle, il songea combien il était incongru de porter de tels sous-vêtements avec les T-shirts à manches longues que Tara affectionnait.

Il regarda sous le lit, ainsi qu'entre le matelas et le sommier, et ne trouva qu'un petit peu de poussière. Il fit ensuite une rapide inspection de la petite salle de bains.

Rien ne lui parut anormal… jusqu'à ce qu'il lève les yeux.

Une des dalles du faux plafond semblait avoir été déplacée. Se hissant sur le couvercle des toilettes, il tendit le bras, écarta la dalle, et trouva un téléphone portable. Il l'alluma et constata que la batterie était pleine.

Pourquoi diable cachait-elle un portable dans le plafond de sa salle de bains ?

Lorsqu'il voulut le remettre en place, il s'aperçut qu'il y avait aussi un sac. Il tâtonna pour s'en saisir et, se rendant compte qu'il était lourd, le descendit avec prudence. A l'intérieur, il y avait un jean, un sweat-shirt et des chaussures de sport. Le poids venait d'une volumineuse lampe torche en acier. Il l'alluma et nota que le faisceau était très vif, indiquant que les piles étaient neuves.

Mais ce fut le dernier objet qui lui procura le plus de surprise : une enveloppe blanche contenant deux mille dollars en coupures de dix et de vingt.

Que faisait-elle avec tout cet argent ?

On aurait dit qu'elle avait tout prévu pour un départ

précipité. Etait-il possible qu'elle soit impliquée dans quelque chose d'illégal qui l'obligerait à fuir d'un instant à l'autre ?

Il remit tout en place, referma soigneusement la dalle du faux plafond et se dirigea vers le salon. A côté du vieux poste de télévision et du lecteur de DVD se trouvait une pile de DVD. Jake les passa en revue et constata qu'elle appréciait les films de Katherine Hepburn et ceux de Cary Grant. Il y avait aussi une pile de vieux journaux et magazines.

Le mauvais pressentiment de Jake s'accentua. Ce qui le dérangeait n'était pas tant ce qu'il trouvait que ce qu'il ne trouvait pas. Il n'y avait pas un seul album photos. Pas de lettres d'amis ou d'anciens amoureux… Tout le monde conservait ce genre de choses. Mais on aurait dit que Tara n'avait pas de passé.

Qui diable était Tara Thompson ?

Dépité de ne rien avoir appris sur l'occupante des lieux, il partit sans changer les ampoules. Cela lui ferait toujours une excuse pour revenir plus tard.

Pour son rendez-vous, Tara avait choisi de porter une robe noire avec des manches en mousseline. Cela suffisait pour dissimuler ses cicatrices, sans paraître trop couvrant. C'était idéal pour cette soirée, où le thermomètre flirtait toujours avec les vingt-cinq degrés. Pour la même raison, elle avait opté pour un maquillage minimaliste : poudre, brillant à lèvres et mascara.

En glissant ses pieds dans des sandales noires, elle prit conscience qu'elle n'avait pas mis de talons depuis un an. Un coup d'œil au miroir la rassura en partie. Elle n'était pas mal du tout. Et elle devait reconnaître que c'était agréable de porter autre chose qu'un jean et un T-shirt.

Il n'empêche qu'elle était nerveuse. Elle avait eu moins

de vingt-quatre heures pour penser à l'invitation de Jim Waller. Quand il s'était assis au comptoir ce matin, elle avait failli annuler. Mais elle savait qu'elle avait besoin de sortir, de vivre de nouveau normalement. Sinon, cela voudrait dire que Michael avait fini par gagner.

Et ça ne lui ferait pas de mal de penser à autre chose qu'à Jake Vernelli. Il la rendait folle à force de souffler le chaud et le froid.

Elle se demanda combien de temps il lui faudrait pour l'oublier après son départ de Wyattville. N'était-il pas curieux qu'elle ait réussi à rompre avec son ancienne vie sans éprouver de nostalgie excessive, et qu'elle soit aussi inquiète de ne plus jamais revoir Jake ? Il faut dire qu'il avait une présence envoûtante. Et ça ne tenait pas uniquement à sa beauté, mais aussi au réconfort que promettait sa force tranquille.

A 18 h 30, Tara sortit par la porte de service et la verrouilla. La bride de sa sandale glissa de son talon tandis qu'elle marchait. Arrivée à la camionnette, elle se pencha pour la resserrer.

Elle se concentrait sur sa tâche quand elle entendit un véhicule s'engager dans son allée. Sa première pensée fut que Jim avait mal compris le lieu de rendez-vous et venait la chercher.

En tournant la tête, elle vit qu'elle allait avoir un problème bien plus important à régler. C'était Jake, au volant de son pick-up. Il avait la vitre baissée, et les cheveux emmêlés par le vent. Il croquait la dernière bouchée d'une pomme, et jeta nonchalamment le trognon dans les buissons, avant de demander :

— Que se passe-t-il ?

Il l'enveloppa d'un long regard insistant, et l'intense

chaleur qu'elle éprouva soudain n'eut rien à voir avec la température.

— Vous allez quelque part ? insista-t-il.

Elle hocha la tête.

— Oui. Je… J'ai un rendez-vous. Que voulez-vous ?

Il lui montra une boîte d'ampoules.

— Henry m'a demandé de vérifier les lampes du couloir.

— Oh… Eh bien, vous allez devoir revenir. Il faut que j'y aille. Bonne soirée.

Elle ouvrit sa portière, s'attendant à ce que Jake fasse marche arrière pour libérer le passage, mais il coupa le moteur et descendit de voiture.

Il portait un jean délavé couvert de poussière. Son T-shirt blanc était zébré de saleté, et il avait autour du cou un bandana rouge qui avait dû lui servir pour éponger la sueur de son visage.

Il s'approcha tellement d'elle qu'elle put sentir la chaleur qui émanait de son corps, et l'odeur troublante de sa peau baignée d'une odeur musquée de transpiration.

— Qui est l'heureux homme ?

— Jim Waller, le directeur de la banque.

Jake sembla réfléchir à cette information.

— Un grand type, mince, presque quarante ans… Il prend invariablement un sandwich à la dinde et un bol de soupe à chaque repas.

Tara constata qu'elle ne s'était pas trompée sur Jake. Il avait un don d'observation développé, et en savait beaucoup plus sur les habitants de Wyattville qu'il n'en laissait paraître.

— C'est bien lui.

— Il ne sortait pas avec Madeline Fenton ?

— Ça remonte à un moment, répondit Tara, d'un air dégagé.

— Vous ne pouvez pas y aller. Vous allez l'appeler et

inventer n'importe quel prétexte… Vous n'avez qu'à dire que vous avez la grippe et que vous êtes contagieuse.

— Jake, vous êtes resté trop longtemps au soleil, aujourd'hui ?

— J'ai passé quelques heures à aider Henry cet après-midi, mais ça n'a rien à voir. Ce rendez-vous n'est pas une bonne idée, Tara. Quelqu'un cherche à vous nuire. Ce n'est pas le moment de sortir avec un inconnu.

— Ce n'est pas un inconnu. Il prend ses repas dans mon restaurant tous les jours.

— Où allez-vous ?

— A Bluemond.

— A quelle heure serez-vous de retour ?

— Je ne sais pas. A quelle heure est le couvre-feu, papa ?

Jake avait l'air sur le point d'exploser. Son nez affichait déjà un coup de soleil, et le reste de son visage rougit à l'unisson.

— Je dois y aller, ou je vais être en retard.

— C'est vous qui conduisez ? demanda-t-il d'un ton incrédule. Il n'a même pas la galanterie de venir vous chercher ?

— Je dois le retrouver devant le Nel's. Nous partirons de là-bas.

Avoir un rendez-vous avec un homme était une chose, mais elle n'était pas prête à le recevoir chez elle. Cependant, elle ne devait aucune explication à Jake.

— Excusez-moi, dit-elle.

Il agit si vite qu'elle n'eut pas le temps de deviner son intention. Un instant il affichait une posture nonchalante, et à la seconde suivante il la plaquait contre l'aile de la camionnette, pressant ses hanches dures contre les siennes. Sans lui laisser l'occasion de protester, il lui saisit le menton entre le pouce et l'index, inclina son visage, et captura fiévreusement ses lèvres.

Ce fut un baiser brûlant et sauvage, et lorsqu'il prit fin, elle eut envie de supplier Jake de le faire durer encore et encore.

Jake fit un pas en arrière.

— Pensez à ça pendant votre rendez-vous.

Pendant quatre kilomètres, Jim et elle avaient parlé du temps, du mauvais état d'entretien de la départementale, et encore un peu du temps.

— Comment vont les affaires ? demanda Tara, après s'être creusé la tête pour trouver un sujet de conversation.

— Ça se maintient.

Elle se mordilla la lèvre, mais cessa brutalement quand elle s'aperçut qu'elle avait le goût de Jake dans sa bouche. La pomme qu'il avait mangée et l'acidité de sa sueur se mêlaient en une troublante saveur sucrée-salée.

Formidable ! Comme si elle avait besoin d'un souvenir. Elle avait encore la tête tournée de son baiser. Quand il était remonté dans sa voiture pour libérer le passage, elle tremblait de tous ses membres.

En arrivant devant le Nel's, elle avait vu que Jim l'attendait. Si cela n'avait pas été le cas, elle aurait probablement fait demi-tour et aurait suivi le conseil de Jake.

Elle ne se sentait vraiment pas bien. Elle était complètement chamboulée et se rendait compte qu'elle n'était pas de très bonne compagnie pour Jim. Pourtant, il ne méritait vraiment pas cela.

— Vous êtes allé en vacances, dernièrement ? demanda-t-elle, en espérant que le sujet les occuperait un moment.

— Non. Je n'aime pas beaucoup voyager.

— Ah…

Elle contempla le paysage qui défilait par la vitre, en songeant qu'elle était bien punie d'avoir jalousé Madeline.

*
* *

Quelques minutes plus tard, la situation empirait.

Le bruit caractéristique d'un pneu dégonflé arracha brusquement Tara à ses pensées. Jim pesta entre ses dents et se gara sur le bas-côté. Ils sortirent tous deux de la voiture, et observèrent le pneu arrière.

— Je n'ai encore jamais changé de roue, dit-elle, mais à deux je crois que nous pouvons y arriver.

— Je n'ai pas de roue de secours.

Se retenant de lever les yeux au ciel, elle ouvrit son sac et y prit son portable. Il ne lui fallut pas longtemps pour s'apercevoir qu'il n'y avait pas de signal. Ce n'était pas de chance. Elle avait presque toujours du réseau au restaurant et à la ferme.

— Essayez avec le vôtre, suggéra-t-elle. Il capte peut-être mieux.

Jim décrocha l'appareil à sa ceinture, observa l'écran et tiqua.

— Je n'ai plus de batterie.

— Evidemment ! marmonna Tara.

Elle fit le tour de la voiture de façon à mettre un peu de distance entre Jim et elle. Faute de quoi, elle aurait été capable de l'étrangler.

— Il y a une maison un peu plus loin, dit-il. Je vais aller demander de l'aide.

— Je viens avec vous.

Jim fixa ses sandales à hauts talons.

— Ces chaussures ne sont pas faites pour la marche. Il y a presque un kilomètre. Vous devriez rester ici.

Elle n'avait pas très envie de rester seule, mais passer une minute de plus avec Jim Waller était au-dessus de ses forces.

Et il avait raison pour les sandales. Elle pouvait toujours

les enlever, mais elle doutait qu'il soit possible de marcher pieds nus sur la chaussée brûlante.

Elle pouvait aussi essayer de marcher sur le bas-côté. Ce serait plus frais que l'asphalte, mais il y avait des gravillons, des orties, et des tas d'insectes auxquels elle préférait ne pas penser.

Indécise, elle considéra les risques qu'il y avait à rester. Il restait encore deux heures de luminosité avant la tombée de la nuit. Elle pouvait verrouiller les portières…

— D'accord, mais faites vite, s'il vous plaît.

Jim venait de disparaître derrière la première colline quand un vieux pick-up à la peinture bleue délavée et couverte de rouille s'arrêta près de Tara.

Un homme d'une bonne quarantaine d'années, avec une casquette de base-ball des Minnesota Twins et un T-shirt gris, se pencha vers la vitre ouverte du côté passager, et cria pour couvrir le bruit de son moteur.

— Vous avez besoin d'aide ?

La vitre de Tara était fermée, mais elle entendit la question. Elle n'avait jamais vu cet homme, et décida de jouer la carte de la prudence.

— J'attends quelqu'un. Il ne va pas tarder à revenir.

L'homme ne parut pas comprendre.

— Non, merci, cria-t-elle en secouant vigoureusement la tête.

Il s'avança et gara son pick-up juste devant la voiture. Lorsqu'elle le vit ouvrir sa portière, Tara se recroquevilla sur son siège, en croisant les doigts pour ne pas se retrouver entre les griffes d'un psychopathe.

11

Jake roula pendant quinze minutes à travers Wyattville avant d'admettre que Tara lui avait fait un sacré effet.

Elle était incroyablement sexy dans sa robe noire, toute en courbes voluptueuses et en peau douce. Et elle sentait merveilleusement bon, comme un jardin au printemps.

Et si la camionnette ne leur avait pas servi d'appui quand il l'avait embrassée, il serait peut-être tombé. Avec elle, il avait les jambes en coton. Il avait essayé de l'éviter toute la semaine, en s'obligeant à se rappeler que c'était une menteuse. Mais, en la voyant au Nel's, en entendant son rire, ou en l'observant qui plaisantait avec un client, il avait ressenti comme une boule à l'estomac.

Il avait envie d'elle. Terriblement.

Et il était jaloux de Jim Waller.

Plus il y pensait, plus ça le mettait hors de lui. Cette femme était une catastrophe ambulante. Les ennuis la suivaient comme une procession de fourmis sur une traînée de sucre. Elle n'avait pas une once de bon sens.

Sortir avec un inconnu pour la simple raison qu'il déjeunait tous les jours au restaurant ? C'était bien la raison la plus stupide qu'il eût jamais entendue. Ce Waller pouvait très bien avoir enterré des cadavres de femmes dans sa cave. On ne pouvait pas se faire une idée des gens rien qu'en les regardant.

Huit années passées dans les forces de police lui avaient appris qu'il ne fallait jamais se fier aux apparences. Le jeune comptable au visage d'ange frappait sa femme à coups de batte de base-ball la nuit. La gentille grand-mère qui faisait des gâteaux pour son petit-fils vendait de la drogue…

Il ne connaissait pas l'histoire de Waller, mais les remarques insidieuses de Madeline sur le fait que Waller était encore amoureux d'elle ne cadraient pas avec cette soudaine invitation à dîner.

Le problème avec Jake, c'est qu'il détestait que les gens fassent des choses inattendues.

Il n'y avait qu'une route pour Bluemond. Il ne savait pas dans quel restaurant ils avaient prévu d'aller, mais il ne devait pas y en avoir tant que cela. Tara ne saurait jamais qu'il l'avait suivie. Il commençait à la connaître un peu, maintenant, et il savait qu'elle serait folle de rage.

Mais il n'était pas inquiet. Il était très doué pour ne pas se faire voir.

Un sourire aux lèvres, l'homme s'approcha de la voiture d'une démarche nonchalante. Le T-shirt était déformé par une petite bedaine, et le jean délavé était rapiécé à un genou.

Tara se calma un peu. Il avait l'air inoffensif, conforme à l'idée qu'elle se faisait d'un homme d'âge moyen portant secours à une femme dont la voiture était en panne.

— Je peux vous aider, mademoiselle ? J'habite un peu plus loin.

L'ironie de la situation la frappa. Il vivait probablement dans la maison vers laquelle Jim se dirigeait.

Elle baissa la vitre de quelques centimètres, laissant entrer un air frais tout à fait bienvenu. En quelques minutes, la température dans la voiture était devenue suffocante. Elle n'avait pas voulu laisser tourner le moteur pour que la climatisation continue de fonctionner, de peur que celui-ci finisse par être en surchauffe. Elle n'avait pas besoin d'un autre problème.

— Merci de vous être arrêté, dit-elle. Je crois que mon ami se dirige vers votre maison pour voir s'il peut téléphoner.

L'homme secoua la tête d'un air navré.

— Il ne trouvera personne à la maison. Ma femme et ma fille sont allées au cinéma.

Il habitait à côté. Il avait une femme et une fille. Tara commença à se détendre.

— Vous voulez que je vous aide à changer la roue ?

— Nous n'avons pas de roue de secours.

Il eut une moue désapprobatrice.

— Ce n'est pas très malin.

C'était exactement ce qu'elle pensait. Elle abaissa un peu plus la vitre.

— D'où êtes-vous ? demanda-t-il.

— Wyattville.

— Et vous allez où ?

— Bluemond.

— Eh bien, je crois que je n'ai plus qu'à rattraper votre ami pour qu'il puisse téléphoner de chez moi, et je le ramènerai pour qu'il attende la dépanneuse avec vous.

— C'est gentil. Merci.

L'homme fit deux pas vers son pick-up, avant de se retourner.

— Il fait diablement chaud, et je n'aime pas l'idée de laisser une jeune femme seule au bord de la route. Je n'aimerais pas que ça arrive à ma femme ou à ma fille. Vous ne voulez pas venir avec moi ?

Tara n'eut pas une hésitation. Elle n'aurait pas forcément autant de chance avec le prochain homme qui s'arrêterait. Il y avait tellement de monstres en liberté…

— C'est vraiment très aimable à vous, dit-elle en ouvrant sa portière. J'apprécie votre aide.

— Pas de problème. Venez.

Il démarra son pick-up, et s'engagea lentement sur la route.

— J'espérais que l'orage d'hier soir ferait baisser la température, mais j'ai bien l'impression que la canicule est partie pour durer, remarqua-t-il.

C'était la première pluie depuis que Jake Vernelli avait fait irruption chez elle. On aurait dit que cela faisait une éternité, mais cela remontait seulement à dix jours.

— Je sais. Ça n'a même pas suffi pour arroser mes plantes, dit-elle.

— Vous devez sûrement avoir soif aussi, Tara. Quand nous serons chez moi, je vous offrirai un verre d'eau bien fraîche.

— Formidable, dit-elle en tournant son visage vers la vitre pour qu'il ne puisse pas voir son expression.

Tara. Il l'avait appelée Tara.

Elle ne lui avait pas dit son prénom.

Il fallut à Jake dix minutes pour arriver à la hauteur de la voiture de Waller. Il ralentit, photographiant mentalement la scène. La voiture, inclinée sur son pneu à plat, semblait vide.

Les mains crispées sur le volant, il fit demi-tour et se gara sur le bas-côté, juste en face.

Son arme était dans la boîte à gants, et il la prit avant de traverser pour s'approcher de la voiture.

Vide. Pas de signe de lutte. Il n'en fut pas plus rassuré. Où était passée Tara ?

Il chercha des indices sur la route, et remercia l'averse de la veille. Même un bleu aurait pu suivre les empreintes. Assise côté passager, Tara était sortie de la voiture et en avait fait le tour pour regarder le pneu. Les marques étaient plus profondes, comme si elle y était restée un moment, les talons enfoncés dans la boue. Les empreintes de Waller étaient près des siennes.

Etaient-ils partis à pied vers Bluemond, en espérant être pris en stop par un automobiliste ? Quelqu'un s'était-il arrêté pour les aider ?

Il fit cinquante pas derrière la voiture. Rien d'inhabituel. Il revint sur ses pas, fit la même chose devant, et découvrit les traces d'un autre véhicule. A en juger par la largeur des pneus, il devait s'agir d'un tout-terrain.

Il se pencha pour essayer de voir des empreintes de pas. Oui, il n'y avait aucun doute, Tara avait marché vers le véhicule.

Etait-elle montée à l'intérieur ? Waller et elle avaient-ils accepté d'être conduits quelque part ?

Il essaya de maîtriser la panique qui menaçait de le submerger. Il devait s'agir de quelqu'un qu'ils connaissaient, quelqu'un qui avait reconnu la voiture de Waller et s'était arrêté pour les aider.

Avec un peu de chance, ils étaient déjà à Bluemond, en train de siroter un verre de vin blanc et de faire mieux connaissance…

N'était-ce pas étrange ? Il était passé de la colère contre Waller pour avoir invité Tara à dîner, à l'espoir qu'ils soient bien arrivés au restaurant.

Il traversa de nouveau la route, se mit au volant, et exécuta son deuxième demi-tour de la soirée. Par mesure de précaution, il allait rouler jusqu'à Bluemond. Il ne trouverait pas le repos avant d'être certain que Tara était bel et bien en sécurité.

*
* *

Tara ne pensait pas que l'homme s'était rendu compte de son lapsus. Il était trop occupé à consulter sa montre et à regarder dans son rétroviseur.

Ce n'était pas une coïncidence s'il s'était arrêté.

Lorsqu'il s'engagea dans l'allée d'une vieille ferme, elle regarda attentivement autour d'elle, persuadée de voir Michael sortir de derrière un buisson. Mais il ne se passa rien.

Bien sûr que non. Michael n'était pas idiot. Il attendrait qu'elle soit à l'intérieur, à l'abri des regards indiscrets d'un éventuel passant.

Et alors, il la tuerait.

Il terminerait ce qu'il avait essayé de faire quatorze mois plus tôt. Puis il retournerait à Washington, satisfait d'avoir gagné, et laissant à son complice le soin de se débarrasser du corps.

D'un mouvement de poignet, l'homme coupa le contact.

— Je ne vois pas votre ami, dit-il. Il a peut-être continué à marcher. Et si vous rentriez boire un verre d'eau ? Nous pourrons appeler une dépanneuse.

Elle n'avait absolument pas l'intention d'entrer dans cette maison.

Elle lui adressa un sourire reconnaissant.

— Avec plaisir.

Elle ouvrit la portière, avec l'idée de se débarrasser de ses sandales et de courir vers la route. Quand elle le vit apparaître au coin du pick-up, rapide comme l'éclair, elle changea de plan.

— Oh non, gémit-elle.

Il s'approcha, son regard faisant l'aller-retour entre elle et la maison.

— Que se passe-t-il ?

— Je me suis tordu la cheville. Ces stupides chaussures ! Je n'aurais jamais dû les mettre.

Elle recula sur la banquette, un pied relevé sur le marchepied du pick-up.

— Je crois que je ne peux pas marcher.

Il parut perturbé, comme si cela ne faisait pas partie des éventualités auxquelles il s'était préparé.

— Vous êtes sûre ? Je peux peut-être vous aider.

— Ça me fait vraiment très mal. Vous ne pouvez pas aller appeler vous-même ?

Il se dandina d'un pied sur l'autre.

— Vous devez venir à l'intérieur.

Elle leva la jambe, prête à le frapper là où ça lui ferait le plus mal s'il s'approchait encore.

Quand Jake arriva au sommet de la colline, il la vit. Elle, un pick-up, et un homme qu'il ne connaissait pas.

La porte passager était ouverte et elle était assise sur la banquette, les jambes dans le vide.

L'homme releva la tête en entendant le bruit d'un moteur. Il eut un mouvement pour la cacher, et cela suffit à Jake pour comprendre qu'il se passait quelque chose d'anormal.

Il s'engagea dans l'allée en faisant voler des gravillons, et s'arrêta derrière le véhicule. Il avait une main sur le volant, l'autre était cachée et tenait solidement son arme.

— Tara, appela-t-il, sans quitter l'homme des yeux. Tout va bien ?

— Je n'aurais rien contre un peu d'aide.

Si les mots semblaient innocents, il la connaissait assez pour percevoir de la peur dans sa voix.

L'homme s'était encore rapproché de Tara. Son regard faisait le va-et-vient entre Tara, Jake et la maison. Jake ne voyait pas d'arme, mais cela ne voulait pas dire qu'il n'en avait pas. Il pouvait très bien avoir un couteau ou autre chose.

— Que se passe-t-il ? demanda Jake.

— Nous avons crevé, et ce monsieur m'a gentiment proposé un verre d'eau.

Jake n'en crut pas un mot.

Une fois de plus, il appréciait l'intelligence de Tara. Elle voulait qu'ils s'en sortent tous les deux sans ennuis. Si l'homme pensait qu'ils ne représentaient un danger ni l'un ni l'autre, cela pouvait peut-être marcher.

— C'est très aimable, mais maintenant que je suis là, je vais vous raccompagner chez vous.

— Oui, s'il vous plaît.

Elle sourit à l'homme.

— Merci pour votre aide.

Jake la regarda descendre du pick-up et venir vers lui en boitant.

Son sang ne fit qu'un tour et il leva son arme. Le regard de Tara le stoppa. Elle secoua la tête de façon presque imperceptible et continua de marcher.

L'homme se tenait toujours à côté de son pick-up, surveillant chacun de ses pas. Lorsqu'elle ouvrit la portière et se hissa dans l'habitacle, Jake vit qu'elle avait le front couvert de transpiration.

— Démarrez, dit-elle. Je vous en prie, sortez-moi d'ici.

Il ne perdit pas de temps. Il s'occuperait de l'homme plus tard. Sa priorité était de mettre Tara à l'abri.

Il descendit l'allée en marche arrière jusqu'à la route, et prit la direction de Wyattville.

— Je dois savoir une chose, dit-il, en redoutant de prononcer les mots. Est-ce qu'il vous a fait du mal ? De quelque façon que ce soit ?

— Non.

Il ne put retenir un soupir de soulagement.

— Qu'est-il arrivé à votre jambe ?

— Rien.

— Je vous ai vue boiter.

— Ce n'est rien. C'était une ruse.

Et soudain, elle éclata en sanglots.

Il tendit le bras et l'attira contre lui. Elle accompagna son geste en se laissant glisser sur la banquette, et enfouit son visage dans son épaule. Il aurait voulu s'arrêter et la bercer contre lui, mais la prudence lui commandait de rouler jusque chez elle, là où elle serait vraiment en sécurité.

Lorsque Jake s'arrêta dans l'allée de Tara, elle avait cessé de pleurer, laissant sa tête peser lourdement contre son épaule, comme si elle s'était vidée de toute son énergie.

— Nous sommes arrivés, dit-il. Vous vous sentez mieux ?

Du bout des doigts, il lui releva le menton et observa son visage. Ses taches de rousseur paraissaient plus sombres sur la pâleur de sa peau. Elle avait les yeux et le nez rouge, et les joues mouillées de larmes. Quelques mèches de cheveux humides collaient à ses joues.

De sa main libre, il repoussa les cheveux derrière ses oreilles, et retraça le chemin de ses larmes avec le pouce.

Elle soupira et ses lèvres roses s'entrouvrirent.

Il s'inclina.

Elle redressa le menton.

Il l'embrassa. Et quand elle noua les bras autour de son cou, l'attirant contre elle, plaquant ses seins contre son torse, il se dit qu'il ne mettrait jamais fin à ce baiser.

Elle était brûlante et avait un goût de sel, et il la désirait avec une force qu'il ne pouvait ni décrire ni contrôler.

Et pourtant, il devait se ressaisir, dans son intérêt à elle.

— Tara, dit-il en la repoussant. Je n'ai pas envie d'arrêter, mais il le faut. Je dois savoir ce qui s'est passé.

Elle s'immobilisa, les yeux grands ouverts. Puis elle passa la langue sur ses lèvres incroyablement pulpeuses, et il faillit craquer.

Elle se trémoussa sur la banquette pour reprendre sa

place, et sa robe remonta haut sur ses cuisses, dont la peau soyeuse couleur d'abricot appelait toutes les caresses. Il déglutit douloureusement.

— Nous avons eu un problème avec la voiture, dit-elle d'une voix enrouée. Une crevaison. Malheureusement, Jim n'avait pas de roue de secours. Nous voulions appeler une dépanneuse, mais il n'y avait pas de réseau. Il a proposé d'aller à pied jusqu'à une maison pour demander de l'aide. Peu après son départ, le type que vous avez vu s'est arrêté et m'a proposé de m'emmener. Il a dit qu'il vivait un peu plus loin avec sa femme et sa fille.

— Que s'est-il passé quand vous êtes arrivée chez lui ?

— En ne voyant pas Jim, j'ai eu un drôle de pressentiment. J'ai senti qu'il ne fallait pas que j'entre dans la maison avec lui. Alors, j'ai prétendu m'être tordu la cheville. C'est là que vous êtes arrivé.

Cela semblait plausible, mais Jake sentait que quelque chose clochait. Il avait vu la panique dans ses yeux, entendu la peur dans sa voix. Elle était terrorisée par ce type.

— Il a dit ou fait quelque chose ?

— Non.

— Il ne vous a pas menacée ?

— Non. Ecoutez, j'ai probablement réagi avec excès, et je suis désolée si je vous ai fait peur.

Oui, il avait eu peur. Et à présent, il sentait monter la colère en lui.

— Que se passe-t-il, Tara ?

— Exactement ce que j'ai dit. Je suis montée dans la voiture d'un inconnu et, quand j'ai senti que ça risquait de mal tourner, j'ai pris peur. Si ça se trouve, c'est un brave père de famille qui n'a rien compris à ma réaction et qui pense que je suis folle.

Bien sûr. Elle n'y croyait pas plus que lui.

— Et Waller ? Quel est son rôle dans tout ça ?

Elle haussa les épaules.

— Je n'en sais rien, dit-elle en tournant la tête vers la vitre.

— Tara, dit-il à voix basse, je crois qu'il est temps que vous soyez franche avec moi. Il se passe des choses étranges autour de vous. Il est évident qu'on cherche à vous faire du mal. Vous comprenez, j'en suis sûr, que je ne peux pas vous aider si vous ne me dites rien.

Elle se mordilla le coin interne de la lèvre.

— Je ne vois pas de quoi vous voulez parler.

Tara avait envie de tout dire à Jake, mais c'était tellement compliqué. Existait-il un lien entre Waller et Michael ?

Elle savait que sa famille avait des activités bancaires dans l'Est. Michael avait-il promis à Waller un poste prestigieux quelque part ? Elle était peut-être son ticket de sortie de cette ville.

Il y avait une certaine logique dans cette hypothèse : l'invitation inattendue de Waller, le pneu crevé et pas de roue de secours, la voiture immobilisée dans un endroit où les portables ne fonctionnaient pas…

Sur le coup, elle était tellement irritée contre Jim, et tellement soulagée aussi que la soirée puisse se terminer plus tôt que prévu, qu'elle ne s'était pas étonnée de sa désinvolture. Mais c'était un homme qui alignait toujours ses couverts sur son assiette quand il avait terminé son repas. Il pliait deux fois sa serviette et la posait bien proprement sur le dessus. Puis il vidait son verre d'eau et le posait juste au-dessus du rebord de l'assiette, parfaitement centré.

Elle ne l'avait jamais vu sans parapluie un jour de pluie. Ses chaussures étaient toujours parfaitement cirées, son costume sans un pli, sa cravate bien ajustée… Il était l'illustration même du maniaque.

Ce n'était pas le genre à se lancer sur les routes sans

roue de secours, et encore moins à oublier de recharger son portable. Ce type n'avait même pas le courage de commander du jambon ou du thon pour changer. Il s'en tenait au blanc de dinde. C'était un choix sans danger.

Quoi qu'il en soit, elle savait qu'elle ne pouvait compter que sur elle-même. C'était ce qui l'avait déjà sauvée une fois, quatorze mois plus tôt, et ça la sauverait encore.

— Je suis fatiguée, dit-elle. Je veux rentrer.

Jake ouvrit sa portière et faillit donner un coup de pied dans sa roue tant il était frustré. Il ne s'était pas senti dans cet état depuis le jour où il était rentré chez ses parents, et avait découvert son frère qui noyait son auto-apitoiement dans la vodka. Il l'avait ramené à la raison de manière plutôt brutale.

Ce n'était évidemment pas la solution avec Tara. Il n'empêche qu'il avait beaucoup de questions et peu de réponses.

— Je vais appeler Andy et lui demander de rechercher Waller.

— Pourquoi ?

— Parce que, aux dernières nouvelles, il marchait le long de la route, et qu'il semble avoir disparu. Je suis le chef de la police, Tara. C'est ma responsabilité de le retrouver.

Elle consulta sa montre.

— Cela fait à peine une heure que Jim et moi sommes partis du Nel's. Ce n'est pas comme s'il avait disparu depuis des jours.

Jake haussa les épaules. Il était possible qu'il fasse un peu de zèle, mais il s'en moquait. Il voulait parler à Waller le plus vite possible.

— Je vais aussi passer chez Chase pour prendre mes affaires.

— Quoi ?

— Mes affaires. Je m'installe chez vous.

Elle écarquilla les yeux.

— Je ne savais pas que j'avais passé une annonce pour un colocataire.

Le sarcasme ne l'atteignit pas.

— Je pars tout de suite pour être de retour avant qu'il ne fasse tout à fait nuit.

— Je ne veux pas de vous ici.

— Ça tombe mal, j'ai l'intention de vous suivre comme votre ombre. Que ça vous plaise ou non, je suis votre meilleure protection. J'ai une arme, et je sais m'en servir.

— Je n'ai pas besoin d'arme. Je sais me défendre toute seule.

Intéressant. Elle n'avait pas dit qu'elle s'était inventé un mauvais scénario, qu'elle avait fait d'une taupinière une montagne. Non, elle avait dit qu'elle savait se défendre toute seule.

— Je vous crois, dit-il. Vous êtes intelligente et assez têtue pour vous débrouiller sans l'aide de personne. Mais j'ai promis à Chase que je m'occuperais de sa ville et de ses amis. Je ne vais pas laisser survenir quelque chose que j'aurais pu empêcher.

— Donc, vous faites cela pour Chase ?

— Bien sûr, dit-il, prouvant qu'il avait un certain talent pour le mensonge.

Mais s'il disait la vérité à Tara, qu'il ne s'en remettrait pas s'il lui arrivait quelque chose, elle le prendrait pour un fou. Et la cohabitation serait encore plus difficile.

— Donnez-moi vos clés. Je vais vérifier la maison.

Elle obéit sans dire un mot.

Il entra et fit une rapide inspection. Quand il revint dans le salon, elle se tenait contre le mur du fond, tel un chat terrorisé par un gros chien. Il se rendit compte alors que, s'il ne l'avait pas brutalisée physiquement, il la malmenait quand même un peu.

Tant pis. C'était le prix à payer pour sa sécurité.

12

L'absence de Jake dura moins d'une heure, et Tara occupa ce temps à essayer de décider ce qu'elle devait faire.

Quand il lui avait dit qu'il s'installait chez elle, sa première réaction avait été le soulagement. Elle s'était sentie obligée de protester mais, en voyant qu'il campait sur ses positions, elle avait très vite renoncé à argumenter.

C'était une preuve de faiblesse et de dépendance de sa part, mais la situation était devenue plus critique ce soir.

Depuis que sa vitrine avait été vandalisée, et qu'elle y avait vu l'œuvre de Michael, elle avait redoublé de vigilance, et elle se sentait surtout vulnérable la nuit. A l'affût d'un bruit inhabituel, elle ne dormait jamais vraiment. Il en résultait une immense fatigue, proche de l'épuisement. Sa routine s'en trouvait perturbée. Elle avait même peur de prendre une douche, peur d'être nue et sans défense dans sa propre maison.

Et après cette nouvelle mésaventure, elle était plus effrayée que jamais. Joanna Travis, alias Tara Thompson, n'avait jamais été stupide, et cela aurait été une belle preuve de stupidité que de refuser une protection policière.

Jake faisait cela parce qu'il ne voulait pas décevoir un ami. C'était blessant pour elle, mais elle pouvait le comprendre. De toute façon, il n'y avait aucun avenir possible pour Jake et elle.

Le retour de Jake l'arracha à ses pensées. Il tenait une valise d'une main, et quatre sachets en plastique d'épicerie de l'autre. En chemin vers la chambre d'amis, il déposa ses achats sur le comptoir de la cuisine.

Lorsqu'il revint, il vérifia portes et fenêtres et commença à déballer les provisions.

— Je crois que nous n'avons dîné ni l'un ni l'autre, dit-il, au moment où Tara se demandait ce qu'il faisait. J'espère que vous aimez la pizza. J'ai acheté tout ce qu'il faut pour en faire une moi-même.

— Oui, dit-elle, presque à regret. J'adore.

— Parfait. Nous sommes au moins d'accord sur une chose.

Il ne souriait pas, mais il n'avait pas l'air aussi en colère qu'avant.

— Quand je suis à Minneapolis, reprit-il, je mange de la pizza au moins une fois par semaine. Je commence à être en manque d'hydrates de carbone, ici.

Elle appréciait ses efforts pour apporter un peu de normalité à cette soirée, et décida d'y mettre du sien.

— Je vous en prie, dites-moi que vous n'avez pas prévu de mettre des anchois.

— Non, je suis de l'ancienne école. Pas question d'ajouter des trucs bizarres comme des épinards ou de l'ananas. Je m'en tiens à la formule poivrons, champignons, oignons et olives noires.

— Et les tomates ?

Il se massa le menton.

— Je ne sais pas. C'est un peu audacieux pour moi.

— S'il vous plaît.

— D'accord. Mais ne le répétez à personne.

Lorsqu'il déroula la pâte, elle s'inquiéta.

— Vous en préparez pour combien de personnes, exactement ?

— Ne vous en faites pas. J'aime la manger froide le lendemain. Comment vous sentez-vous ?

— Arrêtez de vous tracasser pour moi.

— D'accord. Alors commencez à couper les légumes.

Lorsque tout fut prêt, Jake glissa la pizza dans le four et régla la minuterie. Puis il sortit une bouteille de vin rouge d'un des sacs. Il la déboucha et remplit deux verres qu'il avait trouvés en ouvrant tous les placards.

— Je ne m'attendais pas à du vin, admit Tara, les papilles déjà aiguisées par l'arôme entêtant.

— Ma pizza le mérite. Et ensuite, nous chanterons des chansons italiennes.

— Vous parlez italien ?

— Plus ou moins. Mais il en faudrait plus pour m'empêcher de chanter la sérénade. Venez, allons nous asseoir en attendant que ce soit cuit.

Il avait une façon tellement innocente de dire cela. Elle s'assit à un bout du canapé. Il opta pour une distance respectueuse à l'autre bout.

Elle but une gorgée de vin, puis une autre.

— C'est délicieux.

Les muscles de son cou et de ses épaules étaient un peu moins tendus, et elle décida que ce n'était pas si mal après tout, cette idée de se détendre en buvant du vin, de discuter de tout et de rien…

Le temps passa sans qu'ils en aient conscience, jusqu'à ce que la sonnerie de la minuterie les interrompe.

Il se leva et lui tendit la main.

— Et si on faisait un concours du plus grand mangeur de pizza ? proposa-t-il, enjoué comme un adolescent.

— Je ne me risquerais pas à vous défier. Je sais que c'est perdu d'avance.

Ils avaient fini de dîner et remettaient de l'ordre dans la cuisine quand on frappa à la porte de service. Jake posa un doigt sur ses lèvres, se dirigea vers la fenêtre, et déplaça de quelques centimètres le voilage pour voir au-dehors.

— Waller, murmura-t-il.

Elle hocha la tête et Jake ouvrit à leur visiteur.

— Bonsoir, je cherche Tara, dit Waller.

— Elle est ici, répondit Jake.

Il n'avait fait qu'entrebâiller la porte, et bloquait le passage.

— Je m'inquiétais pour vous, dit Waller, en se penchant pour apercevoir Tara.

— Un homme très gentil m'a porté secours. Puis Jake est arrivé et m'a raccompagnée à la maison.

Les mots coulaient naturellement de ses lèvres, et Jake se demanda combien d'autres mensonges elle avait ainsi proférés. Mais Waller parut accepter cette version.

— C'est bien ce que je pensais, dit-il. Il n'y avait personne à la première maison, et j'ai marché jusqu'à la suivante. Quelqu'un s'est arrêté, et j'ai pu utiliser son portable pour appeler un garage. Quand je suis retourné à la voiture, vous n'y étiez plus. Je devais attendre la dépanneuse, et dès que le pneu a été réparé, je suis allé au Nel's pour voir si vous y étiez. Il y avait votre camionnette, mais les lumières étaient éteintes, donc je suis venu directement ici.

L'histoire tenait la route. Mais Tara avait dit que l'homme s'était arrêté peu après que Waller eut dépassé la première colline. Ils auraient dû le rattraper, ou à défaut le voir au loin sur la route. Et si quelqu'un lui avait prêté son portable, cette personne pourrait confirmer cette version.

— Qui vous a prêté son portable ?

Waller marqua une hésitation.

— Une vieille dame. Je ne la connaissais pas, et elle ne m'a pas dit son nom.

Evidemment !

— Tout est bien qui finit bien, déclara Tara.

— Je suis désolé de ce qui s'est passé, dit Waller. Nous pourrions peut-être…

— Tara, vous pouvez me dire où est votre produit pour la vaisselle ? l'interrompit Jake. Il faut laver ces assiettes.

Waller eut l'air perplexe.

— On se verra au Nel's, dit Tara.

— Oui. Bien sûr. Eh bien, à plus tard, alors.

Il fit un pas en arrière et Jake referma la porte. Puis il se dirigea vers la fenêtre pour regarder l'homme monter dans sa voiture et s'éloigner.

— Je ne l'aime pas.

Tara hocha la tête.

— Quoi ? Vous ne protestez pas ?

Elle haussa les épaules.

— Ce type n'a pas de roue de secours et oublie de recharger son portable. Qu'y a-t-il à aimer chez lui ?

— Je suppose qu'il viendra lundi manger son sandwich à la dinde.

— Certainement.

Tara prit le liquide vaisselle sous l'évier.

— Pourquoi ne le ferait-il pas ?

Jake se contenta de secouer la tête et commença à faire couler de l'eau dans l'évier. Il lava rapidement les assiettes, puis vint s'asseoir dans le salon et fixa l'écran noir du téléviseur.

Tara était assise sur le canapé et regardait ses mains. L'ambiance avait changé depuis l'apparition de Waller. Les rires, la conversation légère, tous les efforts qu'ils avaient faits pour chasser cette mésaventure de leur esprit étaient réduits à néant.

Finalement, incapable d'en supporter davantage, Tara se leva.

— Bonne nuit, dit-elle.

Il attendit qu'elle soit au bout du couloir pour la héler.

— Tara, ne verrouillez pas votre porte. Si je dois entrer rapidement, je ne veux pas avoir à la casser.

Elle ne prit pas la peine de répondre.

Une fois dans sa chambre, elle se laissa tomber sur son lit et observa la porte, la seule barrière entre Jake et elle.

Elle avait réussi à donner le change à Waller, mais elle savait que ce serait difficile de faire comme si de rien n'était lundi. Elle devrait continuer à faire comme si ce pneu crevé n'était qu'un contretemps malchanceux.

Sa vie, et peut-être aussi celle de Jake, en dépendait.

Resté seul, Jake appela Andy et lui dit qu'il pouvait arrêter les recherches pour Waller. Puis il resta assis dans le salon vide de Tara, à attendre que son téléphone sonne. Il avait appelé le shérif du comté pour lui décrire l'homme, l'emplacement de la maison, et l'immatriculation du vieux pick-up, et il attendait de ses nouvelles. Même si Tara avait fait mine de prendre l'incident à la légère, il savait au fond de lui que quelque chose n'allait pas.

Quand son téléphone sonna enfin, il fut si maladroit dans sa hâte à répondre qu'il faillit laisser tomber l'appareil.

— Vernelli.

— J'ai des informations, annonça le shérif. La maison était vide. Les voisins disent qu'elle est inoccupée depuis trois mois. Mais quelqu'un est entré récemment. On a relevé des empreintes de pas dans la poussière, des traces d'eau dans l'évier…

— Et le véhicule ?

— Enregistré au nom d'une dame âgée de St Paul. Elle n'avait même pas remarqué que le pick-up n'était plus dans son garage.

Jake jura entre ses dents.

— J'aurais dû l'interpeller.

— Pour avoir offert un verre d'eau à la jeune femme ?

D'après ce que vous avez dit, il n'a rien fait d'illégal. Elle est montée de son plein gré dans la voiture.

— Je ne pense pas que ses intentions étaient innocentes. On ne sait pas ce qui se serait passé si elle était entrée dans la maison.

— Comme vous dites, on ne sait pas. Et on n'arrête pas les gens pour leurs intentions. En revanche, il ira faire un petit tour derrière les barreaux pour le vol du véhicule, si nous le trouvons. Cela nous donnera au moins une chance de lui poser des questions.

— Merci pour votre appel.

Huit heures plus tard, Tara coupait l'alarme de son réveil et se levait d'un bond. Elle s'arrêta net sur le seuil du salon en voyant que Jake était déjà debout, une tasse vide devant lui.

— Vous êtes levé depuis combien de temps ? demanda-t-elle.

— Un moment. Je n'arrivais pas à dormir.

L'explication était superflue. Il avait déjà pu constater dans le miroir de la salle de bains qu'il avait une tête à faire peur avec ses cernes creusés sous les yeux et ses cheveux en bataille.

— Vous devez vous reposer, dit-elle. C'est dimanche. Retournez au lit. J'ai une tonne de papiers à vérifier aujourd'hui, et il ne va rien m'arriver pendant que vous êtes dans la pièce voisine.

— Je vais bien. Ne vous inquiétez pas pour moi. J'espère que vous aurez terminé dans deux heures, car nous devrons partir pour Minneapolis.

— Pourquoi ?

— C'est là que vivent mes parents. Nous allons déjeuner chez eux.

Elle écarquilla les yeux.

— Il n'est pas question que j'aille chez vos parents. Je ne les connais pas.

— C'est l'anniversaire de mon père. J'ai appelé ma mère il y a vingt minutes pour lui dire que je venais avec vous. Mon frère sera là aussi.

— Que lui avez-vous dit ? Qui croit-elle que je suis ?

— Une amie, c'est tout.

— Je trouve que ça devient trop compliqué, déclara Tara.

Elle se dirigea vers la cuisine, se servit une tasse de café, et tendit la cafetière dans sa direction pour lui en proposer. Il déclina. Il en avait déjà bu trois tasses.

— On se débrouille comme on peut, compte tenu des circonstances, répondit-il, tout en songeant que ce serait beaucoup plus simple si elle disait la vérité. Je sors un moment. Andy doit passer m'emprunter Veronica. Il emménage dans un nouvel appartement aujourd'hui. Ça ne vous ennuie pas qu'on prenne votre camionnette ?

— Il faudra aller la récupérer devant le Nel's, mais pourquoi pas.

Elle semblait découragée.

— Vous allez quelques fois à Minneapolis ? demanda-t-il.

— Presque jamais.

Mais bien sûr ! Elle s'y était rendue exactement une semaine plus tôt, pour de mystérieuses recherches à la bibliothèque.

Il sortit et laissa l'écran de la moustiquaire claquer derrière lui.

13

Tara fut prête à l'heure. Elle portait un T-shirt à manches longues, et un short beige qui s'arrêtait deux centimètres au-dessus du genou.

Elle avait vraiment de belles jambes, songea Jake avec admiration, fines et féminines et pourtant musclées. Elle avait relevé ses cheveux, dégageant son cou délicat, et portait de petits anneaux aux oreilles.

Elle était à croquer. Et elle avait l'air tellement innocent ! L'était-elle ?

— Qu'est-ce qu'il fait chaud, dit-il avec un soupir. Heureusement, mes parents ont une piscine. Vous voulez peut-être prendre un maillot ?

Elle se mordilla la lèvre, hésitante.

— D'accord, je vais chercher un sac.

Dix minutes plus tard, ils prenaient place dans la vieille Malibu d'Andy et faisaient l'échange avec la camionnette devant le Nel's. Tara tendit les clés à Jake, et il se mit au volant.

— Il va falloir faire le plein, dit-elle.

Il s'arrêta chez Toby Wilson, et Tara entra dans la station pour acheter des boissons. Il avait presque terminé quand il vit Alice et Henry s'arrêter à la pompe voisine. Henry commença à se servir, et Alice entra à son tour dans la boutique.

Il passait le seuil en comptant ses billets quand Alice s'arrêta à côté de Tara. Cette dernière se tenait devant la porte ouverte d'une armoire réfrigérée et attrapait des bouteilles d'eau sur la clayette supérieure.

— Eh bien, ma chère, il paraît que Jim Waller et vous avez eu des ennuis hier soir, remarqua Alice d'un ton doucereux.

Tara sursauta.

— Qui vous a dit ça ? demanda-t-elle avec agressivité.

Alice parut surprise par sa réaction.

— Henry l'a entendu dire en ville.

— Nous avons eu une crevaison. Rien de grave.

— Mais il aurait pu vous arriver quelque chose d'horrible, toute seule sur cette route...

Le visage de Tara avait blêmi. Jake s'avança rapidement pour intervenir.

— Bonjour Alice, vous allez bien ?

Sans attendre la réponse, il ajouta :

— Tara, vous êtes prête ? Il faut y aller.

Ils étaient dans la camionnette et avaient déjà parcouru un kilomètre quand Tara prit la parole.

— Elle ne pensait pas à mal.

Probablement pas, songea Jake, sans ajouter de commentaire. Et, de toute façon, Alice avait raison. Tara avait eu beaucoup de chance. En aurait-elle autant la prochaine fois ?

— Ça vous ennuie si j'écoute le match à la radio ? Les Twins jouent à domicile.

Elle haussa les épaules.

— Pas de problème. Je regarderai le paysage.

Comme s'il avait beaucoup changé en une semaine.

Une heure plus tard, Jake garait la camionnette dans l'allée bordée de fleurs de ses parents. Il tira le frein à main et se tourna vers Tara, qui observait la paisible rue résidentielle.

— C'est joli, dit-elle. Il y a de très beaux arbres.

— Oui.

Il avait réussi à se calmer durant le trajet. S'il y mettait vraiment du sien, il réussirait peut-être à tenir toute la journée.

— Nous avons emménagé ici quand je suis entré à l'école primaire. Chase Montgomery habitait de l'autre côté de la rue.

— Ce devait être amusant d'avoir une piscine.

— Ils ne l'ont fait installer que depuis quelques années. J'ai demandé à ma mère pourquoi ils avaient attendu que nous soyons adultes, mon frère et moi, et elle m'a répondu qu'ils ne voulaient pas devenir le centre aéré de tout le quartier.

— Ce n'est pas bête.

— Mouais. Je crois surtout qu'elle avait peur qu'on se noie.

— Ce ne serait pas votre frère ?

Tara désigna un homme qui venait d'apparaître à l'angle de la maison, une main couverte par un gant ignifugé, l'autre tenant une assiette.

Jake hocha la tête et ouvrit sa portière.

— C'est Sam.

Lorsque Tara sortit de voiture, Sam se tenait à cinq pas de là. Il portait un ample T-shirt blanc à l'effigie de Bruce Springsteen, un short en jean bleu et des sandales de plage en plastique.

Jake se démancha le cou pour voir le contenu de l'assiette.

— Je croyais qu'il y avait des steaks.

— Evidemment. Ça, c'est pour l'apéritif.

Il tendit le plat de crevettes grillées à Jake, qui en prit deux, et en tendit une à Tara.

— Qu'est-il arrivé à Veronica ? demanda Sam, en regardant la camionnette avec suspicion.

— C'est à Tara.

— Ah bon, j'ai eu peur pendant une minute. Bienvenue. Vous devez être Tara.

Il tendit sa main gantée et Tara la serra avec un sourire amusé.

— Il faut que je pose la question. Pourquoi le pick-up de Jake s'appelle-t-il Veronica ?

Jake se massa le menton, indécis.

— Dis-lui, le pressa Sam.

— Ce n'est rien d'extraordinaire. Il y a quelques années, ma mère commençait à s'agacer que je n'aie pas de petite amie régulière. Elle avait peur de ne jamais avoir de petits-enfants, et elle harcelait Sam pour avoir des informations sur ma vie privée.

— C'est le moins qu'on puisse dire, commenta Sam.

— Bref, un jour, il en a eu assez…

— Même les gars des forces spéciales auraient craqué, dit Sam pour sa défense.

— Donc, chaque fois que ma mère disait quelque chose, il lui disait de ne pas s'en faire, j'étais allé avec Veronica au cinéma, ou au restaurant…

Tara ne put s'empêcher d'éclater de rire.

— Votre pauvre mère… Et elle croit toujours que Veronica est réelle ?

— Oui, mais elle pense que je suis mieux sans elle. Comme elle insistait pour faire la connaissance de Veronica, Sam a eu la brillante idée de lui dire qu'elle m'avait trompé.

— Eh bien quoi, Jake m'avait laissé la conduire à la station de lavage. Elle n'a même pas essayé de me repousser.

— Oh ! Seigneur, votre pauvre mère, répéta Tara.

— C'est une sainte, dit Jake.

Vingt minutes plus tard, Tara se disait que la vie n'était pas si mal quand on était assis dans un jardin magnifiquement fleuri, à profiter du soleil en sirotant un margarita bien frais, tandis que deux superbes hommes en sueur se disputaient un ballon de basket.

Ils avaient ôté leur T-shirt, révélant sous leur peau qui luisait au soleil le jeu puissant des muscles de leurs épaules et de leurs bras. Elle regarda Jake bondir et s'étirer vers le panier de basket, son corps puissant semblant voler dans l'air brûlant. La gorge soudain sèche, elle trempa les lèvres dans son verre.

Tom Vernelli, qui avait abandonné ses invités pour aller admirer ses plantes, revint vers Tara et sa femme après avoir fait le tour du jardin.

— Sheryl, passe-moi ton appareil photo. Mes roses sont en fleur et je veux immortaliser ça.

Sheryl poussa vers Tara une assiette de toasts aux rillettes de crabe, et sortit de la poche de son chemisier un appareil numérique extra-plat.

— Prends aussi des photos du gâteau.

Tom recula de quelques pas et prit quelques clichés. Puis il tourna l'appareil et, à la surprise de Tara, la prit en photo avec sa femme.

— Jake nous a dit que vous aviez un restaurant, dit Sheryl, tout en regardant son mari se contorsionner pour photographier ses roses. Vous devez être très occupée.

Elle se cala contre son dossier, sans prêter attention à la bruyante partie de basket entre les deux frères. Ce n'était pas un peu de bruit qui allait faire peur à une femme ayant élevé deux garçons.

— Très occupée, c'est vrai, dit Tara. Mais j'aime ça. J'ai des clients formidables.

— J'ai travaillé dans une pâtisserie quand les enfants étaient au lycée. Ça me plaisait beaucoup. Je crois qu'il y a quelque chose dans la nourriture qui fait ressortir le meilleur de chaque personne.

— Si c'est vrai, maman, dit Jake en arrivant derrière

elle et en lui passant les bras autour du cou, pourquoi ne cuisines-tu pas ?

Sheryl fronça le nez.

— Tu sens la transpiration. Va faire un saut dans la piscine.

— Rien ne vaut l'amour d'une mère pour vous réchauffer le cœur, dit Jake en adressant un clin d'œil à son frère qui l'avait rejoint.

— Je vous aime tous les deux, mais je vous aime encore plus quand vous ne sentez pas. Allez nager. Nous déjeunerons dans une heure.

— Vous vous joignez à nous, Tara ? proposa Jake.

— Avec plaisir.

Elle attrapa son sac, regarda dedans, et afficha une moue confuse.

— Oh non, je ne sais pas comment je me suis débrouillée. Je n'ai pas de maillot.

— Les maillots de bain sont en option, remarqua Sam d'un ton innocent. Enfin, ça dépend des invités.

— Silence, dit Jake, avant de se tourner vers Tara. Comment avez-vous pu oublier votre maillot de bain ? Vous êtes remontée le chercher.

— Je sais. J'aurais dû allumer la lumière. J'ai cru prendre mon maillot, mais je n'ai que le bas.

— Je ne vois toujours pas où est le problème, dit Sam.

Sheryl adressa un regard d'avertissement à ses deux fils.

— Nous ne sommes pas guindés. Et il fait trop chaud pour continuer cette conversation. Vous pouvez nager avec votre T-shirt et votre bas de maillot. Je vous prêterai un de mes T-shirts pour le déjeuner.

Tara n'en aurait pas besoin. Elle avait un soutien-gorge de rechange et un T-shirt à manches longues dans son sac. Idéalement, elle aurait préféré éviter complètement la piscine, mais elle avait quand même prévu un plan de secours.

— Excellente idée, dit-elle.

Elle suivit les instructions de Sheryl pour trouver la salle de bains et se changea rapidement.

De retour sur la terrasse, elle passa devant Jake, qui s'était installé sur une chaise longue pour siroter une bière. Elle marcha jusqu'à l'extrémité la plus éloignée de la piscine et descendit pas à pas les marches, jusqu'à s'immerger dans l'eau jusqu'à la poitrine.

— C'est fantastique, dit-elle. Vous ne venez pas ?

Jake la dévisageait, bouche bée.

— Quoi ? Qu'est-ce qu'il y a ?

Il secoua la tête et but sa dernière gorgée de bière.

— Rien. Rien du tout.

Il s'avança vers le bord le plus profond, exécuta un plongeon parfait, et nagea sous l'eau avant de réapparaître tout près de Tara.

— Je croyais que vos parents avaient fait construire la piscine depuis peu. Vous avez l'air de vous débrouiller plutôt bien, pourtant.

— Mon meilleur ami a une piscine. Et une sœur jumelle. J'y allais souvent et j'essayais de l'impressionner.

— Et ça marchait ?

— Plutôt pas mal. Vous voulez que je vous montre ?

Sans lui laisser le temps de répondre, il plongea, écarta ses cuisses, glissa la tête dans l'ouverture pour l'asseoir sur ses épaules et se redressa, la faisant ressortir de l'eau en même temps que lui.

— Mais qu'est-ce que vous faites ? protesta-t-elle.

Elle regarda tout autour, en espérant que ses parents n'allaient pas sortir de la maison à cet instant. Quand elle commença à vaciller, il referma les mains autour de ses genoux, et l'aida à retrouver son équilibre.

Seigneur, elle tenait son cou entre ses cuisses, et il n'y avait rien entre la peau de Jake et son intimité qu'un minuscule bout d'étoffe mouillée.

— Jake, dit-elle d'une voix étranglée. Je voudrais descendre.

— Oui. Vous avez probablement raison.

Il commença à s'accroupir, lui laissant croire qu'il allait la déposer doucement dans l'eau. Et soudain il la projeta en avant, et elle atterrit brutalement, la tête la première.

Elle remonta à la surface en crachotant et en s'essuyant les yeux.

— Hé, mais ça ne va pas ? dit-elle, furieuse.

— Vous n'aimez pas être dupée, on dirait ? Je vous rassure, personne n'aime ça.

— Qu'est-ce que ça veut dire ?

Il secoua la tête.

— Je vais faire quelques longueurs.

— Jake, je ne compr…

— Ho hé, comment est l'eau ?

Sam marchait le long du rebord de la piscine, une serviette autour des épaules.

— Excellente, dit Jake.

Et il s'éloigna de Tara, fendant sans effort l'étendue bleutée, d'un crawl fluide et rapide.

Tara dormit sur le trajet du retour, ou ce fut en tout cas l'impression qu'elle donna à Jake. A peine assise dans la voiture, elle avait fermé les yeux et s'était pelotonnée du côté de la vitre et n'avait plus dit un mot. Au bout de quinze minutes, il avait été à peu près certain qu'elle s'était obligée à s'endormir.

Excellente technique d'évitement. Mais ça ne marcherait pas. Il avait l'intention de la réveiller, de la faire rentrer dans la maison, et de la cuisiner jusqu'à ce qu'elle lui dise la vérité.

Ensuite, il passerait cinq heures au lit avec elle.

Il était obsédé par cette pensée. Il avait tellement envie d'elle qu'il était incapable de réfléchir normalement.

Chez ses parents, quand il l'avait vue déambuler le long de la piscine, il avait eu une soudaine vision de ses longues jambes enroulées autour de lui. Même avec ce stupide T-shirt, elle était plus sexy que la plupart des femmes qu'il avait pu voir.

Et même si elle cachait quelque chose qui pouvait mettre son entourage en danger, y compris lui-même, il continuait à la désirer. C'est ce qui l'avait agacé et conduit à se comporter stupidement. Il n'aurait pas dû lui faire boire la tasse. C'était immature. En un clin d'œil, il était redevenu un adolescent de seize ans.

Il passa le reste du trajet à se faire des reproches, et à s'exhorter à agir selon son âge réel.

— Tara, réveillez-vous, annonça-t-il bientôt. Nous sommes arrivés.

Elle ouvrit les yeux et roula la tête d'un côté et de l'autre, en essayant de revenir à la conscience.

— Je ne me sens pas bien, dit-elle dans un gémissement.

— Comment cela ?

— Je crois que je vais être malade.

En constatant qu'elle était livide, Jake s'affola.

— Vous voulez que je vous conduise à l'hôpital ?

Elle esquissa un faible sourire.

— C'est la deuxième fois que vous essayez de me convaincre que je dois voir un médecin. Ce n'est rien. J'ai dû rester trop longtemps au soleil. Je suis vraiment fatiguée, et j'ai très mal à la tête.

— Vous pouvez marcher ?

— Oui, je crois…

Elle se traîna à l'intérieur et, le seuil à peine passé, se rua vers la salle de bains.

Elle en ressortit quelques minutes plus tard, le teint verdâtre et la peau moite.

— Je crois que je ferais mieux d'aller me coucher.

Il l'aida à gagner sa chambre.

— Vous voulez vous déshabiller ?

— Non, juste m'étendre. Ça tourne.

— D'accord. Laissez-moi retirer le couvre-lit.

Il l'aida à s'asseoir et elle s'effondra sur l'oreiller, se roulant aussitôt en boule.

Jake sortit de la chambre et alla s'étendre sur le canapé, en se servant du plaid sommairement plié comme oreiller.

Ce n'était pas ainsi qu'il avait prévu de passer la nuit, mais, ces derniers temps, rien ne se déroulait comme il le souhaitait.

Tara fut arrachée à un sommeil agité par l'alarme de son réveil. Dans un état second, elle l'écouta sonner un moment sans bouger.

Elle venait à peine de rassembler l'énergie suffisante pour tendre le bras et l'éteindre quand la sonnerie s'arrêta. Elle ouvrit les yeux. Jake était à côté de son lit.

— Comment vous sentez-vous ? demanda-t-il.

— Bien, mentit-elle.

— Quand avez-vous mis l'alarme ?

— Hier matin. Je l'enclenche toujours le matin après m'être réveillée, même si la plupart du temps je suis levée avant que le réveil ne sonne.

Elle balança les jambes par-dessus le bord du lit et se leva. Puis elle se mit à tanguer d'avant en arrière et se laissa lourdement retomber sur le matelas.

— Vous allez devoir rester couchée, déclara Jake.

— Mais c'est lundi, je dois aller travailler.

— Non. Vous êtes malade. Vous allez tomber si vous essayez de bouger. Ce serait bien votre chance de vous évanouir près de la gazinière et de mettre le feu au restaurant. Vous restez ici.

— Mais Janet a besoin de moi. Je n'ai jamais été absente une seule journée depuis que j'ai acheté le Nel's.

— Peu importe. Vous n'irez pas.

— Mais…

— Ça m'inquiète de vous laisser seule ici. Vous vous sentez assez bien pour faire un peu de route ? Je voudrais que vous restiez chez Chase, comme ça vous seriez tout près du commissariat.

Tara essaya de faire le tri dans ses pensées, où régnait la plus grande confusion.

Hier, dans la piscine, ils avaient généré tellement de chaleur que l'eau avait failli bouillir. Et, dans le même temps, elle avait perçu la colère que Jake éprouvait à son égard, au point de lui faire brutalement boire la tasse.

Durant le repas, il s'était montré poli, dans un souci évident de donner le change à ses parents et à Sam. La conversation avait été plaisante, émaillée de rires et, pendant deux heures, elle avait eu l'illusion de la normalité.

Au moment du départ, les parents de Jake l'avaient embrassée chaleureusement en souhaitant la revoir. Mais Sam, qui s'était montré très bavard durant le repas, avait eu une attitude plus réservée.

Dans la voiture, Jake avait gardé le silence et, comme elle commençait à ne pas se sentir très bien, elle avait été soulagée de ne pas avoir à parler.

Quand il avait vu qu'elle était réellement malade, Jake avait montré un dévouement à toute épreuve. A présent, il semblait inquiet.

Cela faisait longtemps que personne ne s'était inquiété pour elle et, d'une certaine façon, elle trouvait cela réconfortant. D'autant qu'elle était certaine de ne rien avoir de sérieux. Quelques heures de sommeil supplémentaires, et il n'y paraîtrait plus.

— Non, Jake, finit-elle par répondre. C'est gentil, mais je préfère rester ici. Je ne me sentirais pas à l'aise dans une maison que je ne connais pas.

— Je peux faire quelque chose avant de partir ?

— Non, merci. Dites seulement à Janet que je serai là avant le rush de midi.

En arrivant au Nel's, Jake se gara sur l'emplacement de Tara. Il venait de couper le moteur quand son portable sonna. En voyant s'afficher le numéro de son frère, il eut une appréhension. Etait-il arrivé quelque chose à ses parents ?

— Sam ? dit-il d'un ton prudent.

— Ta petite amie est plutôt mignonne. Je l'aime bien.

Jake relâcha son souffle.

— Tu m'appelles à 5 h 30 du matin pour me dire ça ? Et, au fait, ce n'est pas ma petite amie.

— Ah bon ? Elle est libre ?

Jake sentit les petits cheveux dans sa nuque se dresser.

— Je n'ai pas dit ça.

Sam éclata de rire.

— C'est bien ce que je pensais. Je t'ai vu quand elle est passée devant toi pour rejoindre la piscine. Tu as failli tomber de ta chaise longue et te fracasser la tête sur le ciment.

Jake soupira.

— Elle a un corps incroyable.

— On dirait que ça te rend triste.

— C'est difficile à expliquer, Sam. Elle me plaît, mais nous ne sommes pas ensemble.

— C'est peut-être une bonne chose.

— Comment ça ? Je croyais que tu l'aimais bien.

— Comment faire autrement ? Elle est intelligente, drôle, jolie… Mais elle a fait un truc bizarre.

— C'est-à-dire ?

— Tu as vu papa mitrailler tout et n'importe quoi avec son appareil photo ?

— Va droit au but.

— Dans le lot, il a pris quelques clichés de maman et Tara. Il a posé l'appareil sur la table de jardin quand nous sommes rentrés pour déjeuner. Au cours du repas, Tara s'est absentée.

— Elle est sans doute allée aux toilettes. Ce n'est pas interdit, quand même.

— Ce n'est pas ce qu'elle a fait. Je me suis levé juste après elle pour aller chercher une bière. Je l'ai vue sortir, prendre l'appareil photo et examiner son contenu. Je ne savais pas ce qu'elle faisait, mais j'ai vérifié dès qu'elle est retournée à l'intérieur. Les photos d'elle avaient disparu. Elle les a effacées.

Jake resta silencieux quelques instants.

— Et alors ? Elle n'aime pas qu'on la prenne en photo. Ce n'est pas un crime.

— Jake, j'ai vu son visage quand papa l'a photographiée. Panique à bord. Sous contrôle, mais il n'y avait pas à s'y tromper.

Jake ne dit rien. Il n'y avait rien à dire.

— Tu as vérifié ses antécédents ? demanda Sam.

— Mouais. Pas de casier.

— Je sais. J'ai vérifié aussi. Mais j'ai un copain au fisc. Devine quoi ?

— Elle fraude ?

— Non. Elle paye ses impôts dans les règles. Mais, ce qui est bizarre, c'est qu'il n'y a eu aucune déclaration de revenus avant l'année dernière, comme si elle n'avait jamais travaillé.

Il pouvait y avoir des dizaines d'explications, à commencer par une erreur administrative... Il se rappelait qu'elle lui avait dit avoir vécu auparavant en Floride. Son dossier n'avait peut-être pas suivi.

Ou alors, elle vivait dans une baraque en planches sur la plage et vendait de fausses turquoises à des touristes crédules. C'était peut-être une espionne russe ayant infiltré le programme spatial. Ou pourquoi pas, tant qu'on y était, une extraterrestre envoyée en éclaireur pour coloniser la terre !

— Je n'arrive pas à croire que tu as fait des recherches sur elle, dit-il.

Mais il avait conscience de l'inanité de sa protestation. Après tout, il avait fait la même chose. A la différence qu'il n'avait pas été aussi loin.

— Tu es mon frère, répondit Sam. Je tiens à toi. C'est la première femme que tu présentais aux parents, et je voulais savoir où tu mettais les pieds.

— Il est vrai que j'ignore beaucoup de choses la concernant, reconnut Jake. Mais je ne crois pas qu'elle soit une menace pour moi ou ma famille.

— Tu le crois, ou tu l'espères ?

Sam avait le don de frapper juste.

— Sans doute un peu des deux, admit Jake.

— Sois prudent.

Jake mettait fin à la communication quand Janet entra sur le parking. Il ouvrit sa portière et attendit qu'elle sorte de voiture.

— Où est Tara ? demanda-t-elle.

— Malade. Elle est restée trop longtemps au soleil, hier. Elle viendra plus tard. Elle se sent coupable de vous laisser dans le pétrin, et j'ai pensé que je pourrais vous aider à faire l'ouverture.

Janet haussa les épaules.

— Je me serais débrouillée. Mais puisque vous êtes là, vous n'avez qu'à préparer le café pendant que je fais chauffer le gril.

Elle déverrouilla la porte et lui fit signe d'entrer.

— Pensez à servir deux tasses à Nicholi et Toby, et dites-leur qu'il faudra un peu plus de temps pour leurs œufs ce matin.

Jake mettait les grains à moudre dans le broyeur quand le téléphone sonna. Son pouls s'accéléra en songeant qu'il pouvait s'agir de Tara.

— Allô ! dit-il.

— Bonjour. Je voudrais parler à Joanna Travis.

14

Jake ne reconnut pas la voix de l'homme.

— Je crois que vous avez fait une erreur de numéro.

— J'étais pourtant sûr que c'était bien son numéro. Excusez-moi de vous avoir dérangé.

— Je vous en prie.

Jake raccrocha et remarqua Nicholi qui attendait devant la porte.

— Vous êtes prête à commencer, Janet ? demanda-t-il.

— Oui. Faites entrer les clients.

Il alluma les néons et alla déverrouiller la porte.

— Bonjour, Nicholi, dit-il d'un ton enjoué.

— Bonjour, fiston. Où est Tara ?

— Elle a étranglé Janet. Je l'ai arrêtée et mise au congélateur.

Nicholi le dévisagea avec perplexité, avant d'afficher un grand sourire.

— J'aime les policiers qui ont le sens de l'humour. Mais que s'est-il passé vraiment ?

Jake versa le café dans une tasse et la poussa sur le comptoir vers le vieil homme.

— Elle est malade.

— Elle n'est jamais malade.

— Il ne faut jamais dire jamais. Elle viendra plus tard. Il lui faut simplement un peu de sommeil.

Toby Wilson était entré entre-temps et avait saisi la fin de la conversation.

— C'est peut-être la grippe. Elle aurait dû se faire vacciner.

— Elle ne ferait jamais cela, protesta Nicholi. Elle a horreur de tout ce qui touche à la médecine.

— Comment le savez-vous ? demanda Jake.

— Quand Henry Fenton a eu des douleurs dans la poitrine, il y a six mois, Tara l'a conduit à Minneapolis. Pendant qu'elle attendait aux urgences, un jeune homme est arrivé, le bras déchiqueté par un accident de moto. Tara est tombée dans les pommes. Plus tard, quand ils ont voulu l'hospitaliser pour faire des examens, Henry a dit qu'elle était partie en courant.

Jake se souvint qu'elle avait réagi avec virulence chaque fois qu'il lui avait suggéré de consulter un médecin. Soudain, il éprouva le besoin de l'appeler et de la rassurer.

Il se dirigea vers la cuisine, décrocha le combiné de son support mural et le remit aussitôt en place. Il ne pouvait pas l'appeler. Elle dormait.

— Vous paraissez troublé, dit Janet en relevant la tête de sa pâte à pancakes.

— Je… Je me fais du souci pour Tara.

— Vous ne devriez pas. Elle est très capable de prendre soin d'elle. Il ne faut pas la sous-estimer.

— Que voulez-vous dire ?

— J'ai travaillé pour l'ancienne propriétaire, Nel, pendant quatre ans. Quand elle a fermé, je n'avais pas l'intention de continuer. Tara a racheté le restaurant un mois plus tard. Elle est venue me voir et m'a dit qu'elle me paierait un dollar de l'heure en plus si je revenais.

— Et alors ?

Janet secoua la tête.

— Depuis trente-huit ans que je travaille, j'ai réussi à épargner la moitié de ce que je gagnais. J'ai un portefeuille d'actions qui vous ferait saliver.

Jake éclata de rire en observant Janet jeter les œufs sur la plaque à présent bien chaude.

— Donc, vous ne vouliez pas rester assise chez vous à compter votre argent ?

— Non. Et de plus, je savais qu'elle avait besoin de moi. Elle m'a laissé entendre qu'elle avait l'expérience de la restauration, mais je me suis très vite rendu compte qu'elle n'y connaissait rien du tout. Quand nous avons ouvert, je me suis dit qu'elle aurait de la chance si les affaires tenaient un mois.

— Pourquoi ?

— Elle était beaucoup trop nerveuse. Elle sursautait chaque fois que la porte s'ouvrait ou que le téléphone sonnait. Et elle semblait en permanence fatiguée, comme si elle ne dormait pas bien. Je savais qu'elle ne se nourrissait pas convenablement. Elle ne faisait que picorer la nourriture.

— Je l'ai vue manger, Janet. Elle ne picore pas.

— Plus maintenant. Ça a changé trois ou quatre mois après son arrivée. Elle a commencé à se détendre…

— Vous pensez toujours qu'elle ne va pas s'en sortir ?

— Non. C'est pour cela que je dis qu'il ne faut pas la sous-estimer. Le chiffre d'affaires a doublé ces six derniers mois. J'aimerais croire que c'est grâce à ma cuisine, mais je crois que c'est la présence de Tara en salle. Les clients l'apprécient beaucoup.

Janet s'essuya les mains sur son tablier.

— Je crois que je vais aller apporter ça à Toby.

— Bonne idée. Nicholi va finir par tomber de son tabouret à force de se pencher pour essayer de vous apercevoir.

Le visage ridé de la cuisinière s'empourpra violemment.

— Je ne vois pas de quoi vous parlez.

Jake étouffa un ricanement.

— Le contraire m'aurait étonné.

*
* *

Lorsqu'elle arriva au restaurant, un peu avant 11 heures, Tara fut soulagée de constater que Janet gérait parfaitement la situation. Les soupes étaient prêtes, et le pain de viande était au four.

Elle n'était pas certaine qu'elle aurait fait mieux. S'occuper à la fois de la cuisine et de la salle n'était pas facile, mais, d'après les dires de Janet, les clients s'étaient montrés compréhensifs, les habitués n'hésitant pas à passer la tête par le passe-plat pour annoncer leur commande afin d'éviter les allées et venues. Cependant, la vaisselle sale avait été négligée et s'amoncelait sur les chariots.

Consciente qu'elles n'allaient pas tarder à être à cours d'assiettes et de tasses, Tara s'empressa de lancer un cycle de vaisselle, avant de s'attaquer à la préparation du plat du jour.

Elle faisait bouillir de l'eau pour les pâtes quand la porte de service s'ouvrit, livrant le passage à Donny.

— Je suis venu voir si je pouvais reprendre mon travail, annonça-t-il de but en blanc.

Tara attrapa une serviette en papier et s'épongea le front. Elle n'était pas encore au mieux de sa forme, et la chaleur lui faisait tourner la tête.

— Pourquoi m'avez-vous posé un lapin l'autre soir ? Je vous attendais et vous n'êtes pas venu.

— Je suis désolé. J'étais un peu déboussolé. J'ai reçu les papiers du divorce le jour où j'ai démissionné. Je n'ai rien voulu vous dire. J'étais trop fier.

Donny avait perdu beaucoup : son emploi, son travail, sa fierté… Elle comprenait très bien tout cela.

— Prenez un tablier, dit-elle. Et vous avez intérêt à mettre les bouchées doubles pour rattraper votre retard.

Le soulagement se lut sur le visage de Donny.

— Merci, dit-il d'une voix émue.

*
* *

Ce ne fut pas de l'émotion que ressentit Jake quand il vint déjeuner et vit Donny qui faisait le tour de la salle pour empiler la vaisselle sur un chariot.

Il se rua immédiatement dans la cuisine, et aboya quasiment au visage de Tara :

— Qu'est-ce qu'il fait là ?

— Je l'ai réengagé. Excusez-moi, je dois trancher ces tomates, ou il va manquer un ingrédient dans le sandwich bacon, laitue, tomate de mon client.

— Vous trouvez ça malin ?

— De servir un sandwich bacon, laitue ? En fait, non. C'est la tomate qui fait toute la différence.

Il la regarda comme s'il avait envie de l'étrangler.

— Et je suppose que vous ferez aussi comme si de rien n'était quand Waller viendra déjeuner ?

— Ce n'est pas la faute de Jim.

Il était important que Jake la croie. S'il traitait Waller différemment, cela pourrait suffire à faire réagir Michael. En supposant, bien sûr, qu'il y ait un lien entre les deux hommes.

A 12 h 10, Waller entra dans la salle du Nel's comme il le faisait chaque jour depuis des mois. Il n'avait pas l'air différent, mais Tara perçut cependant un infime changement. Combien de fois Michael lui avait-il dit que la clé du succès était de repérer le maillon faible ? Waller était-il ce maillon ? Michael lui avait-il promis quelque chose qu'il ne pouvait pas refuser ? Le faisait-il chanter ? Les possibilités étaient innombrables.

— Bonjour, Tara, dit-il, sans la regarder dans les yeux.

— Jim, comment allez-vous ? demanda-t-elle d'un ton

qu'elle espérait suffisamment chaleureux pour le convaincre qu'elle n'avait aucun soupçon.

— Bien, Tara. Et vous ?

— A merveille. Je me suis reposée ce week-end. Il n'y a rien de tel qu'une grasse matinée pour vous requinquer. Je ne me suis jamais sentie aussi en forme.

Lorsque Waller lui sourit, Tara se crispa, non parce qu'il lui faisait peur, mais parce que Jake semblait sur le point d'exploser. Elle pouvait le voir du coin de l'œil observer Waller tel un aigle guettant sa proie.

Elle était à peine entrée dans la cuisine que Jake la rejoignit de nouveau. Il la tira par le bras et l'entraîna dans la chambre froide.

Tara croisa ses bras autour de sa taille pour se protéger contre le froid.

— Jake, je ne sais pas si vous avez remarqué, mais j'ai une salle pleine de clients affamés. Et, pour information, vous ne travaillez pas ici. Vous n'avez pas le droit d'entrer dans la chambre froide. C'est une violation du règlement sanitaire.

— Que vous a-t-il dit ?

Tara leva les yeux au ciel pour lui signifier qu'il l'ennuyait.

— Il a dit « bonjour, Tara ».

— Mais encore ?

— Oh ! pour l'amour du ciel… Il a demandé comment j'allais, j'ai dit « bien ». J'ai demandé comment il allait, il a dit « bien » aussi. Et il a commandé un sandwich à la dinde et un bol de soupe à la tomate.

— C'est tout ?

— Ah non, j'ai failli oublier. Il y a eu un très gros changement dans ses habitudes, aujourd'hui. Il voulait aussi des chips.

— Vous vous trouvez drôle ?

Tara n'avait jamais eu aussi peu envie de rire. Elle ne savait plus à qui elle devait faire confiance.

— Jake, la façon dont je gère les choses me regarde. Vous n'avez pas à vous en mêler.

Il la dévisagea une bonne minute avant de répondre. Et quand il le fit, elle dut tendre l'oreille pour comprendre.

— Rappelez-vous une chose, Tara. Les gens désespérés font des choses désespérées.

Il serait étonné de savoir à quel point elle comprenait ce qu'était le désespoir. Elle aurait pu écrire un livre sur le sujet.

— Jake, j'ai froid. Et Janet doit penser que nous sommes devenus fous pour nous cacher dans la chambre froide. Donnez-moi une minute d'avance.

Tara fila vers la salle, en évitant tout contact visuel avec Janet.

Jake la rattrapa avant qu'elle n'atteigne la porte battante.

— Vous avez un problème, dit-il.

Et il est devant moi, eut-elle envie de rétorquer.

— Il y a un type assis au bout du comptoir. Il avait commandé un sandwich au pain de viande et un verre de lait, et il est parti sans payer. Je l'ai vu faire la même chose, hier.

Jake sortit son portefeuille de sa poche et lui tendit un billet de vingt dollars.

— Ça devrait couvrir ses dépenses.

— Jake, vous n'allez pas payer les repas de Johnny O'Reilly.

— Je ne veux pas que vous souffriez d'un manque à gagner. Je vais lui parler. Je lui dirai que ce n'est pas la peine de revenir sauf s'il a l'intention de payer.

— Vous n'allez pas l'arrêter ?

Il eut l'air embarrassé.

— Ça dépend de vous. Vous pourriez porter plainte.

Mais enfin, c'est un vieil homme. Il n'a probablement pas beaucoup d'argent.

Ce fut à ce moment précis que Tara comprit qu'elle était tombée amoureuse de Jake. C'était un coriace, qui savait utiliser une arme et se faire obéir, mais il avait bon cœur.

— Johnny ne me vole pas.

— Je l'ai vu, Tara.

— Il a travaillé toute sa vie comme saisonnier dans les fermes des environs, jusqu'à ce que son arthrite l'oblige à arrêter. Mais il n'a pas de retraite, même pas la pension de base de la Sécurité sociale, car il n'a jamais cotisé. Il était toujours payé en espèces. Le bon côté des choses, selon lui, c'est qu'il ne payait pas d'impôts. Mais le mauvais côté, c'est qu'il ne contribuait pas non plus au système. Donc, aujourd'hui, il vit sur ses maigres économies.

— Comment savez-vous cela ?

— C'est Janet qui me l'a raconté. Il m'a fallu trois mois pour connaître toute l'histoire. Ce n'est pas le genre à colporter les ragots.

— Pour ça, il faudrait parler, plaisanta Jake.

Tara lui sourit, ravie de voir qu'il s'était détendu.

— Quand j'ai découvert sa situation, j'ai compris pourquoi il y avait certains jours où il ne commandait qu'un verre de lait. Il n'a qu'une très petite somme à dépenser par mois, et quand il n'a plus rien il se passe tout simplement de nourriture.

— C'est épouvantable, dit Jake, médusé. Il doit bien y avoir des associations, même à Wyattville, qui pourraient l'aider.

— Il y en a, mais c'est un homme fier.

— Et pourtant, il accepte que vous l'aidiez.

— Oh ! je ne l'aide pas. Nous avons un arrangement professionnel.

— Tara, ce pauvre homme tient à peine debout. Quel genre de travail pourrait-il faire ?

— Vous voyez ces fleurs sur les tables ? C'est son œuvre. Et il fait aussi la décoration de mes vitrines.

— Comment saviez-vous qu'un vieil ouvrier agricole de soixante-dix ans pouvait faire cela ?

— Il suffit de l'observer. Il a toujours un carnet et un crayon pour dessiner. Cet homme est un artiste.

Assis au volant de sa voiture de patrouille, moteur en marche, Jake attendait que la climatisation ait fait baisser un peu la température dans l'habitacle quand sa radio de bord grésilla.

— Accident de la circulation au coin de la Troisième et de Flatbuch, annonça Lori Mae, d'une voix calme mais déterminée.

— Des blessés ? demanda Jake en enclenchant le gyrophare et la sirène.

— Pas à ma connaissance.

Lorsqu'il arriva sur les lieux, il vit qu'un seul véhicule était impliqué. Un ancien modèle de Jeep avait percuté un poteau téléphonique. La conductrice était toujours à l'intérieur, la tête posée sur le volant.

Il se gara et se précipita vers la voiture. Il n'en était plus qu'à six pas quand il se rendit compte qu'il s'agissait de Madeline Fenton.

Sa première constatation fut que l'impact n'avait pas été assez violent pour déclencher les airbags, ou qu'ils ne fonctionnaient pas.

— Madeline, dit-il. C'est Jake Vernelli. Vous n'avez rien ?

Elle tourna la tête, battit des cils et sourit.

— J'ai connu des jours meilleurs.

Il ne remarqua aucune blessure apparente, ni lacérations

faciales ni contusions, et nota qu'elle portait sa ceinture de sécurité.

— Que s'est-il passé ?

Elle sourit de nouveau.

— Un chat a traversé devant moi. Je ne pouvais quand même pas l'écraser, n'est-ce pas ?

— Vous avez besoin d'une assistance médicale ?

Elle posa une main soigneusement manucurée sur son torse.

— Oh ! ce ne sera pas nécessaire. Dites, vous n'allez pas me mettre une amende, n'est-ce pas ?

Un flic pouvait toujours trouver quelque chose s'il le voulait, manque d'attention en conduisant par exemple. Mais à quoi bon ?

— Non. Mais je ferai un rapport. Vous en aurez besoin pour votre assurance.

— Ça ne vous ennuierait pas de me raccompagner chez moi ?

Cela dépassait un peu ses attributions et, pour être franc, Madeline le mettait mal à l'aise. Mais il était devenu ami avec les Fenton durant ces dernières semaines, et ceux-ci seraient déçus s'il n'aidait pas leur fille.

La Jeep n'empiétait pas sur la route, et elle pouvait rester là pour le moment. Cela ferait parler, mais la ville avait probablement besoin d'un nouveau ragot.

— D'accord. Fermez votre voiture. Je suis sûr que votre père viendra plus tard avec vous pour la récupérer.

Elle sourit et se cramponna à son bras tandis qu'il la guidait vers le 4x4 de patrouille.

Il ouvrit la portière et elle se hissa à bord. Sa jupe remonta très haut sur ses cuisses, ne laissant plus grand-chose à l'imagination. Et pourtant, Jake n'eut aucune réaction, pas le plus petit emballement de son rythme cardiaque.

Que lui arrivait-il ? Madeline était célibataire, attirante, et visiblement sans aucune inhibition.

Mais elle n'était pas Tara.

Il glissa un regard vers Madeline et fut soulagé de voir qu'elle avait rejeté la tête en arrière et fermé les yeux.

Le trajet prit sept minutes. Lorsqu'ils arrivèrent, elle attendit qu'il lui ouvre la portière.

— Ça va ? demanda-t-il.

— J'ai peut-être quelques vertiges, dit-elle en s'agrippant à lui.

Elle se collait tellement contre lui qu'il pouvait sentir son sein presser contre son biceps. Il s'écarta, elle réduisit immédiatement la distance, et il commença à avoir une drôle d'impression.

Elle ouvrit la porte sur un intérieur sombre et tranquille, et ôta ses chaussures.

— Je peux vous offrir quelque chose à boire ?

Il secoua la tête.

— Je dois y aller. Où sont vos parents ?

C'était une question un peu ridicule à poser à une femme adulte, mais il était réellement anxieux de voir apparaître Alice et Henry pour le soulager de ce fardeau.

— Je ne sais pas trop.

Elle prit place sur le canapé et tapota le coussin à côté d'elle.

— Asseyez-vous.

Le mauvais pressentiment devenait de pire en pire. En discutant un peu avec elle, il avait très vite compris qu'elle était malveillante et narcissique, mais il commençait à se demander si elle n'avait pas un grain. Avait-elle vraiment embouti sa voiture pour l'attirer chez elle ?

— Je m'en vais, dit-il.

— Mais ma tête…

Elle fit la moue comme une gamine boudeuse.

— Votre tête n'a rien, Madeline. Et, autant que vous le sachiez, je ne suis pas intéressé.

Il aurait pu le dire plus gentiment, mais cela lui aurait demandé un trop gros effort.

La rage déforma subitement le visage de Madeline.

— Alors ma mère avait raison. Vous couchez avec Tara. La si gentille et si parfaite Tara qu'ils aiment comme leur fille.

Elle se leva et marcha à grandes enjambées vers la porte, ayant miraculeusement retrouvé son équilibre.

— Que les choses soient claires. C'est moi qui vous mets dehors.

Il était déjà en bas du perron quand elle ajouta :

— Vous savez, elle n'est pas vraiment...

Elle s'interrompit, comme si elle avait peur de trop en dire.

Vraiment quoi ? Jake se rendit compte qu'il était prêt à supplier cette folle pour qu'elle termine sa phrase.

— Parfaite, dit Madeline, en crachant presque le mot. Pas vraiment parfaite, répéta-t-elle, avant de claquer la porte.

Après le service de midi, Tara se rendit à la banque, comme elle le faisait tous les jours. D'habitude, elle y allait un peu plus tard dans l'après-midi pour déposer sa recette. Aujourd'hui, elle bifurqua dans le hall vers la zone où se trouvaient le distributeur automatique et un téléphone public.

Il n'y avait personne car la plupart des habitants de Wyattville préféraient aller au guichet. En attendant leur tour, ils pouvaient discuter avec un ami ou un voisin, et surprendre des conversations qu'ils s'empresseraient de répéter dans toute la ville.

Elle devait appeler le bureau de Michael. Pas pour lui

parler, mais pour savoir s'il y était. Il aurait probablement une nouvelle secrétaire car il en changeait régulièrement.

Comme toutes celles qui l'avaient précédée, elle serait jeune, blonde, et désireuse de plaire. Elle déborderait d'enthousiasme à l'idée de travailler avec un avocat aussi réputé. Elle serait élégante, s'exprimerait bien, et serait douée pour filtrer les appels.

Mais Tara savait comment s'y prendre. Elle donnerait un faux nom, et dirait à la jeune femme qu'elle aimerait que Michael parraine un gala de charité, peu importe lequel. La secrétaire lui passerait Michael — tout appel contenant la promesse de revenus ou d'une bonne publicité méritait d'être considéré avec soin. Dès qu'elle entendrait sa voix, elle raccrocherait. S'il n'était pas là, elle saurait qu'elle avait vu juste et que l'étau se resserrait.

Elle composa le numéro qu'elle connaissait toujours par cœur et enroula le fil du téléphone autour de ses doigts en comptant les sonneries. On lui répondit au bout de la cinquième.

— Masterly et associés, annonça une voix jeune.

— Pourrais-je parler à Michael Masterly ? demanda-t-elle d'une voix snob.

— Puis-je vous demander votre nom ?

— Certainement. Je suis Mary Johnson. Nous aimerions inviter M. Masterly à présider notre campagne annuelle de financement pour la lutte contre l'illettrisme.

— Je vois. Et quand votre campagne doit-elle commencer ?

La voix de la secrétaire s'était considérablement réchauffée. Elle avait probablement lu avec attention le vade-mecum de l'employé.

— Le mois prochain. J'aimerais le rencontrer cette semaine, si possible.

— Je suis navrée, mais M. Masterly est en déplacement. Cependant, il appelle pour prendre ses messages…

En déplacement. Michael, qui n'allait jamais nulle part, n'était pas au bureau.

— Eh bien, écoutez, je vais plutôt lui envoyer quelques éléments par mail. Merci.

Tara raccrocha et regarda craintivement par-dessus son épaule, s'attendant presque à voir Michael derrière elle. Mais le hall était toujours aussi désert.

Michael l'avait retrouvée. Elle en était certaine.

C'était lui qui avait brisé sa vitrine, qui avait failli la renverser en voiture, qui était entré chez elle le jour du pique-nique et avait mis le feu à son garage. Et quand il en avait eu assez de jouer avec ses nerfs, il avait trouvé un moyen de l'attirer hors de sa zone de sécurité. Mais il avait eu besoin d'aide. Elle ignorait qui était l'homme au pick-up. Peut-être quelqu'un que Michael connaissait. Peut-être quelqu'un qu'il avait engagé. Et Jim Waller était vraisemblablement impliqué aussi.

Michael était probablement en train de l'observer, en train d'attendre qu'elle prenne de nouveau la fuite. Mais cette fois, elle ne partirait pas.

Elle avait déjà renoncé une fois à sa vie, et elle ne recommencerait pas. Aujourd'hui, elle était prête à se battre.

Une heure plus tard, quand Jim Waller s'assit au comptoir et commanda sa part de tarte, comme tous les après-midi, Tara déclencha les hostilités.

— Jim, je me demandais si vous aimeriez que nous essayions de nouveau de dîner ensemble ?

Il parut gêné, rougit un peu, et se tortilla sur son tabouret.

— Je… Eh bien, oui, pourquoi pas…

— J'ai pensé à quelque chose de simple. Ça vous dirait un barbecue chez moi, demain soir ? Je sais que ça ne vous laisse pas beaucoup de temps pour vous organiser, et j'espère que vous n'avez rien de prévu…

— Non, je suis libre, dit-il rapidement. Et j'accepte avec plaisir. Vous voulez que j'apporte quelque chose ?

Bien élevé jusqu'au bout, ce petit minable.

— Eh bien, pourquoi pas une bouteille de vin rouge ?

Elle la fracasserait peut-être sur sa tête.

15

Tara vérifia la cuisson de la viande. Le repas serait prêt dans quelques minutes. Elle avait proposé de cuisiner pendant que Jake prenait sa douche.

Ce n'était pas parce qu'elle se sentait obligée de nourrir son colocataire. Non. Elle avait seulement besoin d'être seule pour réfléchir.

En observant les flammes sous la poêle, elle se dit qu'elle jouait avec le feu. Waller était son lien avec Michael, et elle avait l'intention d'obtenir des réponses. Parler à Jake du dîner était compliqué. Elle savait qu'il se mettrait en colère, qu'il la traiterait probablement de folle. Elle ne pouvait pas lui dire la vérité. Pas encore. Peut-être après qu'elle aurait tiré les vers du nez de Waller ? A ce moment-là, elle permettrait à Jake de l'aider.

Lorsque Jake revint dans la cuisine, elle s'apprêtait à couper le pain. Il lui prit le couteau des mains et coupa quelques tranches. Puis il servit le vin.

Pieds nus, en jean et T-shirt, il semblait à l'aise, comme si cela faisait des années qu'il vivait avec elle. De son côté, elle était une vraie boule de nerfs.

Elle disposa la nourriture sur des plateaux de service et posa ceux-ci sur la table. Ils s'assirent, elle lui passa les pommes de terre et tout à coup, sans l'avoir vraiment décidé, elle lança une information qui fit l'effet d'une bombe.

— Il faudra vous trouver quelque chose à faire demain soir. J'ai invité Jim Waller à dîner à la maison.

Jake reposa très soigneusement le plat de pommes de terre sur la table.

— Qu'avez-vous dit ?

— Vous avez très bien entendu. Jim va venir dîner ici.

— Vous êtes folle ? demanda-t-il, d'une voix toujours très calme.

— Non. Mais merci de vous renseigner.

Elle planta la fourchette dans sa viande et en coupa un morceau.

Jake tapa du plat de la main sur la table.

— Non !

— Je vous demande pardon ? demanda Tara, très posément.

— Il n'est pas question que vous restiez seule avec lui. Ni dans votre maison, ni dans une voiture, ni sur la Lune. Nulle part.

Tara comprit alors que ça allait être plus difficile qu'elle ne l'avait pensé.

— Jake, vous n'avez pas votre mot à dire.

— Vraiment ?

Il se leva si brutalement que sa chaise tomba en arrière. Posant les mains sur la table, il se pencha vers elle.

— Je crois que vous faites erreur, Tara.

Il avait l'air d'avoir envie de l'étrangler à mains nues. Il avait le visage rouge, la respiration sifflante et lui rappelait… oh, Seigneur, il lui faisait penser à Michael. Pour la première fois, elle eut peur de lui.

Elle se leva et recula, ne s'arrêtant que quand elle fut dos au mur. Affolée, elle regarda vers la porte. Réussirait-elle à l'atteindre avant qu'il ne se jette sur elle ?

— Sortez d'ici, dit-elle. Sortez, et ne m'approchez plus jamais.

— Qu'est-ce qui vous arrive ? grommela-t-il. Vous vous comportez bizarrement.

Michael aussi essayait de lui faire croire que c'était sa faute.

Elle regarda frénétiquement autour d'elle, à la recherche d'une arme.

Elle plongea vers le couteau à steak sur la table. Jake lui saisit le poignet, l'obligea à lâcher le couteau et, malgré tous ses efforts pour le frapper et le griffer, parvint à la maîtriser en l'enserrant dans ses bras.

Ça recommençait. Il était plus grand, plus fort. Elle ne réussirait jamais à lui échapper.

— Espèce de salaud ! cria-t-elle.

Il resserra son étreinte et elle eut l'impression qu'elle ne pouvait plus respirer.

— Quoi ? Qu'est-ce que vous avez dit ?

— Je suis désolée, dit-elle dans un sanglot. Je ne voulais pas te mettre en colère. Ne me fais pas de mal, s'il te plaît.

Il la libéra et recula, les deux mains levées.

— Hé, mais que diable se passe-t-il ?

Tara ne pouvait retenir ses larmes. Après quatorze mois passés à prétendre qu'elle n'avait plus peur, que tout cela était derrière elle, elle comprenait que rien n'avait changé.

Oh ! Seigneur, elle avait mal au ventre, à la poitrine, et elle manquait d'air. Elle essaya de retrouver son souffle, de s'accrocher.

— Bon sang, Tara, vous me faites peur.

La pièce commençait à s'assombrir. Elle vacilla.

Jake lui prit la main.

— Tara, calmez-vous. Vous êtes en hyperventilation. Respirez lentement par le nez, relâchez l'air par la bouche. Allez, ma belle, inspirez… expirez. Vous pouvez le faire.

Elle se concentra sur sa voix. Quand son corps cessa de trembler, Jake lui souleva le menton d'un doigt.

— Ça va mieux ?

Elle hocha la tête.

— Voilà ce que nous allons faire. Nous allons marcher jusqu'à ce canapé et nous asseoir. Vous pouvez faire ça ?

Elle répondit de nouveau par un hochement de tête.

— Je ne veux pas vous perturber, mais j'ai besoin que vous m'expliquiez ce qui vient de se passer. Vous m'avez fait vieillir de cinq ans.

— Quelqu'un essaie de me tuer.

— Quoi ?

— Michael essaie de me tuer. De nouveau.

— Michael comment ?

— Masterly.

— Et qui est Michael Masterly ?

— C'était mon fiancé.

— Ah… Vous avez dit que vous n'aviez jamais envisagé de vous marier.

— J'ai menti, dit-elle, en décidant qu'il était temps de tout lui dire.

— Que s'est-il passé ?

— Il y a quatorze mois, il a essayé de me tuer. Mais ça a commencé avant.

— Qu'est-ce qui a commencé ?

— Nous nous sommes fiancés en août, et nous devions nous marier au printemps suivant. En septembre, j'étais journaliste au *Washington Post* et je suivais la campagne pour les élections de novembre. Un dîner de gala a duré plus longtemps que prévu, et quand je suis rentrée à la maison, Michael m'a accusée d'avoir une liaison. Il… Il m'a frappée et m'a mise dans un sale état : côtes cassées, œil au beurre noir, dent ébréchée et d'autres contusions.

Tara entendit le juron étouffé de Jake mais ne releva pas les yeux. Maintenant qu'elle avait commencé, elle ne voulait pas s'arrêter avant d'avoir tout dit.

— J'aurais dû le quitter, mais je ne l'ai pas fait. Je croyais qu'il m'aimait, et il avait toujours été si gentil avant… Il m'a suppliée de lui pardonner, et je l'ai fait. Pendant les mois qui ont suivi, tout a été merveilleux. Il était plus attentionné que jamais et ne laissait transparaître aucun signe de violence. Jusqu'à mon enterrement de vie de jeune fille. Mes amies avaient engagé un strip-teaseur…

Elle risqua un coup d'œil vers Jake, et lui adressa un petit sourire contrit.

— Je sais que c'était stupide, mais elles trouvaient ça drôle. Pendant sa prestation, il m'a embrassée. Ce n'était qu'un petit baiser tout à fait anodin. Une amie a pris une photo et me l'a envoyée par mail le lendemain. Elle pensait que ça me ferait rire…

Tara s'interrompit et fixa ses mains, sans savoir si elle allait pouvoir continuer.

— Que s'est-il passé ?

— Michael a ouvert le message et vu la photo. Quand je suis rentrée du travail, il s'est jeté sur moi alors que j'enlevais mon manteau, et il…

Elle hésita, puis souleva sa manche.

— Il a fait ça.

Elle discerna le hoquet de surprise de Jake, puis elle vit qu'il fixait ses cicatrices, le visage livide.

Elle attendit qu'il ait un mouvement de recul, une mimique de dégoût, mais ça ne se passa pas ainsi. Refermant une main en coupe sous son coude, il utilisa l'index de sa main libre pour suivre doucement le tracé des cicatrices.

C'était la première fois que quelqu'un touchait son bras. Elle avait envie de se libérer, d'aller se cacher. Mais elle ne pouvait pas. Il la tenait gentiment, mais avec fermeté.

Elle finit par se détendre sous ses caresses, se rendant compte combien le contact avec un homme lui avait manqué mais, quand il se pencha pour poser les lèvres sur son bras, elle eut un sursaut.

— Ne faites pas ça, Jake. C'est horrible.

Il releva la tête, la secoua, puis se pencha de nouveau pour couvrir son bras de baisers.

— Nous avons tous des cicatrices, murmura-t-il. Certaines sont visibles, d'autres sont cachées très profondément. Ce n'est pas grave. Ça fait partie de ce que nous sommes vraiment.

— Ça ne vous dégoûte pas ?

— Bien sûr que non.

A présent, il lui caressait le dos, et elle avait un peu de mal à réfléchir.

— J'avais de beaux bras. Je sais que c'est futile et prétentieux, et que je devrais être soulagée de ne pas avoir perdu l'usage de mon bras…

— Vous avez toujours de jolis bras.

Il posa les mains sur ses épaules, et les fit glisser le long de ses bras.

— Des muscles fermes, une peau douce… Vous êtes parfaite.

Elle éclata en sanglots, et il l'attira contre lui, en la berçant doucement.

— Je suis désolée pour ce que vous avez enduré, dit-il en lui tapotant les cheveux. Tellement désolé.

Elle garda le visage enfoui dans sa chemise jusqu'à ce que ses larmes se tarissent.

Il la garda encore une minute contre lui, avant de s'écarter juste ce qu'il fallait pour pouvoir glisser l'index sous son menton.

— Vous avez aussi un beau visage.

— Les taches de rousseur n'ont rien de beau, dit-elle, embarrassée d'être observée de si près.

Elle ne devait pas avoir fière allure avec ses yeux et son nez rouges.

— Les vôtres sont magnifiques.

Leurs regards restèrent un long moment rivés l'un à l'autre, avant que Jake ne reprenne la parole.

— Vous… Vous pensiez vraiment que j'allais vous faire du mal ? Comme lui ?

Elle perçut le désespoir dans sa voix et sut qu'elle avait fait une terrible erreur.

— Je suis désolée. J'ai bêtement pris peur.

Il secoua la tête, comme s'il ne voulait pas y croire.

— Je ne vous ferai jamais de mal. Je serais prêt à mourir pour empêcher qu'on vous fasse du mal.

Oh non ! Voilà qu'elle avait de nouveau des difficultés à respirer.

Elle fit un effort pour contrôler son souffle. Il n'était pas question, absolument pas question, qu'elle s'évanouisse devant lui.

— Jake, je…

— Que lui est-il arrivé ? A Masterly ?

— Rien. Je n'ai rien voulu dire à l'hôpital, ni à la police. Ils savaient tous ce qui s'était passé, je le voyais dans leurs yeux. Mais si je ne disais rien, ils ne pouvaient rien faire.

— Pourquoi avoir refusé qu'ils vous aident ?

— Je crois que j'avais honte. Et puis, il m'avait dit qu'il me tuerait si je le dénonçais.

— Il aurait pu être arrêté.

— Avec sa fortune et ses relations, il aurait obtenu une libération sous caution en attendant son procès, et alors il lui aurait été facile de se venger.

— Qu'avez-vous fait ?

— En sortant de l'hôpital, je suis allée chez une amie que Michael ne connaissait pas. Seule la police connaissait l'adresse. Et pourtant, il m'a retrouvée. Je pense qu'il a dû soudoyer un flic. Il m'a suppliée de revenir à la maison, m'a fait toutes sortes de promesses. J'ai compris alors qu'il ne me laisserait jamais tranquille.

Après une courte pause, elle chercha le regard de Jake.

— C'est là que j'ai commencé à élaborer un plan. J'étais blessée, pas du tout en condition pour voyager. Je lui ai dit que je voulais rester chez mon amie quelques semaines, le temps de guérir, et qu'ensuite je reviendrais. Il m'appelait tous les jours, et tous les jours je devais lui répéter les mêmes mensonges, que je l'aimais toujours, que je lui avais pardonné.

— Il vous croyait ?

— Je pense que oui. Probablement parce qu'il ne pouvait pas imaginer que je sois capable de vivre sans lui. Dès que le kinésithérapeute m'a donné le feu vert, je me suis enfuie. J'avais hérité un peu d'argent, et mon amie, qui travaille aux ressources humaines du journal, m'a aidée à solder mon plan d'épargne-retraite d'entreprise. J'ai quitté la ville en pleine nuit, et je n'y suis jamais retournée.

— Et votre famille ?

— Mes parents sont décédés tous les deux. Je ne vous ai pas menti sur ça. Ils sont morts dans un accident de voiture quelques mois avant que je ne rencontre Michael. J'étais fille unique.

— Et vous êtes venue à Wyattville ?

— Oui. J'ai payé le restaurant comptant. Et je l'ai acheté sous un nom d'emprunt.

— C'est-à-dire ?

— Tara Thompson existe vraiment. Elle a mon âge et vit dans un foyer pour déficients mentaux. Je faisais un article sur elle et les personnes comme elle quand j'ai décidé de disparaître. J'avais toutes les informations la concernant, y compris son numéro de Sécurité sociale.

— Comment vous appelez-vous ?

Elle hésita.

— Tara, je vous promets que je ne connais pas Michael Masterly. Mais, si je le rencontre, je lui casse les deux bras.

— Je ne vous en demande pas tant.

— Quel est votre vrai nom ?

— Joanna Travis.

— Joanna Travis ? Oh ! zut !

— Vous n'aimez pas ?

— Non, ce n'est pas ça. Il faut que je vous dise quelque chose.

— C'est grave ?

— Je ne sais pas. Le jour où vous étiez malade, j'ai ouvert le restaurant avec Janet, et j'ai répondu au téléphone. Un homme a demandé Joanna Travis. Je lui ai dit qu'il faisait erreur, il s'est excusé et a raccroché.

— C'est lui. Mon Dieu, et dire que j'avais cru que c'était fini quand j'ai vu la photo de fiançailles.

— Quelle photo ? De quoi parlez-vous ?

— Michael s'est fiancé, il y a environ trois mois. Avec une femme que j'avais rencontrée deux ou trois fois quand j'étais avec lui. J'ai cru qu'il avait tourné la page. Mais, tout récemment, j'ai découvert que les fiançailles étaient rompues.

— Comment l'avez-vous appris ?

— Tous les quinze jours, je vais à Minneapolis, où je peux avoir accès à internet. Je lis les articles de mes amies, et je me tiens au courant de ce que fait Michael. Il est souvent dans la rubrique mondaine.

Jake eut une révélation.

— La bibliothèque, bien sûr ! Vous vous connectez à la bibliothèque municipale ?

— Oui. Il existe bien des façons de surveiller une activité informatique. Je ne voulais pas que Michael remonte jusqu'à Wyattville.

— Vous avez été très prudente.

— Je n'avais aucune envie de devoir fuir de nouveau.

— Pourquoi avez-vous quitté le journalisme ? Pourquoi le Nel's ?

— Je savais que Michael me chercherait d'abord dans les rédactions.

— Mais il ne penserait pas à vous chercher dans un restaurant ?

— Sûrement pas. Quand j'étais avec lui, je savais à peine faire cuire un œuf.

— Et l'homme qui vous a prise en stop ?

— Il m'a appelée Tara, alors que je ne lui avais pas donné mon prénom. Il savait que je serais dans cette voiture au bord de la route. Et je crois que Michael m'attendait dans la maison.

— Waller était au courant, d'après vous ?

— Probablement.

— Durant le déjeuner chez mes parents, vous avez effacé des photos dans l'appareil de mon père. Pourquoi ?

Elle rougit.

— Je ne savais pas que quelqu'un l'avait remarqué. Les photos sont dangereuses. Elles peuvent se retrouver en ligne et voyager à travers le monde en quelques secondes. Vous m'avez dit que votre frère avait étudié le journalisme à Chicago. J'ai des amis à Chicago. Imaginez qu'il connaisse des gens qui me connaissent, et qu'il leur montre ma photo.

— Vous êtes très intelligente. Vous contrôlez absolument tout.

— Oui, mais j'ai toujours su que ça ne suffirait pas, que Michael finirait par me retrouver.

— Tara, il faut que je vous avoue quelque chose. Je vous ai suivie à Minneapolis et je vous ai vue devant l'ordinateur.

— Donc, quand vous êtes venu au restaurant et que je vous ai dit que j'avais passé la matinée à préparer des légumes, vous saviez que je mentais ?

— Oui.

— Je suis désolée.

— Vous n'avez pas à l'être. J'ai fait autre chose dont je ne suis pas très fier. J'ai fouillé votre maison, et j'ai trouvé votre sac dans le faux plafond. J'ai tout de suite compris ce que c'était, et je me suis demandé qui vous étiez, ce que vous cachiez…

Elle l'étudia un moment et finit par hausser les épaules.

— Je ne peux pas vous en vouloir. Vous saviez que je mentais et vous ne pouviez pas me faire confiance. J'aurais agi de la même façon.

— Tara, vous êtes vraiment quelqu'un de bien.

— Je ne sais pas… Mais ce que je sais, c'est que j'ai envie que vous me preniez dans vos bras.

Il l'attira contre lui et elle nicha sa tête au creux de son épaule. Elle était douce et tiède dans ses bras, et il avait désespérément envie de la toucher.

— Jake, murmura-t-elle. Vous voulez bien faire quelque chose pour moi ?

— Quoi ?

— J'ai envie que vous me fassiez l'amour.

Il eut l'impression de manquer d'air.

— Mais Tara, je serai parti dans deux semaines.

— Je sais. Ça ne fait rien. J'ai quand même envie de vous.

Elle pressa ses lèvres brûlantes dans son cou.

— Mais…

Elle glissa les mains sous son T-shirt et caressa son torse.

— Tara…

Sa main descendit lentement, déboutonna son jean, se glissa dans l'ouverture. Il lui saisit le poignet pour l'immobiliser. Il avait désespérément envie d'elle et n'était pas certain de pouvoir se maîtriser.

— Tu es sûre ?

Elle hocha la tête.

Il l'entraîna vers l'escalier, l'embrassant à chaque marche. Et lorsqu'ils atteignirent enfin la chambre, ils tombèrent sur le lit dans un enchevêtrement de bras et de jambes.

A califourchon au-dessus d'elle, il lui releva les bras au-dessus de la tête, tenant ses poignets dans une main, tandis que de l'autre il caressait son visage.

— Eblouissante. Absolument éblouissante, dit-il.

Il se pencha et l'embrassa longuement.

— Tu es si belle, murmura-t-il.

— Oh ! Jake, tu n'as pas à dire ça. Je suis en T-shirt. Je ne suis même pas maquillée…

— Tara, écoute-moi. Tu es de loin la femme la plus belle et la plus sexy qu'il m'ait été donné de rencontrer. Ce n'est pas ce que tu portes qui compte, c'est ce que tu es.

Les yeux de Tara se remplirent de larmes. Elle libéra ses mains, les plaqua dans le dos de Jake et l'attira à elle.

— Je veux le faire. Je n'ai pas envie d'y réfléchir ou d'en parler encore. Je veux simplement le faire. Je veux que tu…

Sa demande fut étouffée par un long baiser préfigurant la communion totale que leurs corps et leurs âmes allaient bientôt connaître.

16

Jake se réveilla avec le sourire aux lèvres. Il ne le voyait pas, mais il savait qu'il était là.

Il tendit le bras pour attirer Tara contre lui, et découvrit qu'elle était déjà levée.

Fermant un instant les paupières, il savoura le souvenir de leur nuit. Et quand il rouvrit les yeux, Tara était là, en peignoir, une tasse de café dans chaque main.

— Bonjour, dit-elle.

— Bonjour.

Il tapota le matelas.

— Tu me rejoins ?

— J'adorerais, mais je dois aller travailler. Et toi aussi, je pense.

Tara lui tendit sa tasse. Il la posa immédiatement sur la table de chevet, et passa un bras autour de sa taille pour l'attirer à lui.

Il l'embrassa longuement, et finit par se raisonner. S'il continuait ainsi, jamais ils ne seraient à l'heure au travail.

— Tu veux prendre ta douche le premier ? demanda-t-elle.

— Mouais.

— Dommage.

Tara se rua vers la salle de bains. Jake la rattrapa en trois enjambées et la souleva dans les airs. Puis il la porta jusqu'à la douche et tourna le robinet.

L'eau était froide, mais ce n'était pas grave. A eux deux, ils produisaient toute la chaleur nécessaire.

*
* *

— Tu as vraiment une mauvaise influence sur moi, dit Tara. J'arrive toujours avant Janet.

Elle vérifia l'heure à sa montre.

— Le restaurant ouvre dans moins de cinq minutes, dit-elle d'un ton de reproche.

Jake avait suivi Tara en ville. Sur le parking du Nel's, elle avait bondi hors de sa camionnette pour lui parler à la vitre de sa voiture. Il pencha la tête au-dehors et murmura :

— Tu n'as qu'à lui dire que nous avons fait l'amour sauvagement sous la douche.

— Tu es horrible.

— Donne-moi une heure, et je te prouve à quel point je peux être vicieux !

— Tiens-toi tranquille. Et attends au moins cinq minutes avant de rentrer. Je ne veux pas que les gens se fassent des idées.

— Puisque nous en sommes aux instructions, n'oublie pas d'annuler le dîner avec Waller.

— Je m'en occupe.

— Tant mieux. Sinon, c'est moi qui le ferai.

Tara leva les yeux au ciel et s'éloigna vers la porte de service.

— Bonjour, Janet. Désolée, je suis en retard.

Janet hocha la tête et continua à faire frire le bacon.

Tara rangea son sac et sa veste, et fut soulagée de voir que Janet avait déjà fait le café. Elle alluma les néons et alla ouvrir la porte.

— Bonjour, Nicholi. J'espère que je ne vous ai pas fait attendre trop longtemps. Je suis un peu en retard, ce matin.

— Bah, ce n'est pas grave. Il fait beau.

Oui, il faisait beau. Très, très beau.

Le soleil était déjà chaud, et il n'y avait pas un nuage

dans le ciel. L'herbe semblait plus verte. Le monde resplendissait de couleur.

Elle avait partagé son plus sombre secret avec Jake et se sentait soulagée d'un poids.

Elle était libre.

Il ne l'avait pas regardée avec réprobation ou dégoût. Il avait compris. Et il l'avait aimée avec tendresse et passion.

Et au milieu de la nuit, alors qu'il venait de s'endormir, elle était restée blottie dans ses bras et s'était sentie en sécurité.

Pour la toute première fois depuis trop longtemps, elle avait eu l'impression que rien de mal ne pouvait lui arriver.

Nicholi et Toby avaient déjà pris possession de leur tabouret attitré quand Jake arriva.

Tara lui sourit et sentit la chaleur lui monter au visage. Il hocha la tête et étudia le menu comme s'il le découvrait pour la première fois.

Miséricorde, comment allaient-ils faire pour prétendre que tout était comme la veille, alors que tout était différent ?

Mais, si elle ne faisait pas attention, cela pourrait être fatal à Jake. Alors qu'il ne semblait pas convaincu que Michael se rapprochait, elle était au contraire persuadée qu'il avait retrouvé sa trace.

Jake avait promis de passer quelques coups de fil ce matin pour se renseigner sur les déplacements de Michael. Tara s'en était inquiétée, mais Jake lui avait affirmé que ses collègues sauraient être discrets, et que Michael ne saurait jamais que les investigations avaient été commandées depuis Wyattville, Minnesota.

Elle avait confiance en Jake. Et c'était agréable de pouvoir dire cela.

*
* *

Le petit déjeuner se déroula sans incident. La présence de Donny lui procurait un vrai soulagement, et elle ne se sentait plus autant sous pression qu'avant.

Cependant, lorsque Jake débarqua peu avant midi et réclama le plat du jour, sa nervosité atteignit des sommets.

— Je t'ai dit que j'allais m'en occuper, murmura-t-elle, en lui apportant sa commande. Je veux seulement faire les choses en douceur.

Elle était persuadée que Waller était de mèche avec Michael et ne voulait pas éveiller les soupçons.

Lorsque Jim Waller s'assit au comptoir, elle prit sa commande et se pencha pour qu'il soit le seul à l'entendre.

— Jim, je suis désolée de vous prévenir à la dernière minute, mais j'ai un problème. Je vais devoir annuler notre dîner de ce soir.

— Oh ! eh bien, c'est dommage. Peut-être une autre fois ?

— Certainement.

Tara lui adressa un grand sourire et se dirigea vers la cuisine. Elle ne fut pas surprise quand Jake lui emboîta le pas et lui fit signe de le suivre dans la chambre froide.

— Hé ! protesta Donny. Vous n'avez pas le droit d'entrer là-dedans.

Jake le toisa. Si ses yeux avaient été des revolvers, Donny serait mort.

— Tout va bien, dit Tara. Le chef Vernelli a besoin de me parler en privé, et c'est le seul endroit privé que nous ayons.

Ils entrèrent dans la chambre froide, et Tara se pinça la base du nez entre le pouce et l'index.

— Janet a eu la bonté de nous ignorer, mais avec Donny c'est une autre histoire. Il a très bien compris ce qui se passe entre nous. Il va en parler à tout le monde. Nous allons devenir le principal sujet de commérages de la ville.

— C'est dur.

Jake l'embrassa, et elle oublia Donny.

— Qu'a dit Waller ?

— Qu'il n'y avait pas de problème.

— Et ?

— Qu'on pouvait remettre à une autre fois.

— Tara…

Relevant la note de mise en garde dans sa voix, elle prit son visage entre ses mains, et se hissa sur la pointe des pieds pour l'embrasser.

Il résista cinq secondes et l'attira contre lui, les mains plaquées sur ses fesses.

Lorsqu'elle le put, elle reprit son souffle et murmura :

— Tu veux un conseil ?

— Mouais.

— Prends des forces pour ce soir. Tu vas en avoir besoin.

— Je peux vous parler une minute ? demanda Janet.

Elle s'apprêtait à partir et avait son sac à l'épaule.

Tara éprouva une vague inquiétude.

— Oui, allez-y.

— J'aimerais partir plus tôt demain. Vers midi.

— Quelque chose ne va pas ?

En quatorze mois, Janet n'avait jamais demandé à partir plus tôt.

— Non. J'ai une affaire à régler.

— Bien sûr. Pas de problème. Vous pouvez même partir avant midi si vous voulez.

— Merci.

Tara alla éteindre les lumières dans la salle. Lorsqu'elle revint, Janet était toujours au même endroit.

— Si vous n'avez rien de prévu demain soir, Nicholi

et moi avons prévu de nous marier à 18 heures au parc Washington. Nous aimerions que vous vous joigniez à nous.

— Vous vous mariez, répéta Tara, abasourdie. Demain ? Mais… quand avez-vous décidé cela ?

— Il y a deux jours.

Tara éclata de rire et prit son employée dans ses bras.

— Je suis ravie pour vous.

Lorsqu'elle s'écarta, elle vit des larmes dans les yeux de Janet.

— C'est une bonne chose, non ?

Janet sourit et essuya ses yeux d'un revers de main.

— Je suis veuve depuis douze ans. J'aimais Bobby. Quand il est mort, je me suis promis de ne jamais me remarier. Et puis, j'ai rencontré Nicholi. Au début, je l'ai repoussé. J'avais été heureuse. Que pouvais-je espérer de plus ?

— Qu'est-ce qui vous a fait changer d'avis ?

— Je ne sais pas. Peut-être que Nicholi m'a eue à l'usure. Ou alors, j'ai compris qu'il faut saisir toutes les chances que la vie nous offre.

— Je suis vraiment contente pour vous. Combien d'invités y aura-t-il ?

— Juste nos amis proches. Peut-être une trentaine.

— Et la lune de miel ?

— Pas avant Noël. Sa fille vit dans le Delaware et veut que nous passions les fêtes ensemble.

— Eh bien, vous ne faites pas que vous marier. Vous allez aussi devenir une belle-mère et une grand-mère.

— J'espère que je serai à la hauteur.

Tara l'embrassa de nouveau.

— Evidemment. Vous voulez bien que j'organise une réception pour vous ? Nous ferons cela ici, après la cérémonie.

— Ça représente trop de travail. Je ne peux pas accepter.

— Allons donc. Pour commencer, je vous aime tous les deux. Deuxièmement, je ne m'en serais jamais sortie sans vous. Je vous dois tellement ! Je vous en prie, laissez-moi faire ça pour vous.

Des larmes coulèrent sur les joues ridées de Janet.

— Je suis une vieille folle. Je ne peux plus m'arrêter de pleurer.

— Mais non. Vous êtes simplement amoureuse.

En approchant de la porte de service, Jake entendit des murmures. Lorsqu'il vit les deux femmes dans les bras l'une de l'autre, en train de pleurer à chaudes larmes, il s'affola et posa la main sur la crosse de son arme.

— Que se passe-t-il ? Il est arrivé quelque chose ?

Tara secoua la tête.

— Rien de grave.

— Mais alors, pourquoi pleurez-vous ?

— Janet se marie.

Le cœur de Jake reprit son rythme normal.

— Ah, bon. Quand a lieu la cérémonie ?

— Demain.

Jake secoua la tête.

— Ce Nicholi. Il n'est pas très patient.

— Et je le suis encore moins, dit Janet. Nous avons déjà perdu assez de temps.

— Nous ferons la réception ici, dit Tara. Je vais appeler Johnny O'Reilly. Il nous aidera pour la décoration.

Le lendemain, ce fut la folie.

Refusant absolument de laisser Janet travailler le jour de son mariage, Tara avait appelé Donny et lui avait demandé s'il pouvait s'occuper de la salle pendant qu'elle œuvrait en cuisine. Il s'était présenté avec un pantalon noir, une chemise blanche, le visage soigneusement rasé, et avait parfaitement rempli sa mission.

Entre la préparation des deux services pour les clients, Tara avait confectionné un buffet pour la réception.

Vers 14 heures, Jake avait passé la tête dans la cuisine, annoncé qu'Andy le remplaçait quelques heures, et avait commis l'erreur de demander à Tara si elle avait besoin d'aide. Elle l'avait envoyé à Bluemond acheter un gâteau, de la glace, et un saladier pour le punch.

Lorsqu'il revint, elle venait de verrouiller la porte principale. Elle prit le carton contenant le gâteau et y jeta un coup d'œil.

— Ils ont bien travaillé.

— Mouais. Ils ont dit qu'ils avaient gratté la mention « bon anniversaire » et ajouté des cloches et des colombes pour symboliser le mariage.

— Je ne pense pas que Janet et Nicholi s'en seraient offusqués. Je suis d'ailleurs surprise de ne pas les avoir vus de la journée. J'espère que Janet a réussi à trouver une robe.

— Qu'est-ce qu'il y aura de bon à manger ?

— Vingt livres de salade de pommes de terre.

— Beurk.

Il l'embrassa.

— Miam, miam.

Elle le repoussa en riant.

— Tu as pensé à acheter des piles pour l'appareil photo ?

— Oui, madame. J'ai vu Alice et Henry à la droguerie. Alice m'a dit de transmettre tous ses vœux à Janet.

— A ta place, j'attendrais la fin de la cérémonie. On ne sait pas comment Janet pourrait réagir.

Elle ouvrit le tiroir-caisse et commença à compter la recette.

— Tu as du nouveau ?

— Oui, j'ai reçu un appel sur le trajet de retour. Masterly s'est volatilisé depuis un mois. Personne ne sait où il est. Il n'y a pas eu d'activité sur sa carte bancaire, donc il doit faire toutes ses transactions en espèces.

Elle déglutit avec peine.

— D'accord.

Jake s'avança et la prit dans ses bras.

— Mon cœur, il ne te fera rien, tu as ma parole. Tu ne seras jamais seule, même une minute, tant que nous ne l'aurons pas trouvé.

Nicholi portait un nouveau costume noir, et Janet était vêtue d'une élégante robe portefeuille de soie ivoire. Ils prononcèrent leurs vœux d'une voix claire et forte, près de la fontaine. La mariée tenait un bouquet de roses rouges, et le marié arborait un œillet de la même couleur à la boutonnière.

Tara pleura durant les quinze minutes que dura la cérémonie. Jake se rendit utile en lui faisant passer des mouchoirs.

De retour au Nel's, ils purent admirer le travail de Johnny O'Reilly. Chaque table était couverte d'une nappe en papier bleue et garnie d'un bouquet de marguerites rehaussées de myosotis. Les lumières avaient été baissées, et des bougies bleues, blanches et argent disposées un peu partout. De la musique jouait en sourdine.

— C'est magnifique, dit Jake. Cet homme est un artiste.

— Heureusement qu'il s'est occupé de la décoration. Ça m'a permis de me concentrer sur la nourriture.

— Qui m'a l'air excellente. Personne n'aurait pu faire tout cela en aussi peu de temps. Ça ne m'étonne pas que les gens t'adorent.

Tara se sentit délicieusement réconfortée. Elle aimait

cette communauté. Quatorze mois plus tôt, elle était arrivée à Wyattville sans rien. A présent, elle avait tout.

— Dansons, murmura Jake à son oreille. J'ai envie de te tenir dans mes bras. Ça fait trop longtemps que je ne t'ai pas fait l'amour.

Tara lui donna une petite tape sur le bras.

— Tu n'as honte de rien.

Mais elle non plus. Débordés comme ils l'étaient, ils avaient quand même trouvé le temps, en faisant un saut chez eux pour se changer, de passer un moment ensemble, avant de filer au parc Washington.

— J'adore les mariages, déclara Tara, tandis qu'il la faisait valser. Pas toi ?

Jake ne répondit pas. La plupart des types qu'il avait connus à l'académie de police étaient mariés et il avait été souvent invité à des mariages où il allait en traînant les pieds, trouvant tout cela un peu ridicule. Mais, depuis qu'il avait fait la connaissance de Tara, l'idée l'avait effleuré…

Soudain, il y eut des appels à l'extérieur, du côté de la cuisine.

— Reste là, dit-il.

Il courut vers l'arrière du restaurant et entendit crier « au feu ! ».

Des flammes sortaient de la benne à ordures et partaient à l'assaut de l'escalier desservant l'appartement de Nicholi. Janet criait et pleurait, en faisant de grands gestes.

— Nicholi est dans son appartement. Il était monté chercher mon cadeau.

Jake comprit qu'il n'avait pas une minute à perdre. C'était tout l'immeuble qui pouvait flamber. Il entendit au loin les sirènes de pompiers, et pria pour qu'ils arrivent à temps.

— J'y vais. Allez rejoindre Tara, et restez avec elle.

Comme Janet ne bougeait pas, il lui parla sévèrement pour la faire réagir.

— Faites ce que je dis. Allez-y.

Il courut à travers les flammes qui léchaient l'escalier et fonça vers la porte de Nicholi.

— Janet ? demanda le vieil homme.

— Elle n'a rien. Ecoutez, on ne va pas pouvoir passer par l'escalier, c'est trop dangereux pour vous.

Il se précipita vers la fenêtre qui donnait sur la rue. Elle était pleine de gens, au nombre desquels se trouvaient les invités du mariage. Il ne vit ni Tara ni Janet.

La foule s'écarta pour laisser le passage aux pompiers. Un camion se gara sous la fenêtre, et une échelle fut déployée. Jake aida Nicholi à descendre, puis il le suivit.

Une fois en bas, il commença à appeler Tara et à la chercher. Dans l'entrée d'une ruelle, il finit par apercevoir Janet. Elle était par terre et tentait maladroitement de se relever.

Affolé, il se précipita vers elle.

— Que s'est-il passé ? Où est Tara ?

— Il l'a emmenée. Il m'a frappée, m'a poussée par terre, et il est parti avec elle.

— Qui, Janet ? Qui ?

— Elle l'a appelé Michael.

17

Où ce salaud avait-il pu emmener Tara ?

Chez elle ? Jake en doutait, mais il ne voulait rien laisser au hasard.

Il se mit en quête d'Andy, lui expliqua en hâte de quoi il retournait, et l'envoya chez Tara.

Puis il évalua rapidement la situation. Le feu était maîtrisé. Il faudrait entreprendre quelques travaux de réfection, mais le Nel's était toujours debout. Il fit une brève prière pour avoir la chance d'apprendre la bonne nouvelle à Tara.

Il s'apprêtait à prendre le volant pour agir — de quelle façon, il ne le savait pas — quand Donny Miso déboula au pas de course. L'homme était en sueur, mais Jake ne détecta aucune odeur d'alcool.

— J'ai vu qui a déclenché l'incendie, dit-il, à bout de souffle. C'est cette femme qui travaille à la banque, Madeline Fenton. Elle a versé de l'essence et jeté une allumette dessus. Une vraie cinglée !

Tout en essayant de comprendre quel lien pouvait exister entre Masterly et Madeline Fenton, Jake remercia Donny pour l'information et démarra pour se rendre immédiatement chez les Fenton.

Il y avait de la lumière dans le salon. Il tambourina à la porte. Alice lui ouvrit.

— Il faut que je voie Madeline. Tout de suite.

— C'est un peu tard…

— Laisse-le entrer, dit Henry en apparaissant derrière sa femme, avec l'air d'avoir pris dix ans en une journée. Nous venons d'apprendre pour l'incendie, ajouta-t-il en s'adressant à Jake.

Puis il se tourna vers sa femme.

— Nous ne pouvons plus la protéger. Elle va finir par tuer quelqu'un, un de ces jours. Et comment pourrions-nous vivre avec cette culpabilité ?

Alice éclata en sanglots.

— Ce n'est pas une mauvaise fille.

Jake commençait à comprendre. Ce n'était pas Bill qui avait déclenché ces incendies quelques années plus tôt, mais sa sœur jumelle. A la suite de cela, Bill avait été rejeté par son meilleur ami, et n'avait jamais pardonné à Madeline.

— Où est-elle ?

— Elle n'est pas ici, dit Henry. Il y a des appartements au-dessus de La Bonne Pinte. Essayez là-bas. Je l'ai entendue y donner rendez-vous au téléphone à quelqu'un.

Tara avait mal partout. Michael l'avait frappée au visage et traînée dans la rue jusqu'à La Bonne Pinte, puis il l'avait poussée sans ménagement dans un escalier sombre et raide qui menait à un appartement délabré. Là, il l'avait jetée par terre en lui donnant des coups de pied.

Mais il ne l'avait pas encore tuée. Elle était recroquevillée sur elle-même, lui laissant croire qu'elle était plus mal en point qu'elle ne l'était en réalité.

Il était au téléphone, parlant fort et faisant de grands gestes.

— Ne viens pas tout de suite, chérie. Tu auras ton argent. Tu t'es bien débrouillée. Tu pourras partager les cinquante mille dollars avec Waller si tu veux. J'aurais quand même préféré que tout le bâtiment soit démoli.

Tara redressa légèrement la tête.

Michael lui tournait le dos. Jamais elle ne s'était rebellée auparavant. Ce salaud aurait la surprise de sa vie quand elle sortirait la bouteille de bière vide de sa manche. Elle l'avait repérée sur le trottoir devant le bar et avait fait mine de chuter pour la ramasser, réussissant à la cacher avant qu'il ne la relève en la tirant par les cheveux.

— Espèce de petite garce, éructa Michael.

Elle entendit ses pas à travers la pièce et devina qu'il se penchait au-dessus d'elle.

— Tu pensais que tu pouvais me quitter ? Me ridiculiser ?

Il lui donna un coup de pied dans le creux du dos.

Cette fois, elle ne parvint pas à retenir un gémissement de douleur, et il éclata d'un rire sardonique, enchanté de lui avoir fait mal.

— Qu'est-ce que j'étais supposé dire à nos amis ? demanda-t-il. A ma famille ? Tu n'avais pas pensé à ça, n'est-ce pas ? Mais on ne se moque pas de Michael Masterly. Tu t'es crue maligne en partant au milieu de la nuit. Est-ce que tu imagines le travail que tu m'as donné ?

Il la frappa de nouveau.

— Je suis un homme occupé, Joanna. Mais je suis malin aussi. Je connais les bonnes personnes. Tu veux savoir comment j'ai fait ? Je me suis payé les services d'un pirate informatique. Et ça ne m'a même pas coûté cher. Quelques milliers de dollars, et j'ai pu avoir accès à ton disque dur et aux articles sur lesquels tu travaillais. Il n'y avait plus qu'à suivre les pistes.

Elle l'entendit s'éloigner, et perçut un bruit de liquide versé dans un verre. Aussitôt, elle reconnut l'odeur du cognac hors de prix qu'il affectionnait.

— Ça m'a pris un peu de temps, mais j'ai retrouvé la

vraie Tara Thompson. Et, de fil en aiguille, je suis arrivée jusqu'à toi. Tu n'aurais jamais dû payer d'impôts, Tara.

Il gloussa.

— Comme je dis toujours, ça ne paie pas d'être honnête.

Soudain, il la saisit par le col et l'obligea à relever la tête. Il empestait l'alcool.

— Ça fait un moment que je te surveille. Bien avant que ce flic avec qui tu couches arrive en ville.

Elle le regarda dans les yeux. Il avait les pupilles dilatées, et elle devina qu'il n'en était pas à son premier verre.

Il la repoussa tout à coup en arrière et sa tête heurta lourdement le plancher.

— Je suis le chat et tu es la souris, dit-il en retournant à l'autre bout de la pièce. Tu as trottiné dans tous les sens sans comprendre que tu allais être mangée. Des semaines et des semaines à être coincé dans ce bled minable ! Je serais devenu fou s'il n'y avait pas eu Madeline.

Il ricana, sûr de son effet de surprise.

— Eh oui, cette chère Madeline. Elle te déteste, tu le sais, ça ? Et elle adore l'argent. C'était la combinaison idéale. Et c'est tout à fait par hasard que je suis tombé sur elle. J'ai toujours été un homme chanceux.

Il ponctua cette déclaration d'un rire hystérique.

— Je fouillais la maison de ses parents pour trouver tes clés, et je suis tombé sur son journal. Elle n'apprécie pas que ses parents te préfèrent à elle, Joanna. Elle n'apprécie pas du tout.

Elle entendit sonner le portable de Michael, mais il continua à pérorer en faisant les cent pas.

— C'est sûrement elle. Elle est un peu collante. Et trop spontanée. L'autre jour, quand tu courais au bord de la route, elle aurait pu te tuer. Ça m'a mis en colère. C'est moi le chat. Je n'avais pas fini de jouer avec ma souris. Et le feu dans le garage ? Encore une idée à elle.

C'est là que j'ai compris que je ne pouvais pas attendre plus longtemps. Elle m'était utile, mais elle devenait incontrôlable. Surtout quand elle s'est mis en tête de séduire Vernelli.

Il traversa la pièce et s'agenouilla à côté d'elle. Il sentait la sueur comme s'il ne s'était pas douché depuis plusieurs jours. Il appuya le pied sur son épaule, la maintenant rivée au sol. Elle prit soin de garder le bras le long de son corps pour cacher sa bouteille.

Soudain, il se releva et se mit à marcher en cercle autour d'elle.

— Waller est venu tout compliquer. Cet idiot a suivi Madeline ici et nous a entendus discuter. Il voulait prévenir la police. Mais Madeline a bien réagi. Elle lui a dit qu'elle l'aimait toujours et qu'elle avait besoin de son aide, ajoutant que les cinquante mille dollars leur permettraient de prendre un nouveau départ. Ce type ferait n'importe quoi pour elle.

Il lui donna un coup de pied dans les côtes.

— C'est comme ça que je veux que tu m'aimes, Joanna. Tu comprends ?

Comme elle ne répondait pas, il la frappa de nouveau.

— Oui, murmura-t-elle.

Il sourit.

— Les chats et les souris peuvent vivre ensemble, à condition que les souris comprennent que c'est le chat qui mène la danse.

Son téléphone sonna de nouveau. Il le sortit de sa poche, regarda l'écran, et le jeta à travers la pièce.

— C'était l'idée de Waller de te faire quitter Wyattville. C'est son oncle qui t'a récupérée. Mais ce type est aussi idiot que Waller. Il n'a même pas réussi à trouver un moyen de te faire entrer. Et puis, ton petit ami est arrivé. J'aurais dû le tuer. Mais on verra ça plus tard.

Un bruit de portière claquée monta de la rue. Le visage de Michael se déforma de rage.

— J'espère que ce n'est pas Madeline. Je lui ai dit d'attendre.

Tara eut conscience que c'était maintenant ou jamais. Elle ne pourrait jamais venir à bout des deux.

Elle roula sur le côté, tout en sortant la bouteille de sa manche, brisa celle-ci sur le coin du volumineux radiateur en fonte, et bondit sur ses pieds.

— Ne t'approche pas de moi, dit-elle.

Il feignit la surprise.

— Eh bien, eh bien, mais c'est qu'on voudrait se rebeller.

En effet, le moment de la révolte était arrivé. Elle s'était surprise elle-même durant ces derniers mois. Elle avait lutté. Elle avait retrouvé sa vie.

Et à présent, elle avait une raison de plus de lutter. Elle avait Jake.

— Michael, c'est fini. Je vais franchir cette porte. N'essaie pas de m'en empêcher.

Elle glissa sur le côté, sans jamais le quitter des yeux.

La porte n'était plus qu'à un pas quand il chargea. Elle leva le bras, son bras meurtri et couvert de cicatrices, et frappa aussi fort qu'elle le pouvait.

Les rebords coupants de la bouteille s'enfoncèrent à la base de son cou.

Il grogna et commença à tituber, les yeux révulsés, tandis que le sang maculait le devant de sa chemise blanche.

— Espèce de garce, dit-il en postillonnant. Je vais t'étriper.

Il plongea vers elle au moment exact où la porte s'ouvrait, livrant le passage à Jake.

Il tira et la balle atteignit Michael entre les omoplates. Dès qu'il eut touché terre, Jake se précipita pour prendre son pouls et leva les yeux vers Tara.

— Il est mort.

Il se releva et lui ouvrit les bras. Tara s'y précipita et se blottit contre lui.

— Je croyais t'avoir perdue, murmura-t-il dans ses cheveux.

Elle rejeta la tête en arrière et plongea son regard dans le sien.

— Comment va Janet ?

— Bien. La dernière fois que je l'ai vue, Nicholi lui tenait la main.

— Oh ! tant mieux. Et le Nel's ?

— Ton bébé n'a rien. Quelques dommages dus à l'eau et à la fumée, mais tu pourras rouvrir dans quelques jours.

S'il ne l'avait pas solidement tenue, elle se serait effondrée. Tout ce pour quoi elle avait travaillé si dur ne s'était donc pas volatilisé sous les mains d'un psychopathe.

— Viens, sortons d'ici, suggéra Jake en l'entraînant sur le palier.

— Madeline Fenton et Jim Waller faisaient partie du complot, dit-elle.

— Je sais, chérie. J'ai demandé l'aide du comté pour les interpeller. Ils sont en train de les ramener.

C'était presque plus qu'elle n'en pouvait supporter. Elle avait toujours su que Madeline ne l'aimait pas, mais la sympathie qu'elle éprouvait pour Alice et Henry lui avait fait minimiser les chausse-trappes et les insultes.

Elle frissonna dans les bras de Jake, et il resserra son étreinte.

— Ne t'inquiète pas, dit-il. Ils paieront pour ce qu'ils ont fait.

— Je ne peux pas m'empêcher de me demander si j'aurais pu faire quelque chose pour empêcher tout ça.

— Tu n'aurais rien pu faire, dit-il en la berçant doucement. Ne te fais pas de reproches. Certaines personnes font des choses atroces, mais la grande majorité des gens mènent une vie honnête et travailleuse, en se souciant de leur famille et de leurs voisins.

— Te voilà bien philosophe, dit-elle en souriant.

— Je ne sais pas. Mais en tout cas, ces quelques semaines à Wyattville m'ont fait ouvrir les yeux. Il y a des endroits où la solidarité n'est pas un vain mot, et où les gens méritent qu'on s'intéresse à eux.

— Eh bien, espérons que quelqu'un voudra y acheter un restaurant.

Il la repoussa à bout de bras.

— Quoi ? Tu vends ? Tu t'en vas ?

Elle hocha la tête.

— Je t'aime, Jake. Et si tu es à Minneapolis, c'est là que je veux être. Je trouverai un autre emploi là-bas.

— Mais tu adores le Nel's.

— Je t'aime encore plus.

Il rit et l'embrassa avec tendresse.

— Il faut que je te dise quelque chose. Un peu plus tôt dans la journée, j'ai reçu un appel de Chase Montgomery. Il voulait savoir si le poste m'intéresserait de façon permanente. Evidemment, ce bandit savait que le chef Wilks voulait prendre sa retraite, et sa proposition d'intérim n'était pas innocente. Mais il me connaissait assez pour savoir qu'il ne fallait pas me brusquer et que je finirais par aimer cet endroit.

Tara sentit son pouls s'accélérer.

— Il avait raison ?

— Bien sûr. Mais je l'ai fait mariner quelques minutes avant de lui donner ma réponse.

Il mit un genou à terre.

— Je t'aime, et je t'aimerai toujours. Epouse-moi, Tara — Joanna, corrigea-t-il avec un sourire. Fais de moi l'homme le plus heureux du monde.

Elle lui prit les mains, le fit se relever et l'embrassa éperdument.

— Je ne veux pas perdre une minute pour appeler Johnny O'Reilly et lui dire que je vais avoir besoin d'aide pour un autre mariage. Le mien.

JULIE MILLER

Dangereuse proximité

BLACK *ROSE*

éditions HARLEQUIN

Titre original : BABY JANE DOE

Traduction française de BLANCHE VERNEY

83-85, boulevard Vincent-Auriol, 75646 PARIS CEDEX 13.
Service Lectrices — Tél. : 01 45 82 47 47
www.harlequin.fr

1

Jolie…

La quatrième cliente devant lui, dans la file d'attente de la Cattlemen Bank, au beau milieu de Kansas City.

L'inspecteur Eli Masterson n'avait nul besoin de son œil affûté de flic pour repérer une jolie femme quand il en voyait une…

Son parfait tailleur beige, d'une nuance à peine plus foncée que ses cheveux blonds coupés court, moulait plus qu'il ne dissimulait des formes sensuellement féminines. La jupe, de laine légère, s'arrêtait juste au creux charmant du genou. Les chaussures d'une élégance tout aussi discrète, assorties à son sac à main, ne déparaient pas le galbe du mollet. Même avec ses talons, la belle à la tenue classique, « bon chic, bon genre », n'arrivait pas tout à fait à la hauteur des épaules d'Eli, bien qu'elle fût grande pour une femme et qu'une bonne partie de sa taille semblait découler de la longueur de ses jambes, fines, surmontées d'un ravissant et ferme petit postérieur.

Vraiment très jolie…

Eli poussa un petit soupir en sentant son cœur se mettre à battre un peu plus vite. Se rincer l'œil, c'était à peu près tout ce qu'il pouvait se permettre en fait de sexualité, ces temps-ci. C'est pourquoi, tout en faisant la queue au comptoir, il prenait plutôt agréablement son mal en patience et savourait quelques aimables fantasmes, en attendant de devoir très vite toucher terre et renouer contact avec la réalité.

Il avait pris sa matinée car à 10 heures, Jillian passait de nouveau devant le juge. Il était à la banque pour transférer ce qui restait de l'argent de l'assurance-vie de ses parents sur son compte courant. Sa petite sœur allait probablement être mise en examen pour détention et usage de drogues, à moins que le tribunal ne lui accorde une nouvelle période de probation. Il voulait être là pour assister à l'audience et signer le procès-verbal. Peut-être, cette fois, arriveraient-ils à la guérir une bonne fois pour toutes de la cocaïne. Lui était à court d'idées. Et ce n'était pas faute de s'être démené pour la protéger, surtout contre elle-même…

Il fit un pas en avant, le jeune type dégingandé qui était devant le comptoir ayant cédé sa place. C'était le tour d'un personnage dont la tenue l'intéressa : il n'est pas très courant, quand on a la trentaine, d'adopter l'uniforme de la petite racaille des quartiers « difficiles » — sweat-shirt à capuche, lunettes fumées et pantalon trop large — à moins de vouloir, comme un adolescent justement, attirer l'attention sur soi.

Le regard d'Eli revint se poser sur la jolie blonde. C'était une vision nettement plus plaisante…

Dans le joli rayon de lumière qui réchauffait la teinte de son tailleur, elle attendait patiemment son tour parmi des clients pressés de faire un dépôt, un retrait ou une opération quelconque. Eli avait toujours trouvé très séduisant ce genre de femmes, posées, sophistiquées, boutonnées jusqu'au cou. D'ordinaire, elles conduisaient leurs affaires amoureuses tambour battant, comme leurs autres occupations, avec des règles à observer et des barrières à ne pas franchir. Aucun homme n'était autorisé à devenir trop envahissant dans leur vie, ce qui n'était pas particulièrement pour lui déplaire.

Partager des conversations intelligentes était agréable, des intérêts communs, encore mieux. Le désir mutuel étant la cerise sur le gâteau… Eli avait un peu trop d'expérience pour se laisser embarquer dans une relation sentimentale avec une jouvencelle trop pomponnée et apprêtée. Pour tout dire, elles le faisaient fuir aussi rapidement que ses élégants mocassins en taille 44 pouvaient le lui permettre.

Tiens, elle n'était pas seulement jolie, elle avait l'œil. La blonde avait repéré elle aussi le curieux rappeur trentenaire. En arrivant à son tour devant l'employé de la banque, elle tourna légèrement la tête de façon à ne pas perdre des yeux l'homme en sweat-shirt alors qu'il tournait les talons.

Ainsi, Eli put avoir un aperçu de son profil, avec la vague impression qu'il l'avait déjà vue quelque part. Très vite, cependant, elle se tourna vers le caissier, en souriant.

Elle était plus âgée qu'il ne l'avait soupçonné à première vue. Un âge qu'elle portait fort bien, ma foi. Une frange bordait le front, encadrait le visage. De très fines rides autour de ses yeux et de sa bouche révélaient qu'elle était plus proche de ses cinquante ans que des quarante. Mais dès qu'elle souriait, on ne les voyait plus, elles disparaissaient complètement. Jolie comme elle l'était, elle avait certainement un mari souriant, sportif et couronné de succès dans le monde des affaires, deux ou trois enfants, une belle maison dans une banlieue résidentielle…

Ce qui la mettait tout à fait hors de portée d'un type comme lui…

Il était temps de cesser de rêver.

La queue avançait plus vite, à présent, un second guichet s'étant ouvert. Eli rajusta machinalement sa cravate de soie et se chercha un nouveau centre d'intérêt.

Il n'eut pas à chercher bien loin : le « rappeur », au lieu de sortir dans la rue, entrait dans un ascenseur. Peut-être y avait-il un problème sur son compte et avait-il été invité à venir s'expliquer dans les étages supérieurs…

Non, il s'était montré bien trop aimable avec l'employé de la banque. Si on lui avait annoncé un problème de ce genre, il se serait raidi ou aurait protesté.

Une autre silhouette vint se glisser au coin de sa vision périphérique, pour se placer devant le comptoir. Il ne portait pas d'autre déguisement, lui, que le complet-veston-cravate qu'arboraient la plupart des hommes présents. Mais un détail l'alertait : celui-là avait sur les épaules un imperméable noir. Or on avait beau être au début de l'automne, la température avait à peine fraîchi et il n'y avait pas un nuage dans le ciel. Il portait aussi des lunettes de soleil à verres miroirs, qu'il retira pour parler à la jeune employée qui l'accueillait. Quatorze ans de police judiciaire et l'habitude de devoir se mêler des affaires des autres à tout instant firent résonner la sonnette d'alarme dans le cerveau d'Eli : il y avait quelque chose qui ne collait pas dans ce tableau. Le « rappeur » en portait, lui aussi, de ces lunettes-là. Et le soleil, lui, n'était pas encore bien haut dans le ciel.

Il laissa pendre son bras droit le long de son corps, prêt à saisir son arme de service, un pistolet Glock 9 mm caché dans le creux des reins, sous sa veste. Le vigile, devant la porte, avait vérifié son badge et la sécurité de son arme, avant de le laisser entrer. Ce jeune Noir lui paraissait réactif, mais son boulot était de surveiller les abords de la banque et les nouveaux arrivants, pas de veiller sur la sécurité des huit… neuf… dix clients et employés présents dans l'agence. Pour cela, il y en avait un autre, pour le moment en train de bavarder avec un caissier de l'autre côté de la salle. Il ne devait pas être loin de l'âge de la retraite.

Etrangement, la blonde, elle aussi, semblait surveiller les alentours. Tout en plaçant un prospectus de la banque dans son sac à main, elle ne quittait pas des yeux le type à l'imperméable, lequel venait de traverser la salle pour disparaître dans les toilettes. Eli espérait ses soupçons infondés mais il était déjà persuadé du contraire et l'appréhension grandissait en lui, même s'il n'en laissait rien paraître. A moins vraiment que ce type louche ait su quelque chose de la météo des prochains jours que le commun des mortels aurait ignoré ?

Il essaya de croiser le regard du plus jeune des vigiles. Avait-il lui aussi remarqué quelque chose ?

— Bonjour, monsieur… vous désirez ?

Les yeux bleus de l'employée souriaient à un nouveau client et ramenèrent l'attention d'Eli vers le comptoir, ou plutôt vers l'homme dont, à présent, c'était le tour et qui portait une serviette sous le bras. Il tirait de sa poche un mouchoir blanc et il épongea son crâne chauve. Curieux, ce type qui transpirait malgré l'air conditionné…

Oh non, pas un hold-up… Pas ici, pas maintenant !

Il devait aller au tribunal, il le devait à Jillian.

Il n'avait pas le temps de s'occuper de ça.

Il scanna le champ de bataille. Au nord, l'ascenseur, au sud, les toilettes. Le chauve devant le comptoir. Un triangle qui permettait de prendre en étau les clients, le personnel et la caisse.

Il essaya une fois encore d'accrocher le regard du jeune vigile.

Bon Dieu de bon Dieu !

— Monsieur ?

Ça y est, c'était son tour.

Entrouvrant sa veste pour montrer son badge, il se pencha au-dessus du comptoir et murmura à l'employée :

— Police. Actionnez votre signal d'alarme. Maintenant.

— P… pardon ?

— Faites ce que je vous dis !

Bien sûr, il courait le risque de déclencher une panique pour rien. Mais il faisait confiance à son instinct.

La blonde sortit alors son mobile de son sac et marcha droit vers le plus âgé des deux vigiles. Elle le tira par la manche et tout de suite, lui dit quelque chose tout bas. Eli savait quoi : de ne surtout pas paraître étonné. Elle lui montra rapidement les clients, le personnel.

Il n'était pas le seul flic présent dans cette banque...

Le constater ne lui fit pas spécialement plaisir ; de toute manière, il n'avait guère le temps de lui faire savoir qu'il en était un. Seulement celui de dire à l'employée de sauter de sa chaise et de se réfugier sous le comptoir.

— A terre, vite !

La porte des toilettes s'ouvrit d'un coup. Un ding ! annonça que l'ascenseur revenait au rez-de-chaussée. Les armes jaillirent du pardessus de l'un des assaillants, du jean élimé de l'autre. Un tonnerre de détonations retentit dans le fracas du verre brisé et le vol des balles à travers la salle. Le jeune vigile s'effondra. Le staccato mortel d'un petit pistolet-mitrailleur résonna au-dessus des têtes.

Le vigile âgé n'eut pas le temps de se saisir de son arme. L'air hébété, il porta la main à sa poitrine et s'effondra, faisant tomber la blonde avec lui. Celle-ci s'évertua aussitôt à comprimer la blessure du malheureux, et ses mains furent bientôt rouges de sang.

— A couvert ! Abritez-vous ! cria Eli au-dessus du vacarme et des hurlements, saisissant le client le plus proche de lui pour le faire se coucher au sol.

Les autres s'accroupirent contre le comptoir. Eli en fit autant et, d'une série de roulades, se rapprocha de la blonde. Se redressant sur un genou, il la força à se coucher, la protégeant de toute la longueur de son corps tandis que les balles, les éclats de plâtre et de bois volaient autour d'eux.

— Eli Masterson, lui dit-il à l'oreille. Police de Kansas City.

— Poussez-vous, bon Dieu, laissez-moi ! pesta Shauna Cartwright, les dents serrées.

Elle ne savait pas ce qui la mettait le plus en rage : voir ce pauvre homme perdre son sang à quelques centimètres d'elle sans plus pouvoir lui porter secours, ou bien ce grand imbécile musclé qui l'avait plaquée au sol et couverte de son corps si étroitement qu'elle pouvait sentir à son haleine qu'il venait de boire une tasse de café. Il la préservait des balles et des éclats qui volaient en tous sens, mais il l'empêchait aussi de voir clairement ce qui se passait. Ce Masterson se donnait un air chevaleresque en protégeant la malheureuse « petite bonne femme » qu'il croyait qu'elle était. Comme si elle ne pouvait pas se débrouiller seule ! C'était elle qui avait deviné que l'homme à l'imperméable dissimulait un gilet pare-balles. Dès qu'il avait disparu aux toilettes, elle avait averti le vigile et commencé à faire le numéro de police-secours sur son mobile — avant de baisser la tête lorsque les projectiles s'étaient mis à pleuvoir.

Comme cette montagne de muscles, sur elle, ne bougeait pas d'un pouce, elle répéta :

— Lâchez-moi. Tout de suite !

Elle se figea alors sous sa chaude masse car brutalement, les tirs avaient pris fin. Elle entendit le déclic des chargeurs que l'on extrayait en hâte pour en introduire un autre. Le feu allait reprendre. Viseraient-ils délibérément des clients ou des employés ? Et elle, parviendrait-elle à atteindre son sac à main, où se trouvait son arme ? Quelle mouche l'avait piquée, aujourd'hui, de ne pas le porter sous son tailleur, comme d'habitude ? Comment venir en aide aux deux vigiles blessés ? Le silence était si profond qu'il lui semblait que tous pouvaient l'entendre réfléchir.

— Chut !

Le malabar couché sur elle venait de lui chuchoter cela à l'oreille. Shauna retint son souffle, se demandant un instant, absurdement, si elle n'avait pas pensé tout haut. Elle aurait tremblé de peur, en fait, si son corps n'avait pas été autant bourré d'adrénaline. Le bras de l'inspecteur Masterson se resserra autour d'elle, rassurant et protecteur, comme s'il l'avait senti.

Shauna respira calmement, acceptant implicitement ce réconfort. La protection d'un homme était une chose à laquelle elle n'était guère accoutumée. L'espace d'une seconde, elle se prit à souhaiter être une femme comme les autres, que l'on chérirait et protégerait.

Mais ce n'était pas ce qu'elle était. A la respiration suivante, elle redevint un flic. Et pas n'importe lequel…

Un nuage de poudre et de poussière de plâtre piquait ses narines, mais elle ne sentait rien. Rien que le poids de cet homme sur elle. Il allait se relever et, d'une pression sur le bras, elle lui indiqua de n'en rien faire. Il pouvait bien jouer les héros, mais avec les clients et le personnel en otage, il fallait être prudent, très prudent. Attendre que les intentions des malfrats soient plus claires…

— Doucement, murmura-t-elle contre le tweed poussiéreux de sa manche. Examinez un peu la situation, avant de faire quoi que ce soit.

— Personne ne bouge et tout ira bien !

C'était l'homme à l'imperméable qui parlait. Visiblement, il prenait la direction des opérations. Au son de sa voix, Shauna sut qu'il était passé derrière le comptoir.

— Prenez les documents et tout l'argent que vous pourrez trouver.

Les documents ? Shauna fronça les sourcils. Ce n'était peut-être pas un simple hold-up… A la façon très précise dont les choses avaient d'évidence été réglées, elle aurait dû le deviner.

Comme les voix s'éloignaient, Masterson chuchota :

— La situation, c'est que nous avons deux hommes armés, peut-être trois.

— Avec l'employé de banque qui transpire ?

— C'est ça. Vous avez l'œil. Il y a forcément au moins un complice, puisqu'ils ont été contrôlés à l'entrée et qu'ils n'avaient pas d'armes. Elles avaient dû être cachées à l'intérieur. Et on ne sait pas ce qu'il y a dehors…

— Une voiture qui les attend, probablement. Ils ont trop bien préparé leur coup pour ne pas y avoir pensé.

— Oui. Une action dès l'ouverture. Minimum de risques.

Shauna s'écarta légèrement de l'inspecteur.

— Les otages d'abord, dit-elle. C'est la priorité. Moi, il faut que je sorte et que j'aide le vigile.

Elle s'était presque entièrement dégagée quand Masterson lui entoura la taille de son bras et la ramena contre lui.

— A mon tour de vous suggérer d'attendre un peu, lui dit-il. Je ne crois pas qu'ils seront tellement impressionnés en apprenant que nous sommes tous les deux des flics…

Sa joue sur la moquette, Shauna regarda Eli Masterson au fond de ses yeux bruns.

— Vous savez qui je suis ?

— Oui, m'dame.

Voilà ce que c'était d'être un personnage public, régulièrement interviewé à la télé. Masterson espérait peut-être une promotion. Ou, si l'on voulait se montrer charitable, on pouvait supposer qu'il faisait simplement son métier. Mais dans ce cas, il allait devoir se plier à la règle hiérarchique. Il y avait une chaîne de commandement. Elle repoussa son bras.

— Alors il y a une chance qu'il le sache aussi. Pour

le moment, gardez votre arme dans son étui et ne jouez pas les héros…

Elle replia ses genoux sous elle et se libéra avant que Masterson n'ait pu la retenir.

— J'ai l'habitude de négocier. J'ai déjà eu à traiter les situations de ce genre…

Il la retint fermement par le bras.

— Une minute. Les renforts arrivent. Laissez ces types prendre ce qu'ils veulent et partir. Ils n'iront pas loin, de toute façon.

— La ferme, vous deux !

C'était le « rappeur trentenaire », qui venait de parler. Il braqua le canon de son Smith & Wesson sur le front de Shauna.

— Allez derrière le comptoir, avec les autres !

Mais Shauna ne l'entendait pas ainsi. Levant la tête, elle dévisagea crânement celui qui la menaçait et lui dit, d'une voix malgré tout pas très assurée :

— Ce vigile que vous avez blessé réclame des soins, sinon il va perdre tout son sang. Je suis secouriste. Vous ne voudriez pas commettre un meurtre, n'est-ce pas ? Laissez-moi le soigner.

Sans attendre sa réponse ni le quitter du regard, elle se redressa lentement.

— Bon, d'accord, grommela le rappeur. Mais toi, le costaud, tu ne bouges pas, ajouta-t-il à l'intention d'Eli.

Shauna le regarda avec inquiétude braquer son revolver sur l'inspecteur, lequel désobéit à son ordre et se leva.

— Ne bouge pas, je t'ai dit ! grogna le rappeur.

Les mains levées, en signe, ostentatoire, de soumission, Eli Masterson mesurait bien vingt-cinq à trente centimètres de plus que son interlocuteur et son visage demeurait impassible sous la menace du revolver.

— Je peux m'occuper de l'autre vigile, proposa-t-il.

L'homme armé lui enfonça son canon dans la poitrine, le forçant à reculer d'un pas.

— Derrière le comptoir, j'ai dit !

— Non, ramène-le plutôt ici ! s'écria alors l'homme à l'imperméable.

C'était décidément lui le chef. Il laissa l'employé de banque — qui était visiblement leur complice — bourrer une mallette de documents et vint vers eux, l'arme levée.

— Toi, tu fais ce qu'on te dit si tu veux rester en vie, d'accord ? O.K., ma belle, va soigner le flic.

Il poussa Eli contre le comptoir.

— Tu bouges pas de là, c'est compris ?

Il faisait erreur en prenant le vigile pour un policier, mais Shauna se garda bien de le détromper. Elle se précipita vers le blessé, lui retira sa veste et comprima sa blessure des deux mains, lui murmurant des mots de réconfort. Le malheureux gémissait de douleur. Son arme était toujours dans son étui, à portée de sa main. Bien sûr, il n'était pas question de s'en saisir pour le moment, pas avec la vie des otages en jeu. Et puis, les bandits disposaient d'un pistolet-mitrailleur et d'armes de poing qu'ils venaient tout juste de recharger. Si jamais il leur prenait la fantaisie de détrousser également les clients de la banque, se mettant à fouiller les poches et les sacs, et qu'ils trouvaient leurs armes et leurs badges…

Elle espérait vivement que l'intervention de la police allait être aussi rapide qu'elle le prétendait dans ses interviews…

— Il va s'en tirer ?

Shauna fut surprise du ton de remords qu'elle perçut dans la question, mais l'odeur de la poudre et le canon du revolver à quelques centimètres de sa tempe lui ôtèrent toute envie de s'apitoyer.

— Il lui faut une ambulance, répondit-elle brièvement.

D'un coup de menton, elle désigna l'autre vigile étendu près de la porte d'entrée.

— Je dois aussi m'occuper de lui.

— Il gémit et son souffle est normal, répliqua l'homme à l'imperméable. Il ne doit pas être gravement blessé.

— Il peut avoir une hémorragie interne, une blessure ne se voit pas forcément…

Elle essuya sa main ensanglantée sur sa jupe avant d'écarter une mèche blanche mouillée de sueur du front du blessé.

— S'il vous plaît, laissez-moi appeler une ambulance.

— Impossible.

Le bandit ruisselait de sueur. L'odeur de la peur.

— On a presque fini. On se tire dans une minute et vous pourrez bien appeler qui vous voudrez.

— Tu as tous les papiers que le patron voulait ? lui lança « le rappeur » qui tenait le personnel en respect, à l'autre bout du comptoir.

— Tais-toi donc, abruti ! Tu ne veux pas leur donner nos noms, aussi, pendant que tu y es ?

Du coin de l'œil, Shauna vit Masterson s'écarter du comptoir et obéir docilement à l'ordre de s'étendre sur le sol, face contre terre. Grâce à Dieu, il semblait qu'il n'allait se livrer à aucune provocation. Elle s'aperçut également qu'il y avait du mouvement dans la rue. Un policier en uniforme repoussait les badauds qui se rassemblaient sur le trottoir. Elle pria pour que les gangsters n'aient pas remarqué son arrivée et, aussi, pour qu'il ne soit pas seul.

L'homme à l'imperméable enjamba Masterson toujours allongé et s'adressa à son complice, l'employé de banque, qui refermait la mallette.

— Il y a tout ?

— Comme on avait dit…

L'employé véreux eut un sursaut quand il vit le gangster pointer son arme droit entre ses deux yeux.

— Mais… qu'est-ce que tu fais ? bredouilla-t-il.

— J'applique les ordres, répliqua l'autre.

Il appuya sur la détente. L'employé s'écroula dans le cri d'effroi de tout le hall.

— Hé ! Ça va pas ?

C'était le « rappeur trentenaire » qui protestait.

— … Tu disais qu'on allait se tirer d'ici sans que personne se fasse buter…

— Tu devrais pas écouter tout ce qu'on dit, répliqua calmement l'homme à l'imperméable avant de faire feu.

Shauna rentra la tête dans les épaules en entendant les détonations. Le rappeur s'effondra à ses pieds. Elle n'essaya même pas de voir si elle pouvait lui porter secours ; elle savait reconnaître un mort quand elle en voyait un.

Elle savait aussi qu'elle serait la prochaine sur la liste…

Elle avait l'étrange impression que ses réactions étaient ralenties. Quand elle leva la tête, lorgnant pour voir si l'arme du mort était à sa portée, elle vit les lumières se refléter dans les verres miroirs du tireur. Elle n'avait pas non plus besoin de voir ses yeux pour savoir qu'ils étaient fixés sur elle.

Comme son arme…

Les secondes passaient comme des heures. Il souriait.

Shauna se jeta au sol.

Il appuya sur la détente.

Une balle siffla près de son oreille, mais ne l'atteignit pas.

— Police de Kansas City !

Avec une précision quasi chirurgicale, Eli Masterson venait de tirer au centre de la poitrine du bandit. L'homme vacilla mais ne tomba pas. Son gilet pare-balles le protégeait.

— Jette ton arme ! lui cria l'inspecteur.

Il ignora cet ordre et pointa le canon de son revolver dans la direction que lui indiquait la voix.

— Halte au feu !

Shauna allongea le bras pour se saisir de son mobile et recula, dos au comptoir, seule protection que pouvait lui offrir la salle.

— Bon sang, Masterson, ils ont des otages, cria-t-elle. Halte au feu, immédiatement !

— Non !

Fébrilement, elle refit le numéro de police-secours, puis chercha son arme. Elle ne voyait pas Masterson. Avait-il été blessé ou s'était-il mis à couvert ?

— Masterson ?

Elle rampa au bout du comptoir. L'homme à l'imperméable courait vers l'ascenseur, chassé par une grêle de balles et incapable de répliquer. Deux le touchèrent encore. Les portes métalliques s'ouvrirent et il s'engouffra à l'intérieur avec un rire de triomphe.

— Tu n'as plus de munitions !

Avant que Shauna ait pu se saisir de son arme, Eli avait déjà en main celle du voyou mort. D'un bond, il fut près de l'ascenseur et fit feu, logeant une balle dans le genou de l'homme et le faisant enfin s'écrouler dans un cri.

Eli et Shauna, qui s'était immédiatement remise sur ses pieds, s'avancèrent, l'arme prête.

— Police de Kansas City, dit Shauna d'une voix claire et forte. Jetez votre arme et levez-vous !

— Comme si je pouvais, salope ! gronda l'homme, qui proféra ensuite un jet continu d'obscénités, mettant gravement en doute la pureté des mœurs du personnel de la police ainsi que des parents, grands-parents et arrière-grands-parents de Shauna. Il termina par de copieuses menaces à l'encontre de celui qui l'avait mis dans cet état.

— La ferme ! grogna l'inspecteur Masterson en bloquant la double porte de son élégant mocassin.

Il ramassa le petit pistolet-mitrailleur et le tendit à Shauna. Avant d'attraper l'homme par le col de son imperméable et de le traîner dans le hall.

— La dame t'a dit de ne pas rester là.

Puis il lui murmura quelque chose à l'oreille qui, étrangement, le fit taire instantanément. Le plaquant au sol d'une poigne vigoureuse, il fouilla ses poches à la recherche d'autres armes, et lui passa enfin les menottes.

— Pas de papiers d'identité sur lui, commenta-t-il.

Il lui retira ses lunettes de soleil et, le prenant par le menton, le fit pivoter vers Shauna.

— Vous le connaissez ?

Si elle avait déjà croisé, dans le passé, ce regard gris glacial, elle s'en serait certainement souvenue.

— Jamais vu. On prendra ses empreintes, s'il fait le mystérieux…

L'homme grommela une insulte de plus, mais Masterson lui appliqua le visage sur la moquette pour le faire taire. Le temps qu'il se relève et remette son arme dans son étui, Shauna avait retrouvé son sac et était en train de donner ses instructions à la police et aux ambulances.

Avec toujours la même attitude protectrice, Eli la regarda du coin de l'œil et demanda :

— Ça va ? Pas de casse ?

A part quelques contusions, elle était en un seul morceau. Elle acquiesça.

— Et vous ?

— C'était vous qu'il avait en ligne de mire…

Malgré elle, Shauna en eut un frisson rétrospectif.

— Ça va…

Elle remarqua qu'il avait une coupure qui saignait à la tempe, juste à la racine des cheveux, mais ne dit mot.

Elle le regardait dans les yeux. Ses yeux d'un brun mêlé d'or qui la considéraient avec un détachement nonchalant. Il avait fait mouche à chaque coup et avant cela, n'avait pas manqué un seul détail de ce qui s'était passé dans ce hall de banque.

… et surtout pas le danger qui avait pesé sur elle.

Mais Shauna se refusait à trop y penser. N'était-ce pas les risques du métier ?

Mettant son arme et son mobile sous la ceinture de son tailleur, elle lui tendit la main. Il était temps de se présenter officiellement.

— Je suis Shauna Cartwright…

— Oh ! je sais !

Elle attendit une demi-seconde qu'il lui serre la main. Il le fit franchement et fermement, comme elle s'y attendait. Elle se surprit un instant à imaginer qu'ils aient pu se rencontrer en d'autres circonstances ; l'homme était vraiment séduisant. Mais elle se reprit bien vite ; il n'était pas question de se laisser aller à ce genre de pensées.

— Eli Masterson, c'est ça ? Puis-je voir votre badge, inspecteur ?

Il eut un petit sourire en ouvrant sa veste.

— Il paraît que vous êtes très à cheval sur le règlement. Ce qui vient de se passer sera dans mon dossier ?

Shauna ignora sa remarque et lut rapidement les quelques renseignements disponibles sous l'écusson de la police de Kansas City. Eli Masterson. Trente-six ans. Quatorze ans de service. Pour la plus grande partie, à un poste nécessaire, mais peu populaire dans « la maison »…

— L'Inspection des Services ?

Elle regarda brièvement l'homme qui gisait à ses pieds.

— Vous tirez plutôt très bien, pour un flic de flics…

Elle désigna la petite étoile d'or qui ornait un coin de son badge.

— Et pourquoi un agent de l'Inspection des Services éprouve-t-il le besoin de tenir à jour ses capacités de tireur d'élite ? Vous voulez vous faire muter à l'antigang ?

— Non, madame.

— Est-ce que le capitaine Chang (c'était le nom du patron de l'Inspection des Services) a autant de mal que moi à vous faire obéir à ses ordres ?

— Oui, madame. Au moins autant.

Un peu décontenancée, Shauna faillit rire. Elle appréciait beaucoup qu'un subordonné ne se laisse pas impressionner. Mais elle ne se pensait pas autorisée, elle-même, a trop montrer qu'elle possédait le sens de l'humour.

— Eh bien, merci, Eli. Vous m'avez sauvé la vie. Vous nous avez sauvé la vie à tous.

Il marqua un petit temps, presque imperceptible, comme s'il n'acceptait pas vraiment cet hommage.

— Normal…

A son tour, elle le surprit en se penchant pour prendre le mouchoir qu'il avait fourré dans sa poche et l'appuyer sur sa blessure.

— Faites-vous soigner par les secouristes, avant de partir. Je ne sais pas si c'est une balle ou un éclat, mais à mon avis, vous auriez besoin d'un ou deux points de suture…

C'était un geste étrangement intime ; au milieu du tohu-bohu des secours, elle lui tapotait la tempe avec douceur, sans paraître se soucier de ce qui les entourait. Curieusement cela l'apaisait, tandis que Masterson paraissait se demander si ces attentions étaient naturelles ou s'il devait se méfier.

Il effleura ses doigts en lui reprenant le mouchoir.

— Je le ferai, madame…

— Bien.

Etait-il possible, une minute, de ne plus être la commissaire principale Shauna Cartwright, mais simplement une femme, avec un homme ? Non, sans doute. Et puis, elle était bel et bien son chef. Elle le redevint instantanément, comme elle le devait et comme il s'y attendait.

— Vous avez pas mal joué au cow-boy, aujourd'hui, Masterson. Par bonheur, ça a bien fonctionné... Mais quand je donne un ordre, j'entends qu'il soit exécuté. La chaîne de commandement doit être respectée, quelles que soient les circonstances.

— Oui, madame, je m'en souviendrai. Ce sera tout ?

— J'attends votre rapport sur mon bureau, demain matin.

— Oui, madame.

Shauna le regarda tourner les talons et disparaître parmi la foule de policiers, d'ambulanciers, de techniciens de la criminelle et de badauds.

— Allons bon, il ne manquait que lui..., murmura-t-elle en voyant arriver son adjoint, le commissaire Michael Garner, qui brandissait théâtralement son badge sous le nez de l'agent en faction.

Si le quartier général était déjà au courant, cela voulait dire que la presse n'allait pas tarder à arriver et alors, tout un chacun apprendrait ce qui s'était passé. Ses enfants, Seth et Sarah, étaient des adultes, à présent. Ils comprendraient. Ce qui la préoccupait surtout, c'est que « lui » aussi allait l'apprendre.

De toute façon, il sait tout de ma vie, songea-t-elle en frissonnant.

Lorsque Michael la vit enfin et qu'il agita la main pour attirer son attention, elle aurait voulu disparaître aussi vite qu'Eli Masterson. Le très efficace adjoint qu'était Michael n'avait pas perdu une seconde pour se rendre sur les lieux. Il regardait ses mains rougies de sang, ses vêtements froissés et elle savait qu'il n'allait pas tarder à lui poser des questions auxquelles elle n'aurait pas envie de répondre. Certes, si elle le lui demandait, Michael se chargerait de la Presse, ainsi que des rapports officiels, lui permettant de rentrer chez elle se remettre un peu, se laver, se changer et se « décrasser » de l'emprise de la mort et de la destruction, qui étaient passées si près d'elle.

Mais voilà, le chef de la police de Kansas City ne pouvait guère se permettre ce luxe…

2

— Masterson ?

Ayant reconnu la voix pleine d'autorité du capitaine Taylor, Eli prit le temps de coiffer son gobelet de café d'une capsule de plastique avant de se retourner.

— Qu'est-ce qui vous amène dans mon service ?

Bien que doutant fort que l'arrivée inopinée du patron de la quatrième division dans la salle de repos soit une coïncidence, Eli s'écarta pour le laisser se remplir une tasse de liquide brûlant avant de répondre :

— La routine… toujours au sujet de la légitime défense de Banning…

Mieux valait en venir tout de suite à ce qui l'amenait. Il ne fallait s'attendre à aucune sympathie de la part de Taylor, qui le détestait cordialement depuis qu'Eli et son ex-coéquipier, Joe Niederhaus, avaient enquêté sur le commissaire Mac Taylor, cousin du capitaine, il y avait quatre ans de cela. Les choses avaient alors bien mal tourné ; Joe, qui cherchait à coincer Mac Taylor par tous les moyens, même les moins recommandables, avait bien failli le tuer, lui et sa future femme. Il n'avait pas non plus hésité à le faire chanter et à fabriquer de fausses preuves pour le compromettre. En ce temps-là, Eli croyait naïvement à la bonne foi de son partenaire. Quand il avait enfin reconnu son erreur, il était trop tard. Il n'y avait plus, depuis, une once de naïveté en lui. Et c'était lui-même, le jeune inspecteur Eli Masterson, qui avait passé les bracelets à son ami. Il avait également témoigné contre lui, alors que beaucoup, dans la police de Kansas City, le tenaient pour son complice. Ce soupçon n'avait d'ailleurs jamais entièrement disparu et il pouvait s'en aviser chaque fois qu'il entrait dans une pièce pleine de collègues. Et puis, il appartenait à l'Inspection des Services, des flics chargés d'enquêter sur d'autres flics et avec qui, évidemment, on n'était guère enclin à l'indulgence. Mais avec le capitaine Taylor, c'était encore autre chose. Il semblait lui en vouloir personnellement. Eli n'avait donc pas de raison de se sentir particulièrement le bienvenu, même si le capitaine restait raisonnablement courtois et professionnel avec lui.

— Vous avez trouvé quelque chose dans son dossier ?

— Tout porte à croire qu'il a tiré en état de légitime défense…

Du coin de l'œil, il regarda deux agents en tenue acheter des cafés et des biscuits au distributeur, puis aller s'attabler dans un coin. Il aurait préféré rester seul avec le capitaine…

Après s'être disputés un instant pour savoir lequel des deux garderait la télécommande, les agents allumèrent le poste de télévision et se mirent à passer les chaînes en revue.

— Mais vous connaissez le règlement, reprit Eli. Tout policier ayant déjà fait usage de son arme doit être l'objet d'une enquête spéciale quand il est amené à tirer de nouveau.

Le capitaine le dévisagea puis laissa tomber :

— Vous n'avez rien à lui reprocher, mais ça ne vous empêche pas de venir fureter quand même…

— Je fais mon boulot, capitaine, répliqua-t-il calmement. Et j'essaie de le faire à peu près bien.

Sauf pour ce qui était de s'apercevoir que son coéquipier était un ripou…

Taylor affecta de boire tranquillement une gorgée de café mais ses épaules étaient anormalement raides.

— Faites-le encore mieux que d'habitude, alors, parce

que Banning est l'un de mes meilleurs enquêteurs. Je n'ai pas envie d'être obligé de le laisser pourrir derrière un bureau.

— Si la procédure est correcte, vous pourrez le renvoyer sur le terrain dès cet après-midi.

Les conversations s'animèrent autour du poste de télévision, à l'autre bout de la pièce.

— Tiens, ta mère passe encore à la télé, Cartwright, lança le plus grand des deux jeunes policiers, un beau parleur à la tête rasée. Si elle n'était pas assez vieille pour être aussi la mienne, et si je n'étais pas aussi beau…

— Oui, eh bien, c'est ma mère et tu es moche. Alors mets-la en veilleuse, tu veux ?

Ce n'est pas tant cet échange entre copains qui attira l'attention d'Eli que le nom de Cartwright.

Tel était le nom de la propriétaire du charmant petit derrière qui s'était pressé contre son bassin, tandis que pleuvaient les balles et qu'il pouvait malgré tout respirer son parfum délicat. Ces deux souvenirs, s'additionnant, lui avaient procuré quelques jolis rêves interdits, la nuit dernière. Mais le rappel de la situation élevée qu'elle occupait dans la police, ainsi qu'un autre souvenir, celui de son attitude plutôt réfrigérante, lui avait aussi occasionné un assez désagréable réveil, juste avant l'aube. Il n'avait dissipé cette impression qu'en allant sous la douche.

Ainsi, la commissaire avait un fils et ce fils était de la maison… Il y avait bien un air de famille dans la blondeur et les yeux verts… Mais mère et fils ? Ce jeune type avait bien vingt-cinq ans…

Oui, Shauna Cartwright devait avoir une dizaine d'années de plus que lui. Mais cette constatation n'apaisa pas Eli pour un sou. Au contraire, il fut très irrité de découvrir qu'il était attiré par une femme hors de sa portée pour tellement de raisons qu'il n'était même pas la peine de les énumérer.

— Ne va pas t'imaginer non plus que tu vas sortir avec ma sœur, reprit le jeune Cartwright à l'intention de son collègue. Je te vois venir…

L'autre feignit la surprise indignée et montra le récepteur, un dernier bout de bagel à la main.

— Je disais seulement que…

— Eh, les gars…

Il suffit au capitaine Taylor de prononcer ces mots pour que les deux jeunes hommes redeviennent parfaitement attentifs. Le regard d'Eli se porta vers l'écran où une photo d'archives de la commissaire restait affichée, pendant que le présentateur relatait les événements survenus la veille à l'agence centrale de la Cattlemen Bank. Eli masquait son intérêt derrière une attitude blasée, tout en sirotant son café, mais il écoutait attentivement, attendant que l'on mentionne l'autre policier présent et la balle qu'il avait tirée dans le genou de l'assaillant présumé. Mais le journaliste ne parlait que de la commissaire divisionnaire Cartwright, laquelle, insinuait-il, était dans un bureau d'état-major depuis si longtemps qu'elle avait oublié comment défendre la sécurité de ses concitoyens.

— Oh ! allez, patron, fit le jeune homme au crâne rasé, c'est notre quart d'heure de pause…

— Le briefing du matin est dans dix minutes.

— Ben oui, ça nous fera une pause de dix minutes.

— Faites-en plutôt une de neuf, comme ça vous pourrez vous asseoir dans les premiers rangs…

— O.K., patron, soupirèrent en chœur les deux jeunes recrues.

— Au premier rang et au milieu, ajouta le crâne rasé pour faire bonne mesure.

— Soyez-y !

Le capitaine secoua la tête comme s'il avait affaire aux deux pires sympathiques têtes de pioche de son équipe, mais il n'y avait plus ni sourire ni indulgence dans son regard lorsqu'il se tourna vers Eli pour prendre congé de lui.

— Bon, Masterson…

— Capitaine…

— La voilà !

Eli regarda de nouveau l'écran, tandis que Taylor quittait la pièce. On voyait à présent des images de la conférence de presse improvisée que Shauna avait tenue à la sortie de la banque. Après un plan très dramatique sur des ambulances s'éloignant toutes sirènes hurlantes, la caméra passait sur les vitres criblées de balles de la banque. Shauna Cartwright se tenait là, devant la foule des journalistes. Les flashes et les petits projecteurs montés sur les caméras baignaient ses traits réguliers d'un éclat blafard. Ses cheveux étaient encore en désordre autour de l'ovale de son visage, mais son énergie et ses yeux pétillants d'intelligence semblaient dominer la foule et la dompter, davantage que l'attitude résolue de l'homme qui se tenait auprès d'elle. On reconnaissait aisément, à sa chevelure très brune et à son costume bien coupé dont le veston cachait son arme de service, le commissaire principal adjoint Michael Garner.

L'œil de celui-ci allait et venait dans la foule. Garner redoutait visiblement quelque chose et il se tenait aussi près de Shauna que possible. Eli se sentit saisi lui aussi d'une impression désagréable. Il pouvait flairer comme une menace diffuse dirigée contre la commissaire. Mais peut-être se trompait-il — Garner ne protégeant pas sa supérieure, mais plutôt sa fonction et la police de Kansas City en général des questions qui pouvaient aller trop loin.

Shauna, elle, ne semblait pas être sensible à cette menace. Il faut dire qu'elle avait assez à faire avec les questions qui pleuvaient sur elle. Elle désigna une jeune femme brune, équipée d'un petit magnétophone.

— Oui, mademoiselle Page ?

La journaliste alla droit au but.

— En ayant finalement fait mettre un homme en examen pour le meurtre de Baby Jane Doe, et maintenant en empêchant un hold-up dans une banque, pensez-vous être vraiment dans votre rôle de chef de la police de cette ville ?

— Non mais franchement quel rapport ?

Le jeune Cartwright, excédé, lança sa serviette en papier roulée en boule au visage de la journaliste, sur l'écran.

— Ça ne fait qu'un an qu'elle est là, ajouta le fils de la commissaire. Il faut bien qu'elle prenne ses marques avant de pouvoir régler cette fichue histoire.

Le jeune flic en maugréant se recula sur sa chaise. Les débutants comme les vétérans du KCPD ne pensaient qu'à la sinistre affaire Baby Jane Doe. Un corps mutilé, abandonné près d'une poubelle, pas d'identité, pas d'indices, le crime était si barbare que Kansas City avait vécu dans la peur durant des mois, pleurant cette jeune fille dont nul n'avait réclamé le corps ; il était impensable, pour ses habitants, qu'une telle violence puisse se dérouler dans leur ville d'ordinaire sans histoire. D'éminents citoyens s'étaient cotisés pour offrir à la malheureuse une sépulture digne, mais on était toujours incapable de lui donner un nom. Les journaux l'avaient surnommée « Baby Jane Doe », « Jane Doe » étant le nom d'emprunt habituel des anonymes, dans la tradition américaine, parce que les policiers qui avaient trouvé le corps avaient déclaré, choqués, qu'elle sortait à peine de l'adolescence et qu'on aurait dit une fillette.

Un dossier qu'on ne peut pas clore est toujours une hantise pour les enquêteurs. Eli était bien placé pour savoir que cela pouvait vous tourmenter durant toute une carrière. Le meurtre sauvage de Baby Jane Doe avait uni la police judiciaire de Kansas City dans la même frustration et le même ressentiment.

Mais les choses avaient changé, quelques mois auparavant : lorsque Shauna Cartwright avait pris le poste de commissaire principale, l'une de ses premières décisions avait été d'affecter une nouvelle équipe d'enquêteurs à ce dossier. A la suite de leurs recherches, la police avait arrêté Donnell Gibbs, un délinquant sexuel déjà connu de ses services, qui avait reconnu le meurtre. Kansas City avait alors un peu respiré. Le procureur avait inculpé Gibbs et l'opinion suivait les premières auditions dans la fièvre.

C'était sans doute pain béni pour la presse, mais Eli savait que la tension ne retomberait pas au sein de la police avant l'annonce du verdict final, au mieux.

Sans se laisser démonter, en regardant bien la caméra, Shauna esquiva la question en parlant des deux vigiles qui avaient été blessés et auxquels, ajouta-t-elle, tout le KCPD souhaitait une prompte guérison.

— Avez-vous leurs noms ? lui cria un journaliste au-dessus du tohu-bohu.

— Je ne peux pas vous les dire, répondit Shauna, tant que les familles n'ont pas été prévenues. Mais ils sont dans de bonnes mains à l'hôpital St Luke.

— Que savez-vous des deux hommes abattus et de celui que vous avez arrêté ?

Shauna eut alors un petit geste inconscient, une sorte de roulement des épaules, comme si elle avait une raideur dans un muscle. C'était sans doute le résultat du placage en voltige que lui avait fait subir Eli, mais elle ne mentionna pas son nom.

Michael Garner lui murmura quelque chose à l'oreille que les micros ne pouvaient pas capter. Shauna secoua la tête en réponse et croisa les bras sur sa poitrine en s'essuyant les mains sur les manches de son tailleur, comme si elle venait seulement d'être parcourue d'un léger frisson.

— Nous vous donnerons d'autres informations dès que ce sera possible, répondit-elle en ignorant Garner et en faisant fi de son propre embarras. Vous aurez à cœur, j'en suis sûre, de respecter l'intimité des deux vigiles blessés et de laisser les médecins faire leur travail. Merci beaucoup.

Elle disparut de l'écran, chassée par un autre sujet. Mais Eli avait eu le temps de voir du sang sur les poignets de son chemisier et il se demanda d'où il pouvait venir. Il toucha sa propre coupure à la tempe. Etait-il possible que ce sang fût le sien ? Les mains de Shauna avaient été si douces et chaudes, tandis qu'elle le soignait. Et son corps parfait avait tremblé de peur ou, peut-être, à cause d'une simple poussée d'adrénaline, quand il l'avait plaquée au sol.

— Qu'est-ce que c'est que ça ?

Le fils de Shauna Cartwright avait bondi sur ses pieds en jurant.

— Qu'est-ce que tu as ? s'étonna son camarade au crâne rasé.

— Ce que j'ai ? Tu as vu ses vêtements ?

Le jeune policier fouilla dans sa poche et en tira son mobile.

— Elle a été blessée dans cette histoire, reprit-il, et elle ne m'a rien dit !

Eli feignit de s'absorber dans la dégustation du fond de son gobelet de café, tout en observant la scène.

— Si elle avait quelque chose de sérieux, elle te l'aurait dit. Ils ont expliqué qu'elle avait porté les premiers secours aux blessés. C'est probablement leur sang qu'elle a sur elle et non le sien.

Cartwright appuya rageusement sur les touches du clavier.

— Je m'en fiche, Coop, je l'appelle !

Le flic au crâne rasé lui mit sa main sur le bras.

— Ecoute, Seth, ta mère est une grande fille. Ils ne lui ont pas donné son poste seulement parce qu'elle est jolie. Elle sait se débrouiller…

D'un tir précis, il envoya son gobelet de carton dans la corbeille.

— Le patron nous attend au briefing. Pensons plutôt à cette histoire de casinos dont il veut qu'on s'occupe.

— Ouais, tu as raison, grommela Seth Cartwright.

Il resta un moment silencieux, très raide et le visage fermé, comme s'il cherchait à reprendre l'avantage.

— Mais juste après le briefing, je…

— C'est même moi qui composerai le numéro si tu veux…

Cartwright referma le clapet de son téléphone d'un coup sec et se prépara à suivre son coéquipier dans le couloir. Ce n'est qu'alors qu'il remarqua qu'Eli avait assisté à toute la scène. Il le regarda, l'air mauvais.

— Ça vous intéresse, ce qu'on raconte ? lui demanda-t-il d'un air de défi.

Eli haussa les épaules.

— Pas spécialement, j'écoutais juste les nouvelles. La commissaire principale est votre mère ?

Pas de réponse. Il n'en fut pas tellement surpris. Seth Cartwright le toisait avec mépris.

— C'est vous, Masterson, de l'Inspection des Services ? Vous en avez après l'inspecteur Banning, c'est ça ?

« Après » ? C'était une façon de voir. Est-ce que cela tuerait quelqu'un de dire au moins bonjour avant de se mettre à être désagréable, ici ?

— Si on disait plutôt que je fais juste mon boulot ? Tout comme vous… Banning n'a rien à craindre, s'il est resté réglo. Et personnellement, je crois qu'il l'est.

— Hmm…

Ils restèrent encore un petit moment face à face, avant que le dénommé Coop fasse signe à son coéquipier de rappliquer en vitesse dans la salle de briefing.

Sur un dernier regard furibond, destiné à bien faire comprendre à Eli qu'il devait s'occuper de ses affaires et s'abstenir de toute remarque sur sa mère ou sur lui-même, le jeune policier quitta la pièce.

Ainsi, Seth Cartwright était sur la défensive à propos de sa génitrice ? Les vannes de son coéquipier ne représentaient sans doute qu'une petite partie de ce qu'il devait subir quotidiennement de la part de ses collègues, parce qu'il était le fils de la patronne. Il lui fallait probablement prouver à chaque instant qu'il ne devait pas son poste à la protection de sa maman…

Evidemment, Eli comprenait fort bien son inquiétude. Il aurait pu lui confirmer que le sang que sa mère avait sur ses vêtements n'était pas le sien. Mais ce n'était pas vraiment à lui de le renseigner et il n'avait de toute façon pas l'habitude de chercher à rassurer ses interlocuteurs.

Il était temps de trouver Merle Banning et de s'occuper avec lui de la procédure. Il préférait en avoir fini avant que, comme c'était prévisible, on l'auditionne sur les événements de la banque et la façon dont il y avait participé. Au moins, son nom et son visage n'étaient pas apparus dans la presse, ce qui aurait bien entendu précipité les choses — et bien qu'il ait, avec les années, développé un véritable talent pour ce qu'il appelait « voler sous le rayon du radar », il savait qu'il ne se passerait guère de temps avant que l'un ou l'autre de ses collègues de l'Inspection des Services ne le convoque dans son bureau.

Mais il n'avait pas même encore quitté la salle de détente que son mobile se mit à sonner. S'il avait été superstitieux, il aurait pu interpréter cela comme un mauvais présage.

Il secoua la tête, prit le petit appareil dans sa poche

et regarda le numéro qui s'affichait. Il reconnaissait le préfixe du KCPD, mais les autres chiffres ne lui disaient rien. Bah, après tout, il n'était pas superstitieux…

— Oui ? Masterson…

— Inspecteur…

La voix de femme, au bout du fil, poussa un bref soupir de soulagement avant d'ajouter, d'un ton plus cordial :

— C'est Shauna Cartwright.

— Madame…

La surprise et le petit plaisir d'entendre sa voix cédèrent vite la place à de l'irritation. Shauna Cartwright n'avait d'autre raison de l'appeler que pour ce fichu rapport qu'elle lui avait demandé sur l'affaire de la banque et il n'avait guère eu le temps de rédiger ses notes et moins encore de les taper.

— Si vous appelez au sujet de mon rapport, lui dit-il, je ne pourrai pas vous le rendre avant demain et encore, ce sera en prenant sur mon temps libre.

Devoir travailler en dehors des heures de service était quasiment une habitude au KCPD, mais cela l'ennuyait d'y consacrer toute sa soirée. Certes, il n'avait rien de prévu de plus trépidant qu'un dîner avec sa sœur Holly, mais c'était précisément la seule personne avec qui il pouvait parler librement des problèmes de leur jeune sœur.

Après l'audience d'hier, marquée par la mauvaise humeur de Jillian et ses coups d'œil accusateurs à Eli, Holly et lui auraient sans doute beaucoup de choses à se dire… L'étrange sorte d'amour qui était de règle dans leur famille commençait à être bien pénible à supporter. Devoir composer avec une junkie aurait d'ailleurs fait voler en éclats n'importe quelle famille, aussi sûrement que cela commençait à fissurer la leur. Jillian allait être placée en observation pour une première période de deux semaines ;

c'était triste à dire, mais pendant ce temps-là, son frère et sa sœur allaient pouvoir souffler un peu…

Un peu décontenancée par son ton amer, la commissaire demanda :

— Pourriez-vous passer à mon bureau, cet après-midi ? J'ai déjà arrangé ça avec le capitaine Chang. C'est lui qui m'a donné votre numéro de mobile.

Passer par son chef direct, c'était déjà lui donner tacitement l'ordre de collaborer, qu'il soit d'accord ou non. Les gens maîtres de leur destin ne connaissent pas leur bonheur…

Eli ravala ce sarcasme.

— Je peux passer vers 16 h 30, si cela vous convient.

— C'est parfait. Je demanderai à Michael de se charger de ma réunion de cette heure-là…

— Vous êtes si pressée d'avoir mon rapport ? Ou bien vous allez me faire un nouveau sermon sur la nécessité de respecter la chaîne de commandement ?

La voix de la commissaire devint un murmure rauque :

— Je ne peux pas du tout en parler au téléphone, il faut que je vous voie…

C'était bien mystérieux, mais cette pressante prière chuchotée fit quelque peu fondre la carapace de méfiance d'Eli. La commissaire Cartwright ne lui avait pourtant pas paru portée sur le mystère, mais il ne pouvait s'empêcher d'être intrigué.

L'image de l'homme à l'imperméable braquant son arme sur elle, impénétrable derrière ses verres miroirs, lui passa devant les yeux. Intrigué ? Pas seulement, non…

— Je serai là à 16 h 30.

A 16 h 15, les mocassins d'Eli foulaient déjà la luxueuse moquette de l'étage directorial. La réceptionniste lui offrit un siège, mais il préféra se camper face à la grande baie vitrée qui surplombait le centre historique de Kansas City. Au moins pouvait-on y voir de la vie dans les rues…

Le building en pierre de taille qui abritait l'état-major du KCPD n'était pas le plus élevé de la ville. Construit dans les années trente, il avait subi au cours des années et notamment des six dernières de très nombreux travaux de rénovation. Cependant ce n'était pas tant le décor high-tech, la présence solennelle d'agents en uniforme, les contrôles de sécurité mis en place devant chaque bureau ou la galerie de photos des commissaires principaux successifs, à laquelle d'ailleurs il tournait le dos, qui impressionnaient Eli à ce niveau dudit building, que le silence pesant qui y régnait, si profond que vous pensiez immédiatement à l'atmosphère studieuse d'une bibliothèque — ou à un tombeau.

Tous les autres étages de l'immeuble bourdonnaient d'activité comme les rayons d'une vaste ruche. Du bruit des conversations animées, de l'énergie du travail… Celui de l'Inspection des Services, dont il venait, n'échappait pas à la règle. Tandis qu'ici, le cliché de « tour d'ivoire » ne pouvait manquer de vous venir à l'esprit. Les chefs de la police y étaient coupés du monde réel, dans un univers froid de couloirs déserts et de portes closes. Même le soleil qui brillait derrière les vitres fumées et glorifiait les feuilles rouge et or des arbres de l'automne ne pouvait empêcher Eli de se sentir bien mal à son aise…

Faire antichambre devant la porte du grand chef, c'était un peu comme être convoqué par le proviseur du collège ; ou bien devoir se présenter, badge à la main, au poste de police, pour faire libérer sa jeune sœur tellement bourrée d'alcool et de cocaïne qu'elle ne s'est pas même aperçue qu'on l'a arrêtée…

Eli soupira. Il avait peut-être le temps d'appeler le centre de désintoxication, pour avoir des nouvelles de Jillian. Elle n'avait le droit de passer aucun coup de fil durant sa période de probation, mais il pourrait certainement parler à son médecin référent, ou à une infirmière.

— Inspecteur Masterson ?

Eli se retourna. La dame aux cheveux d'argent, dont la plaque, posée sur son bureau, proclamait qu'elle se nommait Betty Mills, lui tendait un gobelet en carton rempli de café. Il était exagérément fort, ayant dû reposer au fond de son pot depuis le matin. Eli la remercia néanmoins poliment et avec le sourire, non pas que la secrétaire paraisse attendre cet hommage, ni que lui-même lui soit reconnaissant pour ce limoneux breuvage, mais parce que par une sorte d'ironie un peu perverse, il se demandait si un brin de chaleur humaine pourrait adoucir son visage résolument rébarbatif.

Il eut instantanément la réponse : non.

— On se sent particulièrement inspiré parmi eux, n'est-ce pas ? dit Betty Mills d'un air pénétré.

Eli réprima son premier mouvement, qui avait été de tourner la tête en tous sens pour voir de qui la secrétaire pouvait bien parler, avant de suivre son regard et de comprendre qu'elle faisait allusion à la galerie de photos des grands chefs du KCPD d'hier et d'aujourd'hui.

Il acquiesça mollement.

— Toute l'histoire de la police locale…

L'admiration que vouait Betty Mills aux commissaires principaux de leur ville s'étendait-elle à ceux qui avaient été en poste au cours des années vingt ou trente, époque durant laquelle de nombreux hauts fonctionnaires de la municipalité de Kansas City avaient été accusés de corruption ? Par association d'idées, Eli se remit à penser à Joe Niederhaus, ce qui acheva de gâcher son humeur.

— J'ai travaillé avec sept d'entre eux, reprit Betty Mills, que ce soit dans le pool des secrétaires ou en tant qu'assistante personnelle.

Eli aurait parié qu'elle avait conservé le même air peu aimable sous toutes les administrations…

— Une vraie fidélité, dit-il sans laisser transparaître la moindre intention ironique.

— Celui que je préférais, c'était le commissaire principal Brent. Cet homme était né pour accomplir de grandes choses. Et j'adorais son sens de l'humour.

Tiens ! La secrétaire était donc sensible à un brin de fantaisie et d'esprit ?

— Un humour singulier, tout intérieur, mais réel. Je sais qu'il fait de gros efforts pour nous revenir.

— J'espère qu'il recouvrera sa santé. Je me suis laissé dire qu'après une massive attaque cardiaque, la convalescence était longue…

Betty redressa tendrement le portrait de son favori, lequel était pourtant déjà tout à fait droit.

— Il s'en tirera. C'est un battant.

Le téléphone sonna sur son bureau et elle alla décrocher.

— La commissaire Cartwright vous attend.

Eli reposa sa tasse à café à peine entamée sur un coin du bureau et se dirigea vers le couloir aux portes capitonnées.

— Merci…

Mais il dut marquer un temps d'arrêt devant la plus large de toutes : Garrett Chang, son supérieur direct à l'Inspection des Services, en sortait. Ce n'était pas, pour Eli, un véritable choc, mais pas non plus une excellente surprise. Les sombres yeux bridés de son chef semblèrent lui transmettre un avertissement muet. Eli leva un sourcil interrogateur.

— Ça sent le roussi, on dirait ?

Chang hocha la tête.

— Je n'aimerais pas être à votre place, mon petit vieux…

C'était de toute évidence plus grave qu'une histoire de rapport pas rendu à temps. L'un des deux truands abattus à la banque était-il le parent d'un homme politique ? Quelqu'un menaçait-il de traîner le KCPD en justice ? La commissaire principale allait-elle le sanctionner parce qu'il n'avait pas attendu son ordre pour agir ? Elle ne pouvait tout de même pas exiger qu'il se tienne bien tranquille pendant que des innocents…

— Oh non, ce n'est pas ce que vous croyez, mon garçon, lui dit d'un air patelin le capitaine Chang, qui voyait bien qu'il se perdait en conjectures. N'allez pas vous figurer une conspiration ou je ne sais quoi. De toute façon, quoi que vous puissiez imaginer, c'est pire.

« Je préfère ne pas en parler au téléphone », avait-elle dit…

Le souvenir du ton inquiet de sa supérieure tempéra un peu sa propre nervosité. Cela ne cadrait pas avec un coup de semonce ou une sanction.

Il s'impatienta.

— Bon, qu'est-ce qu'on me veut ?

Shauna Cartwright apparut dans l'embrasure de la porte.

— Je préfère le lui dire moi-même, Garrett.

Chang s'effaça, son regard vif allant de la commissaire à l'inspecteur.

— S'il y a quelque chose que je peux faire, pour l'un ou l'autre d'entre vous, faites-le-moi savoir…

La commissaire sourit. La sibylline proposition de son subordonné paraissait la détendre un peu.

— Merci, Garrett, je vous tiens au courant…

Chang prit la main qu'elle lui tendait et serra ensuite celle d'Eli.

— Faites pour le mieux, lui dit-il.

Faites pour le mieux ? Qu'est-ce que cela voulait dire ? Fais ton boulot ? Tiens-toi bien avec la dame ?

Garrett Chang s'en fut sans autre explication et Eli se sentit dans la situation kafkaïenne d'un homme accusé d'un crime dont il ignore tout. Shauna Cartwright demanda à Betty de ne lui passer aucune communication, lui dit qu'elle pourrait partir à 4 heures, puis introduisit Eli dans son bureau.

Celui-ci était d'un luxe aussi solennellement fonctionnel que le reste de l'étage, mais quelques détails et des touches de couleur donnaient à l'ensemble un caractère subtilement féminin, depuis la table de réunion jusqu'aux informels coins discussion. Et même…

Oui, de la musique douce, qui sortait d'enceintes habilement dissimulées dans les cloisons. De la musique, ici, dans un bureau directorial… Il y avait donc un soupçon de vie, dans cette tour d'ivoire ?

Elie se souvint toutefois qu'il n'était pas là de son plein gré et ferma son cœur, comme son esprit, à tous ces signes de bienvenue. La commissaire principale lui tendit la main.

— Merci d'être venu.

Comme s'il avait eu le choix !

— Madame la commissaire principale, je…

— Appelez-moi Shauna, je vous en prie, en privé tout au moins…

L'agréable contact de sa petite main fut une surprise au moins aussi grande que la musique ou les autres petits signes de vie disséminés dans la pièce. Shauna Cartwright retint celle d'Eli suffisamment longtemps pour l'immobiliser tandis qu'elle regardait son pansement à la tempe.

— Je vois que vous avez opté pour une cicatrice virile au lieu d'invisibles points de suture…, ironisa-t-elle.

— Bah, je survivrai…

— Vous êtes un dur de dur, pas de doute.

Elle l'entraîna vers un canapé, puis passa derrière son bureau pour rejoindre une petite kitchenette aménagée dans une alcôve, au fond de la pièce.

— Puis-je vous offrir une tasse de café ?

Du vrai ? Ou bien de cette vase immonde que lui avait donnée la secrétaire ?

Il dut y avoir comme une transmission de pensée entre eux, car Shauna sourit et montra la porte close.

— Betty est aussi efficace que l'aide de camp d'un général, mais elle est absolument incapable de préparer un café buvable. Elle prétend le faire comme mon prédécesseur, le commissaire Brent, l'aimait. Je me suis souvent demandé s'il ne s'empressait pas plutôt de le vider dans l'évier et de s'en faire lui-même un autre, dès qu'elle avait le dos tourné.

Elle plaça deux tasses sous une machine à espresso et revint avec, sans attendre la réponse d'Eli.

— Un sucre ?

— Non, je vous remercie.

Après l'allusion au commissaire Brent, il eût été de bon ton de demander des nouvelles de sa santé, suite à la série de crises cardiaques qui l'avait mis sur la touche, mais Eli ne parvenait pas à détacher ses yeux des mouvements pleins de grâce de celle qui lui avait succédé.

Belle, vraiment belle… Elle plaça avec délicatesse un demi-morceau de sucre dans sa propre tasse et la région située au sud de la ceinture d'Eli commença à s'émouvoir quand elle se pencha pour ranger le sucrier et que sa jupe bleu marine se tendit un instant sur son aimable postérieur.

Eli cligna les yeux, puis les baissa.

C'est ta patronne, petit. Ta patronne !

Son regard tomba par hasard sur l'imprimante, et la vision dans le panier de sortie d'une feuille où son nom était écrit en gras rafraîchit quelque peu ses ardeurs. La commissaire principale s'était renseignée sur lui et devait tout savoir de son dossier, les bonnes comme les mauvaises choses. Comme les récriminations de ses ex-coéquipiers à son égard, par exemple. Combien en avait-il eu, depuis

Joe Niederhaus ? Chang avait fini, contre toutes les règles et habitudes, par l'autoriser à travailler seul. La patronne avait certainement quelque chose à redire à ce sujet…

Il jeta un coup d'œil discret aux photos encadrées sur le bureau. Il reconnaissait Seth Cartwright, son bras passé autour des épaules d'une jolie blonde qui lui ressemblait. La commissaire posait avec un labrador de la taille d'un poney, au bord d'un lac, puis une troisième photo, plus formelle, la représentait entre son fils et la jolie blonde. Ce cliché intrigua particulièrement Eli, car il n'y avait pas trace d'un homme dans ce tableau de famille. D'ailleurs, la main qui retenait la laisse de ce chien ne portait pas d'alliance. Des photos de famille, certes, mais d'une famille sans père…

Il y avait bien longtemps qu'Eli n'avait pas connu tout cela, non plus que la camaraderie, le travail en équipe et les plaisanteries en commun. Depuis la mort tragique de ses parents, il avait vu Jillian tomber dans la drogue et Holly s'étourdir de travail. Lui… eh bien… Il s'était refermé sur lui-même.

— Eli ?

Il sursauta, comme pris en faute.

— Pardon…

Shauna revint s'asseoir devant lui, assez près pour qu'il puisse sentir son parfum délicat par-dessus l'arôme du café. Il dissimula son trouble en avalant trop rapidement une gorgée qui lui brûla la gorge.

— Vous avez une famille ? lui demanda-t-elle avec un regard plein d'amour en direction de ses photos.

— Deux sœurs. Et vous ?

— Deux enfants. Seth et Sarah. Des jumeaux. Trois, si vous comptez notre chienne Sadie. Mais elle est la seule qui vit encore à la maison.

— Y a-t-il un M. Cartwright ?

— Oui, ou plutôt, il y a eu. Nous avons divorcé.

Bon sang, si le cœur d'Eli avait pu battre un peu moins vite ! C'était sûrement toute cette caféine…

— Je suis désolé.

Les beaux yeux verts le regardèrent par-dessus le rebord de la tasse, jaugeant sa sincérité.

— C'est surtout mon ex-mari qui a lieu de l'être, répliqua-t-elle.

Puis très vite, le beau regard vert se détourna, comme si elle regrettait déjà cette affirmation.

— Mes enfants le sont aussi, à dire vrai. Austin n'était présent dans notre vie que lorsque cela l'arrangeait.

Elle regardait de nouveau les photos, comme plongée dans les souvenirs du passé.

— Il aurait pu être un bon père, s'il n'était pas tant…

Tant quoi ?

Eli ressentait parfaitement l'émotion et le chagrin, dans sa voix. Ou peut-être, aussi bien, se faisait-il une fausse idée de sa vulnérabilité, car lorsqu'elle se retourna vers lui, elle était redevenue une femme de fer et il y avait quelque chose de professionnel jusque dans son sourire.

— Mais nous avons à discuter de choses bien plus importantes, Eli. Vous permettez que je vous appelle Eli ?

— En privé, tout au moins…

Cette réponse ironique était partie toute seule. Mais au lieu de le remettre sèchement à sa place, la commissaire principale éclata de rire.

— Touché !

Il se tenait bien droit contre le dossier capitonné, prêt à se défendre dans ce qu'il prévoyait être l'un des pires moments de sa vie professionnelle et le couronnement de cette journée pourrie. Mieux valait prendre le taureau par les cornes.

— Bien, pourquoi suis-je ici ? Je crois me rappeler que vous m'avez dit avoir besoin de moi.

— J'aime qu'un homme soit direct.

— Je ne déteste pas qu'une femme le soit aussi.

Shauna posa sa tasse de café et prit une chemise cartonnée sur son bureau.

— Eh bien… je viens de demander au capitaine Chang d'effacer votre nom de tous les rapports sur ce qui s'est passé hier. A partir de maintenant, si quelqu'un pose la question, nous répondrons que l'enquête est en cours et nous rejetterons la responsabilité des tirs mortels sur le vigile ou bien sur moi.

Les yeux d'Eli s'étrécirent. Il n'était pas content.

— Je n'ai rien à me reprocher, dit-il, glacial. Le tir qui a neutralisé l'homme à imperméable était parfaitement réussi. Mon rapport le dira sans équivoque.

— Il était même sensationnel ! Richard Powell était sur liste noire depuis longtemps…

Elle fit de nouveau le tour du bureau.

— C'est pourquoi vous pouvez oublier votre rapport. J'ai besoin de vous, mais pas pour ce genre d'écritures. Donc, et pour tout le monde en dehors de vous et moi, vous n'étiez pas dans le hall de cette banque, hier matin.

Elle se rassit, parut réfléchir un instant, mais il n'y avait aucune hésitation dans ses yeux lorsqu'elle les releva vers lui.

— Ce que je vais vous demander ne va pas être facile. Et ça ne vous rendra pas populaire auprès de vos collègues.

Elle eut un petit rire bref puis, du menton, elle désigna le dossier sur son bureau.

— Je vous parais redouter le fait d'être impopulaire ?

— Je sais très bien que personne n'a envie de l'être et c'est bien pourquoi j'ai hésité à vous confier cette mission.

Passant outre la compassion qu'elle lui offrait et sans

vouloir reconnaître qu'elle pouvait avoir raison, il se pencha vers le bureau.

— Bon, patronne, lui dit-il. Que voulez-vous que je fasse, au juste ?

— Connaissez-vous bien le dossier du meurtre de Baby Jane Doe ?

— Je vis à Kansas City, je suis flic. Alors oui, forcément.

Soulagé de pouvoir à présent penser à autre chose qu'à l'attirance de plus en plus forte que, bien malgré lui, il ressentait pour Shauna Cartwright, il se laissa aller contre le dossier de son fauteuil.

— Une très jeune fille noire assassinée, presque une adolescente. J'ai entendu des collègues raconter les détails au vestiaire. Le corps retrouvé séparé de la tête. A l'autopsie, on n'a pas décelé de trace d'abus sexuels sur elle. On n'a pas pu non plus l'identifier par ses empreintes digitales ou par un dossier dentaire. J'ai lu la presse de l'époque, aussi. Je me souviens que les gens ont enfermé leurs enfants et qu'il y avait toute une campagne d'accusations contre la police, parce qu'on n'arrivait pas à trouver l'assassin, et enfin, je sais que l'instruction du procès de Donnell Gibbs, le tueur présumé, a été menée tambour battant.

— Ma première priorité, lorsque j'ai pris la suite d'Edward Brent, a été de rouvrir l'enquête et de la confier à une très bonne équipe d'enquêteurs, sous la direction de Mitch Taylor. C'était d'ailleurs l'idée du commissaire Brent, avant sa première attaque. Il fallait à tout prix éviter qu'il y ait des lynchages ou que certains de nos concitoyens forment des milices… J'ai tout organisé comme il l'avait prévu et c'est ainsi que nous avons pu arrêter Donnell Gibbs.

— A présent, les esprits se sont apaisés, le tueur va être jugé et nous autres, au KCPD, sommes tous redevenus des héros populaires…

— J'ai décidé de faire rouvrir l'enquête.

Eli resta un moment bouche bée.

— Rouvrir l'enquête ? dit-il enfin, hébété. Mais ce n'est pas possible…

L'inculpation de Gibbs avait ramené le calme dans la ville et fait un peu retomber la pression qui avait accablé la police pendant pas loin de deux ans. On pouvait presque entendre le soupir de soulagement poussé par tout Kansas City.

— Shauna, vous ne pouvez pas…

— Je vais rouvrir le dossier et j'ai besoin d'un homme comme vous pour cela.

Elle poussa la chemise de carton vers lui, lui offrant le job le plus impopulaire qu'on ait connu de mémoire d'habitant de Kansas City.

3

Derrière ses lunettes de lecture, Shauna regarda Eli mettre de côté des lettres placées sous les enveloppes transparentes de mise sous scellés. Ses longs doigts les rangèrent en un petit tas sur le bureau, avant de refermer la pochette qui les avait contenues.

— Il va me falloir l'autorisation de rouvrir les scellés, lui dit-il. Je voudrais savoir qui a envoyé ces lettres anonymes.

Elle acquiesça et lui passa également la transcription des e-mails qu'elle avait reçus. Il y avait de tout là-dedans, depuis la simple expression de condoléances pour Baby Jane jusqu'à la liste exhaustive des erreurs que l'expéditeur accusait le KCPD d'avoir commises depuis deux ans. Cette dernière n'était signée que d'un cérémonieux « Bien à Vous ».

— Celui-là pourrait bien nous conduire à une piste, fit observer Shauna. Mais si je rouvre le dossier, c'est surtout que je voudrais connaître enfin le nom de cette jeune fille.

Eli reposa les copies d'e-mail qu'il lisait et laissa tomber :

— Demandez-le à Donnell Gibbs.

— Il va dire qu'il l'ignore.

— Il mentira.

— Je ne crois pas.

— Pourquoi cela ?

Le regard d'Eli, qui semblait la mettre au défi de le lui démontrer, brillait dans l'ombre qui montait dans la pièce avec le crépuscule. Ces yeux-là devaient convaincre n'importe quel suspect de se montrer un peu plus coopératif… Un certain air cynique, dans son expression, le faisait paraître plus âgé qu'il n'était en réalité. Un sourire, même mêlé de dédain ou d'ironie, pourrait-il jamais adoucir ce beau mais sévère visage ?

D'un autre côté, il ne servait visiblement à rien de s'attendrir sur son statut de loup solitaire, ni de se laisser fasciner par sa haute et élégante silhouette ou sa voix de baryton bien timbré. D'autant plus qu'un autre homme, quelque part dans la ville, beaucoup plus mystérieux et infiniment plus dangereux, réclamait toute son attention.

— Il est possible que je sois la seule personne dans tout Kansas City à être de cet avis, commença-t-elle, mais je ne crois pas que Donnell Gibbs ait tué cette fille.

Shauna retira ses lunettes, alluma sa lampe de bureau et régla l'intensité des plafonniers pour adoucir l'ambiance de la pièce.

— Bien sûr, il a avoué le meurtre. Mais c'est un délinquant sexuel, connu de longue date pour cela, et nous savons que Baby Jane n'a subi aucun assaut de ce genre.

Elle se leva et Eli l'imita, resserrant machinalement son nœud de cravate et reboutonnant son veston.

— Il a pu être interrompu avant de pouvoir le faire, hasarda-t-il, ou bien la victime criait trop fort et il a été obligé de la faire taire pour ne pas être repéré…

— Elle était plus jeune que la plupart de ses autres victimes, fit remarquer Shauna.

— Il a peut-être eu un besoin désespéré de satisfaire ses pulsions, mais réalisant qu'elle n'était pas tout à fait conforme à ses goûts habituels, il l'aura assassinée par dépit.

Shauna croisa les bras, le menton levé.

— Vous semblez avoir toujours réponse à tout.

— Je ne fais que pointer ce que ne manquera pas de soulever l'accusation. Et vous devez savoir que chaque flic, dans cette ville, va se mettre à hurler si vous rouvrez le dossier. Il y a aussi autre chose… Vous auriez dû signaler ce dingue de « Bien à Vous » dès le début, avant en tout cas qu'il en vienne à…

Il feuilleta les transcriptions d'e-mails pour trouver celle qu'il cherchait.

> « Nos enfants ne sont pas en sécurité. Si vos policiers ne font pas leur travail, madame Cartwright, alors je le ferai pour eux. »

Shauna haussa les épaules et débarrassa leurs deux tasses.

— Vous n'avez pas idée du nombre de courriers aigres-doux qui arrivent sur mon bureau tous les jours. Nous tâchons d'y répondre, mais on ne peut pas donner satisfaction à tous les citoyens qui ne sont pas d'accord avec ce que nous faisons. Et se plaindre de l'inefficacité de la police n'est pas non plus un crime…

— Sauf que là, objecta Eli, ce n'est pas une plainte, ce sont des menaces.

— Là encore, j'ai vu bien pire…

Shauna se tenait assez près de lui pour sentir son odeur virile, mais elle devait se démancher le cou pour le regarder dans les yeux. Bon sang, qu'il était grand ! Peut-être pas tout à fait assez pour être basketteur, mais sa silhouette élancée aux larges épaules n'en était pas moins impressionnante.

— Comme quoi, par exemple ? rétorqua-t-il.

Shauna savait que ce n'était pas tant les propos de « Bien à Vous » qui mettaient Masterson sur la défensive que sa décision de rouvrir l'enquête. Donnell Gibbs n'était un coupable probable ni pour la policière ni pour la mère qu'elle était, mais c'était quelque chose qu'il n'était pas facile de faire comprendre — et pourtant il le fallait…

— Qu'importe. D'après les statistiques, les prédateurs sexuels connaissent presque toujours leurs victimes. Gibbs, lui, l'a rencontrée par hasard, dans un parc. Or, il n'avait jamais attaqué une inconnue auparavant.

— C'est vrai qu'il y a des failles dans ce qu'il raconte, concéda Eli en la suivant vers la kitchenette. Il y a aussi deux arrestations pour détention de drogue, dans son dossier. C'est peut-être à cela qu'est lié le meurtre et non à un problème sexuel. De plus, on a retrouvé son ADN sur les vêtements de Baby Jane…

— Sur les vêtements, mais pas sur le corps.

Shauna déposa les tasses dans l'évier et frissonna lorsque la main d'Eli effleura par mégarde la sienne.

Allons bon…

Elle n'était plus une jeune fille innocente. Ses enfants étaient grands. Elle avait aussi, incidemment, la police de toute une ville sous ses ordres. Elle aurait dû ne plus être aussi sensible au contact d'un homme à cette époque de sa vie. De la chair de poule sur son bras, à présent… c'était ridicule !

Sa hanche appuyée contre le plan de travail, Eli lui demanda :

— Et avec ça, vous voulez vraiment rouvrir la boîte de Pandore ?

Malgré sa posture nonchalante, il fallait toujours qu'elle lève la tête pour le regarder dans les yeux.

— Je voudrais être sûre que nous jugeons bien le vrai coupable. Eviter de donner à cette ville un faux sentiment de sécurité.

Eli mit ses mains sur ses hanches, ce qui eut pour effet d'écarter les pans de son veston et d'exposer son torse, avec lequel il l'avait protégée des balles. Il semblait produire plus de chaleur, ce torse, que tous les radiateurs de la pièce. Mais bien sûr, il n'en avait pas conscience…

— Le meurtre de cette jeune fille a fait les gros titres de toute la presse durant plus d'un an. Il a fallu que Gibbs soit arrêté pour que les gens se mettent à revivre à peu près comme avant. Les hommes et les femmes sous vos ordres vous en savent gré, ils ont enfin pu respirer, eux aussi. Vous, vous allez faire déverser des torrents de boue sur eux, de nouveau, si vous dites à nos concitoyens qu'ils se sont trompés.

Shauna s'éloigna un peu de lui, bien qu'au contraire elle ait envie de se rapprocher de sa chaleur. Elle avait même un peu froid, mais elle savait que c'était l'effet de la tension à laquelle elle était soumise. Un bain chaud et une nuit de sommeil lui rendraient toute son énergie. Elle retrouverait aussi son courage, dopée par la certitude qu'on ne passait pas vingt-cinq ans dans la police, avec un zèle qu'un mariage brisé n'avait fait qu'accroître, sans développer un peu d'instinct.

— Je peux faire face aux critiques, Eli, lui répondit-elle calmement, cela fait partie du boulot, mais…

Parvenue au centre de la pièce, elle se retourna pour le regarder en face.

— … je ne peux pas vivre avec l'idée que nous avons peut-être fait arrêter un innocent. Je crains qu'au bout de deux ans de recherches, avec la peur et la pression, nous n'ayons pas procédé à cette arrestation avec autant d'impartialité qu'il l'aurait fallu. Je peux expliquer une erreur à la presse et au public en soutenant à cent pour cent ceux de mes gens qui l'ont commise, mais si l'un ou l'une d'entre eux a déformé les faits ou forcé Gibbs à avouer, alors il faut que je le sache.

Elle resta silencieuse un instant, puis ajouta en soupirant :

— Et il faut avant tout identifier cette jeune fille.

D'un coup de menton, Eli désigna les messages anonymes.

— A mon avis, vous devriez vous inquiéter de cette littérature plutôt que de penser à faire sortir Gibbs de prison.

En retenant son souffle, Shauna vit, sur le visage d'Eli,

s'inscrire clairement le combat qui se livrait en lui. Il évaluait la difficulté d'une telle enquête, songeait à l'hostilité inévitable de ses collègues. Voilà, il allait parler…

— Et si je refuse ?

— Cela n'a rien d'un ordre…

— Je vois.

En quelques pas, il réduisit la distance entre eux.

— En somme, vous êtes allée voir Chang pour lui demander quelle était la pire tête brûlée de l'Inspection des Services et il vous a donné mon nom ?

— Je lui ai demandé qui était son meilleur enquêteur. Pour la pire tête brûlée, j'avais déjà ma petite idée…

Un coin des lèvres d'Eli se souleva un peu.

— Et vous attendez de moi que je prenne en charge, tout seul, l'honneur du KCPD et le ressentiment de toute une ville ?

— Moi aussi, je travaillerai sur l'enquête.

Un instant amusé, il balaya cette affirmation bien vite.

— Vous êtes une administratrice, un chef.

Shauna n'aima pas beaucoup se voir écartée ainsi. Tirant une clé de sa poche, elle ouvrit un tiroir de son bureau et y enfouit le dossier.

— Je ne l'ai pas toujours été. J'ai d'abord été un flic. Je crois connaître le métier.

— Pas celui-là. Les enquêtes de l'Inspection des Services, c'est très particulier…

Il se leva et se pencha au-dessus du bureau.

— Vous êtes seul, vous menez votre affaire sans aide et vous vous faites beaucoup d'ennemis… alors même que vous avez besoin de la loyauté de tous, pour être efficace.

— J'ai des ennemis, croyez-le bien. Si vous vous imaginez que l'on arrive où je suis sans en avoir…

Elle se tut, soudain consciente d'en avoir un peu trop dit. Elle serra les poings et passa à la contre-offensive.

— Ecoutez, je peux vous faciliter les choses au maximum, plus que n'importe qui. Je peux vous faire entrer discrètement en contact avec l'attorney général aussi bien qu'avec l'avocat de Gibbs. Mais comme vous l'avez souligné, je dois mettre en balance le moral du KCPD avec les besoins de l'enquête. C'est pourquoi je ne puis poser les questions moi-même, surtout à l'intérieur du département. Me répondrait-on honnêtement, d'ailleurs ? Il me faut quelqu'un qui absorbe le choc frontal à ma place. Moi, je dois rester en coulisse.

— Quelqu'un qui a l'habitude de travailler en cavalier seul et que l'on n'associerait pas forcément tout de suite à vous ?

— C'est ça.

Shauna n'avait pas honte de lui révéler pourquoi elle l'avait choisi. C'était la seule tactique qui ait un sens, la seule qui ne risquait pas de plonger la police de Kansas City tout entière dans le chaos. Elle avait besoin d'un flic solide et tenace, qui ne se laisserait pas intimider et garderait la tête froide à travers le maelström que risquait de provoquer la réouverture du dossier du meurtre de Baby Jane Doe.

Cela, c'était le plan, la théorie. En pratique, seule avec lui, presque nez à nez, Shauna sentait son cœur battre de plus en plus vite et son souffle se précipiter. Il y avait en elle comme une étrange douceur et un appel. Un besoin désespéré. La force et la chaleur qui rayonnaient de cet homme semblaient pénétrer en elle et la toucher profondément, se jouant de ses protections et de sa volonté, la faisant se sentir, pour la première fois depuis bien longtemps, protégée et soutenue. Elle n'était plus seule.

Elle s'efforça de chasser le trouble qui l'envahissait pour retrouver cette apparence et ce ton de froid détachement qui étaient ses marques de fabrique.

— Aidez-moi à y parvenir. Je vous le demande.

Eli souffla si puissamment que sa mèche se souleva sur son front.

— Parce que j'ai vraiment le choix ?

Shauna brûlait de l'envie déraisonnable de remettre sa mèche de cheveux en place. Mais ce geste de tendresse pourrait être pris pour une façon de le materner, ce qu'il n'accepterait pas. De toute façon, un tel comportement lui était tout à fait interdit. Elle était le chef de la police.

— Non, vous ne l'avez pas. Nous faisons équipe, à présent.

Et Shauna devrait faire quelque peu machine arrière pour tenir à l'écart son trouble et ses désirs incongrus, restaurer le rapport hiérarchique qui était le seul possible entre eux…

A cet instant, on frappa vigoureusement à la porte, ce qui eut pour effet d'interrompre momentanément à la fois ses bonnes résolutions et ses fantasmes.

— Shauna ?

Michael, son adjoint, tourna plusieurs fois le bouton de porte et sa voix se fit plus pressante :

— Betty est rentrée chez elle. Je sais que tu es là. Est-ce que tout va bien ?

Shauna jeta un œil par la fenêtre. Le soleil plongeait derrière l'horizon, incendiant le ciel. Elle consulta sa montre. Elle était enfermée avec Eli depuis près de trois heures.

— Oh non…, murmura-t-elle.

— Shauna ?

Son adjoint se remit à tambouriner.

— Il est bien nerveux…, marmonna Eli.

Une clé tourna dans la serrure.

— J'entre !

Eli se ramassa sur son siège, l'air prêt à bondir, le regard noir et les mâchoires serrées. Shauna posa aussitôt une main sur son bras, comme pour le retenir, et lança à son adjoint :

— J'arrive !

Mais la porte s'ouvrit en grand et Michael parut sur le seuil. En deux bonds, il fut auprès d'elle et la prit par le bras. Ses yeux étaient assombris par l'inquiétude et la colère.

— Pourquoi tu ne m'as pas répondu ?

— Voyons, Michael, c'est grotesque, je…

— Il n'y a plus personne à l'étage. J'ai vu la lumière dans ton bureau…

Soudain, il découvrit Eli et, par réflexe, vint se placer entre Shauna et lui, comme pour faire un barrage.

— Que fait-il, ici, celui-là ?

Avec un soupir agacé, Shauna libéra sèchement son bras.

— L'inspecteur Masterson et moi sommes en réunion. Nous étions en train de terminer…

Puis, constatant qu'elle avait repris le dessus, elle adopta un ton plus professionnel pour demander :

— Vous vous connaissez ?

— Il est à l'Inspection des Services, répondit Michael. Il y a un problème ?

Sans lui répondre, Shauna se tourna vers Eli.

— Ce sera tout, merci, inspecteur.

D'un regard, elle l'implora de tenir leur conversation secrète. Il ne fallait pas que la rumeur vienne gêner, voire empêcher l'enquête. Par bonheur, elle put lire dans ses yeux bruns pailletés d'or qu'il avait compris et ne parlerait pas. Il hocha brièvement la tête et se dirigea vers la porte.

— Commissaire…, dit-il en guise de bref salut à l'intention de Michael.

Il attendit que celui-ci s'écarte et lança, avant de quitter la pièce :

— Je vous verrai plus tard, patronne.

*
* *

Toute l'énergie que Shauna avait su trouver en elle se dissipa dès qu'elle vit Eli passer dans le couloir et s'éloigner. Il était étrange de constater que la main de Michael sur son bras ne générait pas un centième de la chaleur qui irradiait de l'inspecteur au cours d'une simple conversation.

— Il t'a appelée patronne ? C'est pratiquement de l'insubordination. Tu l'avais convoqué pour lui passer un savon, j'espère ?

Patronne… Shauna réprima un sourire. Au moins, Eli avait parfaitement compris qui dirigeait la boutique. Elle voyait bien que l'inquiétude de Michael était sincère, mais il y avait aussi davantage de volonté d'assurer son pouvoir que de sollicitude, dans le comportement de son adjoint.

Elle alla chercher son sac et son pardessus.

— C'était un rendez-vous personnel, Michael. Je ne peux rien dire de plus à ce sujet. Et toi, la réunion avec les gens de la chambre de commerce ?

— Ça s'est bien passé…

Bien qu'il eût souhaité en savoir plus sur la visite d'Eli, Michael la laissa changer de sujet sans regimber.

— Ils voudraient faire quelque chose pour Baby Jane Doe. Je leur ai suggéré de financer le renouvellement des aires de jeux du parc. Ils pourraient y mettre une plaque à son nom.

Encore faudrait-il le découvrir, ce nom…

— Ecrire Baby Jane Doe sur une plaque ? Drôle de façon de vouloir célébrer son souvenir…

Elle fit signe à Michael de sortir le premier, éteignit les lumières et le suivit sur le seuil, avant de fermer la porte à clé derrière elle.

— J'aimerais que tu continues à être en contact avec eux sous une forme officielle…

— Tu veux te débarrasser de moi, Shauna, protesta-t-il

en lui emboîtant le pas. Tu as reçu d'autres menaces de « Bien à Vous » ?

A part Eli et Betty, qui avait pu apprendre leur existence en ouvrant par mégarde ou par curiosité un de ses e-mails hebdomadaires, Michael était le seul à être au courant des harangues menaçantes de l'individu. Mais ce que Shauna n'avait dit à personne, pas même à Eli Masterson, c'est le tour plus personnel qu'avaient pris récemment ces messages.

— Non, mentit-elle, je n'ai eu aucune nouvelle de lui.

— J'ai bien peur qu'un jour, il ne mette ses menaces à exécution. Je me disais que c'était peut-être pour ça que tu m'avais envoyé à la réunion avec la chambre de commerce, parce que tu n'avais pas envie qu'on te rappelle cette affaire et tout ce qu'elle entraîne…

Shauna pressa le pas, désireuse d'éviter que son adjoint pose de nouveau sa main sur son bras.

— Tu es encore sous le choc de l'affaire de la banque ? s'enquit-il. J'espère que l'Inspection des Services ne t'accuse de rien ?

Malgré son agacement de plus en plus vif, Shauna s'efforça de garder un ton calme et léger.

— Je n'ai subi aucun choc particulier, Michael, ni hier ni aujourd'hui. Je suis seulement fatiguée.

— Pas la peine de t'inviter à dîner, alors ?

Si Michael était très bel homme, un peu à la manière d'un acteur de cinéma, il n'y avait jamais moyen de lui faire comprendre les choses à demi-mot. Il avait certes des connaissances en droit très étendues, bien utiles au département, mais après Austin, Shauna avait définitivement tiré un trait sur les beaux parleurs. Elle l'appréciait cependant, dans le travail comme dans les simples rapports humains, et c'est pourquoi elle décida de le ménager. Elle lui sourit et lui dit gentiment :

— J'ai très mal au crâne, Michael, et je frissonne. Je

crois que le mieux c'est que je rentre et que je me couche, avec un potage et une aspirine.

— C'est le contrecoup d'hier matin, dit-il doctement. Tes nerfs se vengent et te feront souffrir tant que tu ne seras pas parfaitement détendue et que tu n'auras pas laissé tout cela derrière toi.

Derrière elle ? Elle n'en avait ni l'envie ni le droit.

— On m'a dit que le plus âgé des deux vigiles était encore dans un état critique. Je ne pourrai rien oublier tant qu'ils ne seront pas tous les deux hors de danger et tant que je n'aurai pas trouvé un motif aux actions de Richard Powell…

— Il avait déjà un pedigree chargé, mais la Criminelle travaille toujours dessus. Je leur ai demandé de nous adresser un compte rendu quotidien.

— Bien. D'autres résultats sur les identifications ?

— Le type en sweat-shirt s'appelait Charlie Melito. C'était un truand à la petite semaine qui se faisait engager au coup par coup. S'ils avaient réussi celui-ci, cela aurait été son premier succès…

— Ça aura été son dernier échec, remarqua sobrement Shauna.

Comme ils passaient devant la galerie de portraits des anciens commissaires principaux, leur regard fixe donna à Shauna le sentiment d'être observée. Elle tâcha de chasser ce sentiment contre lequel elle ne pouvait rien et de se concentrer sur ce qui était en son pouvoir. Sur son travail.

— Et le banquier complice ?

— Il s'appelait Victor Goldsmith. Nous ignorons encore quels étaient exactement ses liens avec Richard Powell.

— Powell a fait allusion à des ordres reçus. Si nous pouvions savoir de qui il les tenait, nous pourrions sans doute en déduire le reste…

Et entre autres si, derrière ses lunettes miroirs, il l'avait visée elle, particulièrement, ou si elle s'était seulement trouvée au mauvais endroit au mauvais moment.

— Tu m'informes dès que tu as des éléments, bien sûr ?

— Oui, madame la commissaire. Je ne laisserai pas cette affaire comme une tache sur les glorieux états de service de la KCPD, répondit-il avec un petit sourire.

Des motifs dissimulés. Des menaces anonymes. Des soupirants qu'on aimerait bien voir rester à leur place… Rien d'étonnant si Shauna était un peu trop sensible à tout ce qui se passait autour d'elle. Une sorte de pressentiment lui fit ralentir le pas quand ils atteignirent le palier. Le fait qu'on n'y rencontre personne n'avait rien de très étonnant à cette heure, mais elle avait néanmoins l'impression persistante qu'il se passait quelque chose d'anormal. L'agent de service au comptoir d'information aurait dû lever la tête pour la saluer, d'autant plus qu'elle était la dernière à partir. S'était-il absenté pour accompagner au parking Betty, qui avait pu le lui demander ? Shauna ne put s'empêcher d'interroger Michael.

— C'est toi qui as permis à l'agent Tennant de quitter son poste ?

— Non, justement. Il n'était déjà pas là quand je suis monté. Pourquoi crois-tu que je me suis inquiété ? Je te croyais toute seule.

Ce n'était pas l'idée d'être restée seule qui gênait Shauna, mais bien plutôt celle d'être observée pendant qu'elle l'était.

Et ces bruits, là, dans l'escalier, n'existaient probablement que dans son imagination, à moins qu'ils ne s'expliquent par une raison toute naturelle ; une souris ou quoi que ce soit de ce genre.

Mais elle n'en croyait rien. Elle se tourna vers la porte.

— Qu'est-ce que c'est que ce bruit ?

Michael la regarda, l'air perplexe.

— Quel bruit ? Où vas-tu ?

Elle ouvrit la porte et passa la tête dans la cage d'escalier. Rien. Rien que le grincement des gonds et personne du haut jusqu'en bas.

— Shauna ?

L'escalier sentait la poussière et le désinfectant. Rien que de très banal, en somme. Mais elle ne parvenait pas à se persuader que ses sens la trahissaient.

Elle referma la porte et se tourna vers Michael.

— Tu n'as vu personne, toi, n'est-ce pas ?

— Non…

Gagné par sa nervosité, il fureta autour de lui.

— Non, personne. A part ton petit copain Masterson…

Il lui mit la main dans le dos, geste qui se voulait peut-être rassurant mais qui ne fit qu'aggraver sa tension intérieure.

— … Que nous n'avons pas vu quitter l'étage, soit dit en passant…

Shauna balaya cette remarque, tout en se maudissant pour sa paranoïa. Elle n'avait rien à craindre d'Eli et le savait.

— Crois-moi, ce n'est pas le genre à se cacher dans l'ombre. S'il a quelque chose à te dire, il te le dira en face… C'était sans doute un bruit qui montait des étages inférieurs.

— Tu es sûre que tout va bien ? Je te trouve bizarre…

Le numéro d'étage s'alluma au-dessus des portes de l'ascenseur, qui s'ouvrirent. Shauna s'engouffra à l'intérieur et appuya sur le bouton du parking.

— Je suis épuisée, voilà tout. J'ai eu des réunions toute la journée. Ça ira mieux quand je serai rentrée à la maison et que je pourrai enfin me détendre.

— Laisse-moi te raccompagner.

— Non, Michael, merci.

Elle toucha son bras pour atténuer son refus. Elle était fatiguée de devoir manœuvrer pour rester derrière la ligne rouge qui délimitait la frontière entre l'amitié et… le reste.

— J'ai juste besoin d'un peu de repos, ça va aller.

— Tu en es sûre ?

— Mais oui. Merci de t'en préoccuper.

— Bon, d'accord.

Il sourit et ses traits volontaires s'adoucirent.

— Mais je te ramène quand même à ta voiture…

Shauna rit de son entêtement et acquiesça. Après tout, mieux valait un brin de compagnie que pas du tout.

Parce que, malgré toutes les explications rationnelles, elle savait qu'elle n'avait pas inventé ces pas dans l'escalier, derrière la porte…

Holly Masterson vida son verre de thé glacé et fit signe à la serveuse qu'elle en voulait un autre.

— Donc, on passe directement de « comment vas-tu ? » à « parlons un peu de cette vieille autopsie » ? demanda-t-elle. Je pensais qu'on parlerait d'autre chose que de boutique, mais sans doute es-tu à court de sujets…

Eli dut scruter quelques instants le visage de sa sœur et ses yeux noisette pour savoir si elle plaisantait ou si elle lui reprochait réellement son manque de conversation. Sans doute un peu les deux.

— Désolé, Holly. Comment vas-tu ?

— Pas mal. Je me suis remise à courir et à faire de la gym.

Cela, il l'avait deviné, à voir la façon dont ses vêtements tombaient impeccablement sur ses formes.

— C'est pas mal, cela me sort un peu du labo…

— Comment te sens-tu, depuis que Jilly est passée au tribunal ?

— Pourquoi crois-tu que j'ai besoin de sortir du labo ?

Le sourire de Holly s'effaça et de petits plis amers marquèrent le coin de sa bouche.

— Toi, je suppose que tu gardes tout ça bien à l'intérieur, sans laisser la moindre émotion t'échapper, n'est-ce pas ?

— Est-ce que l'habitude de te payer ma tête est la seule chose que tu aies conservée de notre enfance ?

Holly se mit à rire et pendant une seconde, ils redevinrent des gamins, comme avant la mort de leurs parents dans un accident d'avion, avant les errances de leur petite sœur et tous leurs efforts pour préserver l'entente et l'affection qu'il y avait toujours eue entre eux.

— Non, grand frère. J'ai retenu tes leçons. Tu m'as appris comment calmer les garçons quand ils me serrent d'un peu trop près. Non pas qu'ils soient très nombreux à le faire, d'ailleurs... Et je sais aussi que tu seras toujours là si j'ai besoin de toi.

Embarrassé, Eli baissa les yeux sur son verre de bière.

— ... Je ne suis pas bien sûr d'avoir été là pour beaucoup de monde, ces derniers temps.

Holly secoua la tête. Ses cheveux, courts et très noirs, bougèrent à peine.

— Non ? Pourtant qui a déclaré assumer la garde de ses sœurs pour que nous puissions rester ensemble ? Qui a dit ce qu'il fallait, la première fois que Jillian a fait des bêtises ?

— Pour ce que ça a eu comme effet...

— Qui s'est mis à travailler, alors qu'il était toujours à l'école, pour que nous puissions garder la maison ?

— Nous avons tous travaillé...

— Qui a pris les choses en main, quand Jillian a été arrêtée ? Qui a témoigné pour elle au procès ?

— Toi aussi, tu l'as fait...

— Et combien de fois as-tu appelé la clinique pour savoir comment se passait sa désintoxication ?

— Elle ne peut pas recevoir de coups de fil pendant deux semaines, ça fait partie du programme, tu le sais bien.

Holly balaya l'argument d'un geste.

— Alors combien de fois as-tu mis la main sur le téléphone en mourant d'envie d'appeler Jillian ?

Ce fut au tour d'Eli de secouer la tête, avec un sourire un peu gêné.

— Quelle intuition, docteur ! Et toi, combien de fois ?

Le sourire de Holly s'élargit.

— Autant que toi !

Un peu de la tension qu'il ressentait se dissipa. Il soupira.

— Quand allons-nous cesser de nous inquiéter pour elle ?

— Jamais. On ne cesse jamais de s'inquiéter pour ceux qu'on aime…

Eli étendit son bras pour toucher la main de sa sœur.

— Je me reproche de n'avoir pas assez fait attention à toi, tous ces temps-ci.

Elle pressa la sienne.

— Nous sommes des adultes. Nous avons des boulots exigeants qui nous prennent beaucoup de temps et d'énergie. Nous avons nos vies et voilà tout.

— Je ne voudrais pas que tu croies… Tu comprends ?

— Que Jillian est la seule sœur dont tu t'occupes ? Tu m'as invitée à dîner ce soir, non ? Tu vas régler l'addition, j'espère ?

— Je te devais bien ça, de passer un peu de temps avec toi…

Holly le regarda un instant en silence.

— Tu ne peux toujours pas le dire, n'est-ce pas, même à ta sœur ?

Il aurait pu feindre d'ignorer de quoi elle voulait parler, jouer l'étonnement…

— Eh bien, je te le dis, moi, que je t'aime. Tu es notre grand frère et tes actions ont toujours montré à quel point tu tenais à nous. Si Jillian avait toute sa tête, elle le verrait bien, elle aussi.

Holly se mit à jouer avec la buée, sur son verre.

— Seulement, vois-tu, reprit-elle, je crois que dire aux gens qu'on les aime est aussi important pour eux que pour nous. Il faut pouvoir le dire, le croire, le penser, en prendre toute la responsabilité.

— Tu es bien sûre que tu es technicienne en identification criminelle ? Pas psychiatre ?

Sa sœur sourit un peu tristement en le voyant refuser de s'ouvrir à ses propres émotions. La serveuse s'approchait avec leurs commandes. Holly leva les yeux au ciel.

— Bon, que veux-tu savoir sur Baby Jane Doe ?

4

Shauna s'avançait sur le ciment du parking de l'hôpital St Luke, s'assurant que le bruit de ses pas était bien le seul audible alentour.

Une deuxième journée de réunion, qui s'était terminée par une visite d'après dîner aux deux vigiles blessés et à leurs familles, avait laissé son esprit en tumulte, plein de questions sans réponse, et son corps épuisé. Si le sol du parking n'avait été taché çà et là d'huile de moteur et de vieux chewing-gums, elle aurait volontiers enlevé ses talons pour marcher pieds nus jusqu'à sa voiture.

Pourtant, elle aimait bien porter de jolies chaussures à la ville. Mais après toutes ces années dans la police, les journées lui paraissaient de plus en plus longues — à moins que ce ne soit le poids des responsabilités qui s'ajoutaient à chaque promotion — et elle soupirait après un bain chaud, un massage des pieds et quelques jeux tranquilles sur le tapis avec sa chienne Sadie, pour évacuer le stress accumulé.

Ses hautes responsabilités impliquaient cependant qu'elle se rende au chevet du jeune vigile blessé au visage et écoute le père de celui-ci lui demander pourquoi son fils avait été touché et si justice allait être bientôt faite. Elles impliquaient aussi qu'elle sache qui avait eu si peu de respect pour la vie d'une petite jeune fille qu'il avait abandonné son cadavre près d'une benne à ordures, et qu'elle s'inquiète pour les femmes et les enfants de Kansas

City, qui n'étaient plus en sécurité parce que le véritable tueur était toujours dans la nature.

Un tueur qui semblait défier Shauna et lui imposer la lutte sur son propre terrain. Or, si elle ne le battait pas, le prix à payer serait terrible.

C'était décidément un jour de souffrance, aussi bien physique que morale, le genre de journée où elle se demandait si Edward Brent avait bien toute sa tête quand il avait rédigé cette note la recommandant pour lui succéder à son poste. C'était après sa première crise cardiaque, quand il pouvait encore écrire, et avant les suivantes, qui l'avaient rendu incapable de continuer à exercer ses fonctions et l'avait propulsée, elle, à sa place. En deux ans, elle avait grimpé plusieurs échelons dans la hiérarchie de la police et elle était bien fatiguée.

Mais, comme la fois où son mari avait vidé leur compte en banque pour une énième « affaire du siècle » et qu'elle avait été obligée de vendre leur maison, il n'y avait rien d'autre à faire que relever la tête et avancer. Ses propres aspirations ne pesaient pas lourd à côté de ses responsabilités professionnelles. Elle avait élevé ses enfants et les avait nourris. Aujourd'hui, c'était une ville entière qu'elle devait protéger. Des pieds fourbus, un estomac vide ou un crâne douloureux ne l'empêcheraient pas de faire son devoir.

Elle se figea en entendant les pneus d'une voiture crisser. Il roulait bien vite, celui-là… D'instinct, elle se rapprocha d'un pilier. Le chauffeur se ruait-il vers la sortie ? Non, il semblait plutôt se rapprocher d'elle, en bondissant sur les ralentisseurs, sans souci pour sa suspension.

Haletante, elle se plaqua contre le pilier, avec une angoisse grandissante.

La voiture était à l'étage en dessous, à présent, et ne ralentissait pas. Elle s'engouffrait sur la rampe d'accès à toute vitesse, en faisant hurler ses pneus. Shauna vit une aile bleue apparaître et n'eut que le temps de plonger derrière son pilier pour éviter d'être renversée. Ignorant le ciment qui lui déchirait les genoux, elle se pelotonna en boule et attendit le choc. Mais le chauffeur de la voiture folle se contenta de frôler le pilier et disparut dans un éclair bleu, sans ralentir ni chercher à savoir s'il l'avait heurtée.

— Espèce de..., cria-t-elle en se remettant sur ses pieds, dans une odeur entêtante d'essence et de caoutchouc brûlé. Crétin ! Imbécile !

Encore toute vibrante d'adrénaline, elle se demanda si cela valait la peine de rechercher le numéro d'immatriculation à partir des deux malheureux chiffres qu'elle avait réussi à lire au passage, sur la plaque. Elle baissa les yeux sur ses genoux écorchés, ses bas lacérés, et jura entre ses dents. Les e-mails qu'elle avait reçus ces derniers jours ne la menaçaient pas de mort. Cela voulait-il dire que leur auteur n'y était pas mêlé ? Elle enrageait de s'être laissé envahir par la peur, avant tout autre sentiment ou questionnement.

On pouvait donc l'intimider...

A moins que je n'aie pas été visée, se dit-elle en traversant d'un pas chancelant l'espace qui la séparait de sa voiture. Le conducteur pouvait être un gamin drogué, un fou ou un désespéré devant à toute vitesse se rendre quelque part — dans un hôpital, par exemple, pour retrouver un être cher. Après tout il n'y avait pas de raison de...

— Shauna !

Elle sursauta et referma la main sur son arme, à sa ceinture. Bon Dieu, oui, elle avait été effrayée.

— Que s'est-il passé ? Ça va ?

Une haute silhouette sortit de l'ombre et s'élança vers elle. De larges épaules, des yeux d'or... Eli Masterson s'avança dans la lumière, lui barrant le passage.

— J'ai le numéro, lui dit-il, mais je n'ai pas eu le temps de voir le chauffeur. Bon sang, mais vous êtes blessée !

Il s'agenouilla à ses pieds.

— Mais relevez-vous ! s'écria-t-elle en s'écroulant malgré elle sur son épaule.

Submergée par l'émotion, à bout de nerfs, elle perdait tout ce qui lui restait de sang-froid.

— Que faites-vous là ? hurla-t-elle. Vous m'espionnez ? Pourquoi n'êtes-vous pas en train de poursuivre ce chauffard ?

Sans s'occuper de ses récriminations, Eli continua d'examiner ses blessures et lui déclara calmement qu'il allait lui falloir de l'eau et du savon, ainsi que deux aspirines pour la douleur qui allait s'ensuivre. Puis il se leva et se recula, tandis qu'elle reprenait tant bien que mal son souffle.

— Je lui ai donné la chasse, lui dit-il, mais si vous croyez que je peux rattraper une voiture à la course, vous vous illusionnez sur mes petits talents...

Puis il prit un morceau de papier qui était coincé sous l'essuie-glace de la Lexus de Shauna et le lui brandit sous le nez.

— Vous ne m'aviez pas dit que les menaces vous étaient adressées à vous, en personne, fit-il remarquer froidement.

Etrangement, ceci eut pour effet de faire retomber aussitôt la peur et la colère de Shauna. Elle lui arracha le papier des mains.

— Non, je ne vous l'ai pas dit.

Elle déplia le message. Il était d'autant plus clair qu'il était écrit en grosses capitales d'imprimerie — elle n'avait pas besoin de mettre ses lunettes.

« MADAME CARTWRIGHT,

« JE VOUS AI DIT QUE VOUS VOUS TROMPIEZ AVEC BABY JANE DOE, MAIS VOUS NE M'AVEZ PAS ÉCOUTÉ. LES GENS QUI FONT DES ERREURS DOIVENT LES PAYER. C'EST VOUS QUE J'AI VUE PARLER DE ÇA À LA TÉLÉVISION, DONC C'EST VOUS LA RESPONSABLE.

« DONNELL GIBBS EST UN IMBÉCILE ET JE VEUX BIEN CROIRE QU'IL SOIT COUPABLE DE TAS DE CHOSES, MAIS PAS DE CE MEURTRE-LÀ. JE VOUS AI DIT QUE JE VEILLERAIS À CE QUE VOUS FASSIEZ CORRECTEMENT VOTRE TRAVAIL.

« TROUVEZ-MOI, SI VOUS LE POUVEZ, AVANT QUE MOI JE VOUS TROUVE.

« BIEN À VOUS. »

Instinctivement, Shauna balaya du regard le parking désert et les voitures en stationnement. Elle scruta même, au-dessus d'elle, les fenêtres de l'hôpital, pour vérifier que personne ne l'observait ou ne la photographiait au téléobjectif.

La voix d'Eli résonna derrière elle.

— Ça fait vingt minutes que je suis là, j'ai bien examiné les environs. Celui qui a laissé ce message était forcément parti avant mon arrivée.

Il lisait dans ses pensées ou plutôt, il lisait ses messages. C'était lui, qui l'observait, ici et maintenant. Shauna replia soigneusement le bout de papier et le glissa dans son sac. Il fallait partir d'ici.

— Ce n'est pas la première fois qu'il vous contacte, n'est-ce pas ?

Shauna ouvrit sa portière, mais une large main la referma.

— N'est-ce pas ?

Elle se retourna et s'appuya contre la carrosserie.

— Vous êtes un spécialiste de l'insubordination, inspecteur ?

— Et vous, de la prise de risque déraisonnable, patronne. Ce type essaie de vous intimider. Mais il aurait pu vous tuer, à l'instant, en vous roulant dessus.

Il était assez près pour qu'elle puisse sentir sa chaleur.

— N'entrez pas dans son jeu, lui dit-il avec conviction. Portez plainte. Signalez-le.

— Il ne me menace pas sérieusement. C'est une façon de parler.

— Ah oui ? C'est pour ça que vous avez sursauté comme si on vous tirait dessus quand je me suis montré, il y a une minute. Vous ne craignez pas pour votre vie, c'est évident.

Elle posa sa main à plat sur la poitrine d'Eli et le força à reculer un peu.

— Ecoutez, lui dit-elle, je vois assez clair dans son jeu. Peut-être qu'il est le véritable tueur de Baby Jane Doe, ou bien un simple cinglé qui essaie de nous faire peur. De toute façon, je ne vais pas me mettre à le pourchasser dans toute la ville, comme il a l'air de le souhaiter. S'il est le meurtrier, je le démontrerai et il sera jugé à la place de Gibbs. S'il ne l'est pas, eh bien, les auteurs de lettres anonymes n'entrent pas dans nos priorités et je m'occuperai de lui une fois que…

— Il s'est chargé lui-même de devenir une priorité, la coupa Eli. Vous ne pouvez pas l'ignorer ou bien il se rappellera à votre bon souvenir. Vous êtes une négociatrice éprouvée, vous savez donc que quelqu'un qui, à tort ou à raison, s'estime lésé par la justice, peut devenir dangereux. Le genre à prendre des otages ou à tirer au hasard dans la rue sur tout ce qui bouge…

Comme pour mieux la convaincre, il lui prit la main. Elle sentait, sous ses doigts, vibrer sa tension intérieure, comme un appel qui résonnait profondément en elle.

— Si ce type a envie de mettre le KCPD sur les dents, en abattre la chef est un excellent moyen d'y parvenir…

L'intensité de ce regard pailleté d'or avait le même effet sur elle que sa voix grave. Une douce chaleur monta en elle, malgré l'air frais de la nuit. Elle pouvait bien frissonner, mais tout en elle n'était que rage et détermination. N'importe quel passant qui aurait traversé le parking à cet instant les aurait pris pour un couple cherchant un peu d'intimité. Ils étaient nez à nez, les yeux dans les yeux, à se toucher…

Au lieu de cela, c'étaient deux volontés farouchement opposées, braquées l'une contre l'autre. Ils ne flirtaient pas ; ils s'affrontaient, plutôt.

Shauna se disait qu'elle n'avait pas à mélanger les genres. Elle n'était pas une femme comme les autres mais une policière, chef des services de sécurité d'une grande ville. Elle devait se souvenir qu'Eli était plus jeune qu'elle et cherchait peut-être à marquer des points.

Elle avait besoin de parler, d'effacer son trouble et d'ignorer cette chaleur en elle, ce besoin de protection qu'elle ressentait quand elle voyait cette grande carcasse qui ne s'embarrassait pas de précautions oratoires.

Elle contre-attaqua.

— Vous croyez que Richard Powell était là pour me tuer, lors de l'attaque de la banque, n'est-ce pas ?

Lui tenir tête demandait de la concentration. Prendre l'ascendant sur lui en demandait plus encore.

— … Je vous remercie de vous soucier de ma sécurité, mais s'il voulait simplement me tirer dessus, pourquoi portait-il lui-même un gilet pare-balles ? Et ce conducteur fou, là, à l'instant, s'il avait voulu me pousser à la faute, me faire sortir mon arme, par exemple, n'aurait-il pas foncé droit sur moi ? Croyez-moi, celui sur qui j'ai eu le plus envie de tirer, ces derniers temps, c'est vous…

Ses propos étaient logiques et le brin d'humour qu'elle y avait ajouté allégea un peu la tension entre eux. Eli esquissa même un sourire.

— Bon, dit-il, si Richard Powell n'est pas « Bien à Vous », ni le chauffeur de cette voiture, nous ne savons toujours pas qui c'est.

— En effet.

Ils ne bougeaient plus, ni l'un ni l'autre.

— Mais il sait parfaitement qui vous êtes, lui, et quelle

voiture vous avez… Il connaît votre itinéraire, ou tout au moins est capable de vous suivre sans être détecté.

— La plupart de mes apparitions sont publiques. Et je vous ai déjà promis de faire attention.

— J'aimerais vous croire capable de tenir ce genre de promesses…

Cette voix chaude et profonde, presque murmurée, court-circuitait toutes les bonnes résolutions que Shauna pouvait prendre. Pendant quelques précieuses secondes, elle ne fut plus une commissaire principale, une policière ni même une mère, mais rien… qu'une femme. Son sang pulsait dans ses veines et elle se sentait féminine, vulnérable, en grand besoin d'être aimée, choyée, protégée. Quand, de son pouce, Eli essuya délicatement une larme qu'elle avait laissée couler par mégarde, ce fut comme malgré elle : elle se pencha pour mieux accueillir sa caresse. Il ouvrit sa main et enfouit ses doigts dans les cheveux de Shauna.

— Non, ça, ce n'est pas possible, dit-elle tout bas.

Elle avait dit les mots qu'il fallait. Mais son corps disait autre chose.

— Je sais.

La voix d'Eli sonnait tout aussi faux que la sienne.

Son autre main vint doucement enserrer son visage, fit plier son cou, lever sa bouche vers la sienne. Il effleura de son pouce la lèvre pleine de Shauna, guettant sa réaction. Elle était en feu, incroyablement, insupportablement en feu. Même au temps de ses plus jolis souvenirs avec Austin, avant les dettes et la honte, elle n'avait pas réagi comme ça. Si vite. Si… complètement. Et pour presque rien, à peine une caresse…

Elle referma la main sur sa poitrine, saisissant à la fois de la soie et du muscle.

Il se pencha.

— Shauna…

De longues années avaient passé depuis qu'elle n'avait pas embrassé un homme avec passion et elle ne s'était pas aperçue, depuis tout ce temps, combien elle voulait être embrassée et caressée avec ce même feu. Jamais, en elle, le désir n'avait rué aussi fort, comme un torrent furieux.

Il respira profondément, cligna les yeux et demanda :

— Qu'est-ce que cet homme vous a dit d'autre ?

Il n'y aurait pas de baiser. La passion, le désir s'éloignaient…

— Rien.

Elle avait la bouche sèche.

Eli arqua un sourcil sombre et interrogateur. Il avait visiblement du mal à le croire.

Subitement, elle eut l'impression que ses mains, sur son visage, étaient davantage un piège qui l'immobilisait qu'une caresse. Elle avala péniblement sa salive, et retrouva un peu de voix pour articuler :

— Seulement qu'il m'avait à l'œil. Et ce n'était que le troisième message personnel en trois semaines.

— Pas plus ?

Shauna se raidit et, les deux mains sur les épaules d'Eli, le repoussa.

— Vous avez une raison particulière pour vous trouver là, à part fourrer votre nez dans mes affaires, inspecteur ?

La mention de son grade fit à Eli l'effet d'une douche froide. Semblant reconnaître que les choses étaient allées un peu trop loin entre eux, il laissa retomber ses bras le long de son corps et recula d'un pas. Le petit air cynique revint dans son œil et au coin de sa bouche.

— Oui, m'dame, j'en ai une…

En regrettant secrètement sa chaleur et celle qu'il savait allumer en elle, Shauna se composa une attitude glaciale et, les bras croisés, attendit son explication.

Il rajusta son nœud de cravate.

— Je voulais vous informer que je suis prêt à commencer mon enquête. J'ai passé la journée à étudier le dossier à charge de Dwight Powers. A ce propos, le district attorney ne semble pas tellement surpris que vous ne croyiez plus à la culpabilité de Gibbs…

— Dwight Powers a plus le sens de la justice que n'importe qui. Et de plus, il a une dette envers moi…

— Bon… Je démarrerai les recherches demain, mais il me faut un accès au dossier personnel de chacun de ceux que je vais interroger, pour vérifier s'il n'y a pas des points sur lesquels ils peuvent être particulièrement vulnérables à des influences extérieures.

— Vous les aurez demain après-midi.

— Je passe les prendre à votre bureau ?

— Si vous voulez.

— Il faudra me soigner ces genoux…

C'était une façon de marquer un intérêt poli, autant qu'un au revoir.

Eli tourna les talons et se dirigea vers sa voiture. Shauna exhala un silencieux soupir de soulagement teinté de regrets, mais à peine avait-elle ouvert sa portière qu'il revenait vers elle.

— Vous n'avez même pas allumé votre mobile pour qu'on puisse vous appeler si nécessaire, lui reprocha-t-il. J'ai dû téléphoner au commissaire Garner pour savoir où vous étiez. Ce n'est pas raisonnable, il faut prendre plus de précautions.

Instantanément, elle se sentit de nouveau prête à la bagarre, malgré la fatigue.

— Tous les membres du comité directeur du KCPD sont au courant des menaces de « Bien à Vous ».

— Et votre sécurité, vous y pensez ?

— Le capitaine Chang ne vous a jamais fait remarquer que vous en prenez à votre aise avec la vie privée des gens ?

Eli montra le pare-brise.

— Le message était juste là, à la vue de tous.

Shauna soupira et secoua la tête.

— Qu'est-ce que je vais faire de vous ?

La question resta suspendue entre eux, chargée de tous les sous-entendus sexuels qui avaient réveillé ses hormones assoupies. Mais Eli était assez malin pour ne pas en rajouter inutilement.

— Laissez-moi faire mon boulot, lui dit-il. Celui de l'Inspection des Services… J'essaierai de rester dans ce cadre et de vous en tenir à l'écart le plus longtemps possible, mais je veux que vous me rapportiez les messages qui vous concernent directement.

— Je ne le ferai pas.

— Il le faut.

— Vous ne pouvez pas me donner d'ordre, vous savez ?

— Peut-être pas, mais je peux au moins exiger de vous un peu de bon sens.

Il passa machinalement la main dans ses cheveux, faisant pointer une mèche rebelle. Shauna dut se retenir de la lui remettre en place.

— Il y a longtemps que je n'ai pas eu de coéquipiers, mais je sais que tout ce qui est un danger pour vous sera un danger pour moi, ainsi que pour l'enquête.

Elle le regarda un instant avant de répliquer :

— Je ne veux pas d'un garde armé pendu à mes basques, ni de restrictions dans mes mouvements. Cela m'empêcherait de faire mon travail. Il y a déjà suffisamment de gens qui me reprochent, implicitement ou pas, d'être une femme. Je ne peux pas montrer le moindre signe de faiblesse, ou bien cela minera complètement mon autorité, tant auprès de la police que des citoyens.

— Je suis sûr pourtant que si un autre flic était menacé, vous lui donneriez le même conseil, argumenta Eli.

— Peut-être bien, mais il n'y a qu'un seul flic chargé de diriger la boutique et c'est moi.

Maintenant, il fallait faire une sortie. Malgré tout son désir de le voir rester encore un peu en sa compagnie, Shauna ne pouvait se permettre, en tant que commissaire principale, de continuer à débattre avec un subordonné.

— Bonsoir.

Elle le remercia sans chaleur quand il lui tint sa portière et affecta de ne pas être touchée par cette marque de galanterie. Il attendit qu'elle eût démarré avant de retourner à son propre véhicule. Un peu plus loin, au deuxième feu rouge auquel elle s'arrêtait, constatant qu'il était toujours derrière elle, elle prit son mobile pour l'appeler.

— Qu'est-ce que vous faites, Eli ?

— Je m'assure que vous rentrez bien chez vous.

— Ce n'est pas du tout la mission dont je vous ai chargé.

— Je ne suis pas en service…

Le feu passa au vert et ils traversèrent la Plaza pour s'engager dans Bush Creek Avenue.

— … Et suivre une jolie femme dans une belle voiture est mon passe-temps favori…

— Vous n'avez pas le droit d'user d'un tel qualificatif. Relisez votre manuel sur les bonnes relations hommes-femmes dans la police.

— Simple constatation, m'dame. Je n'irais pas me risquer à draguer la patronne…

Shauna ne put retenir un sourire. Même sur un ton mêlé de sarcasme, personne n'avait flirté avec elle depuis longtemps. Ou peut-être était-ce l'évident intérêt qu'il prenait à sa sécurité qui finissait par la toucher et la faire se sentir moins effrayée et moins seule.

Mmm… peut-être ferait-elle bien de relire elle aussi le manuel…

— Rentrez chez vous, Eli. « Bien à Vous » n'a jamais

eu le courage de se montrer, jusqu'ici. Il ne va pas en prendre le risque ce soir…

— C'est très possible, au contraire. De menaces à toute la police de Kansas City, il en est venu à vous viser personnellement. Il dit qu'il vous a constamment à l'œil. La prochaine étape, ce sera justement celle du contact réel. Et c'est au moment où vous vous y attendrez le moins qu'il apparaîtra.

Elle frissonna. C'était exactement ce qu'elle n'osait pas s'avouer à elle-même.

— Bon maintenant, raccrochez. Vous êtes en train d'utiliser votre portable au volant et je ne voudrais pas avoir à vous donner un blâme pour cela…

— Faites donc ça…

Elle croyait voir son sourire moqueur… Elle tournait le coin de sa rue et il était toujours derrière elle.

— … Et moi, je me plaindrai sur le registre des réclamations du personnel…

Sarah Cartwright parut sur le seuil de la maison, tandis que Sadie bondissait dans la cour pour accueillir sa maîtresse. Ses mains en avant, Shauna se protégea comme elle put des salissantes démonstrations d'affection du labrador aux grands yeux bruns.

— Oui, ma fifille, oui, ma Sadie… comment va ma fifille ?

Sadie faisait des bonds de joie, trop heureuse de se laisser gratter derrière les oreilles et tapoter les flancs. Puis elle alla examiner de la truffe la Chevrolet noire qui venait de s'arrêter derrière la Lexus de sa maîtresse.

Pour le moment, Shauna ne prêtait pas attention au SUV d'Eli. Elle regardait en souriant les deux autres voitures garées devant chez elle.

— Je suis sûre que je n'ai oublié l'anniversaire de personne, dit-elle. Qu'est-ce que vous faites là, tous les deux ?

Sarah rappelait toujours à Shauna la femme qu'elle avait été vingt ans auparavant, à cause non seulement de sa mince silhouette et de ses cheveux blonds coiffés en queue-de-cheval, mais de ces yeux vifs et de ce sourire qui semblait perpétuellement prêt à embrasser le monde entier. Comme toujours, Shauna se surprit à prier pour que le chemin de sa fille à travers la vie soit plus facile que le sien.

Elle retira ses chaussures sur le perron et, les tenant par les talons, vint embrasser Sarah.

— Tout va bien, ma chérie ?

— C'est plutôt à toi qu'il faut poser cette question. Tu ressembles à un de mes élèves, après la récréation…

Sarah regarda, au-delà du halo de lumière de l'entrée, Sadie faire joyeusement fête à Eli. Cette chienne avait une curieuse façon de garder la maison…

— Qui est-ce ? demanda-t-elle.

Sadie aboya de plaisir tandis qu'Eli ébouriffait son pelage, puis courut rapporter le bâton qu'il lui lançait. Le fait que la chienne ait tout de suite adopté l'inspecteur Masterson ne signifiait rien du tout, car elle aimait tous ceux qui jouaient avec elle ou la caressaient.

— Vous allez avoir des poils partout sur votre costume…, marmonna Shauna.

Eli s'approcha, Sadie sur ses talons espérant qu'il lui relance le bâton, ce qu'il fit bien volontiers.

— Ce n'est pas grave, dit-il en souriant. Nous avions des chiens, quand j'étais enfant. Cela me manque…

Seth vint les rejoindre sur le perron. Il serra sa mère dans ses bras et l'embrassa sur les deux joues.

Shauna lui rendit ses baisers.

— Alors, fit-elle, vous allez me dire ce qui vous amène ?

— Qu'est-ce qu'il fait ici ? s'enquit Seth en lançant un regard mauvais en direction d'Eli.

— Maman a un copain…

Sarah sourit et tendit la main à Eli.

— Sarah Cartwright.

— Eli Masterson. Très heureux, mademoiselle.

Tiens, songea Shauna, *M. Sarcasme est donc capable de sourire aimablement…*

Elle était aussi très intriguée par la réaction de son fils.

— Tu connais l'inspecteur Masterson ? lui demanda-t-elle.

— De réputation.

Seth vint se placer à côté de sa sœur. Plus petit qu'Eli d'une bonne demi-tête, il pouvait être assez impressionnant avec sa musculature d'athlète, s'il le voulait. Alors, pourquoi diable se donnait-il la peine de jouer les gros bras ?

— Vous étiez dans notre salle de repos, hier…

Mais Eli ne se laissait pas facilement intimider.

— Mes conclusions sur le cas de l'inspecteur Banning vous ont plu ? lui répliqua-t-il du tac au tac.

Seth acquiesça à cette question, qui demeura un mystère pour Shauna.

— Banning dit qu'il n'a pas à se plaindre, alors je n'ai rien à ajouter.

C'était une concession mais pas encore un souhait de bienvenue…

— Qu'est-ce qui vous amène chez moi ? reprit Seth.

— Hey, c'est *chez moi*, junior, fit remarquer Shauna en atténuant sa remarque d'un sourire. L'inspecteur est mon invité. J'ai eu une sorte… d'accident sur un parking, et il voulait s'assurer que je rentrais sans encombre.

Tout de suite, l'inquiétude altéra les traits du jeune homme.

— Un accident ? Tu n'as rien ? Et la voiture ?

— Mais oui, tout va bien, répondit-elle en lui pressant brièvement le bras.

Elle se tourna alors vers Eli et lui serra la main, lui

signifiant ainsi, tout en le remerciant, de lever le camp. Mais, décidément, toute forme de contact physique entre eux, même le plus innocent, était une erreur. Cette simple poignée la troubla infiniment. Elle se rappelait avec émotion ces belles et fortes mains encadrant son visage…

Reprends-toi, Shauna ! Se rappelant brusquement où elle se trouvait et qui elle était, elle s'écarta. Ses enfants ne devaient pas se demander pourquoi un membre de l'Inspection des Services l'avait suivie jusqu'à chez elle. Or, à voir la façon dont Sarah regardait la haute, sombre et indéniablement fort séduisante silhouette de son invité, celle-ci se posait déjà des questions…

— Eh bien, dit Shauna à Eli, comme vous voyez, je ne suis pas seule, et tout à fait en sécurité. Merci de m'avoir raccompagnée.

Du regard, elle le suppliait de prendre congé d'une façon purement professionnelle.

— De rien, c'est normal. Madame…

— Bonsoir, inspecteur.

— Bonsoir, patronne…

Shauna ne savait pas si elle devait sourire ou bien se formaliser de cette appellation irrévérencieuse qu'Eli utilisait comme… une forme de complicité entre eux ?

Non, non, pas de ça, ce n'était pas possible. Elle allait devoir lui en parler sérieusement.

Mais il s'éloignait déjà vers sa voiture, la chienne, son éternel bâton entre les dents, le suivant de près.

— Sadie, Sadie ! Ici, ma fille…

Seth siffla pour rappeler l'animal, épargnant à sa mère le ridicule de ne pas être obéie. Le temps que Sadie revienne, à regret, rejoindre ses maîtres, l'inspecteur avait disparu dans la nuit.

Normalement, Shauna aurait dû s'en sentir soulagée. Mais la tension causée par la présence d'Eli fit place à un autre sentiment, celui de se retrouver seule alors que quelqu'un, quelque part dans les environs, était peut-être à l'affût.

— Maman ?

Seulement, elle n'était pas seule…

— Rude journée, dit-elle dans un soupir.

C'était tout ce qu'elle avait trouvé pour effacer cet air soucieux sur le visage de sa fille. Seth, lui, paraissait sombre et renfermé. Shauna passa son bras autour des épaules de ses enfants et ils rentrèrent tous les trois, suivis de Sadie.

Derrière les murs de sa maison en brique Tudor des faubourgs résidentiels de Kansas City, elle pouvait laisser de côté les principes qui régissaient sa vie professionnelle et ne plus être qu'une mère de famille.

— Allez, dit-elle à ses enfants, racontez-moi un peu ce qui vous amène. Si vous rappliquez tous les deux un soir de semaine, c'est qu'il se passe quelque chose.

— J'avais envie d'une réunion de famille, répondit Seth, et comme je n'ai pas encore dîné, je me disais que des restes mitonnés par toi auraient une autre saveur que ceux que peut préparer Sarah.

— Dis donc ! protesta celle-ci.

— Alors elle a bien voulu me retrouver ici, pour qu'on puisse parler tous les trois…

— Une réunion de famille ? D'accord !

Elle les entraîna vers la grande table de la cuisine, où ils partageaient repas et conversation depuis vingt-six ans qu'elle avait le bonheur d'avoir des jumeaux. C'était l'un des rares meubles dont elle ne s'était jamais séparée au cours des turbulences de son mariage avec Austin ; ce coin-repas restait le point central de toute vie sociale chez les Cartwright.

— Installez-vous, leur dit-elle, laissez-moi me changer et nous verrons ce qu'on peut dénicher dans le réfrigérateur.

Deux heures plus tard, c'est dans une ambiance beaucoup plus détendue qu'ils faisaient la vaisselle, Sadie tournant joyeusement autour d'eux.

— Je ne pourrai pas être toujours aussi présent que je le voudrais, à cause de ma nouvelle mission, dit Seth en plaçant la dernière assiette sur l'égouttoir, mais je peux me rendre disponible rapidement, si vous en avez besoin...

Sans doute faisait-il allusion tout à la fois à son accident au parking, à la présence d'Eli chez elle et même, peut-être, aux consignes qu'elle avait édictées en tant que commissaire principale. Elle ne pouvait pas laisser Seth s'installer dans le rôle de l'homme de la famille à la place de son père absent et au détriment de son travail. Elle pressentait que le problème se poserait tôt ou tard et y pensait depuis que son fils était sorti de l'école de police.

— Ne sois pas ridicule ! s'exclama-t-elle avec une conviction qu'en tant que mère elle n'éprouvait peut-être pas. Ni ta sœur ni moi n'avons spécialement besoin de ton aide en ce moment. Le capitaine Taylor t'a choisi pour une mission clandestine, c'est ça ? Il t'a demandé d'infiltrer la pègre ?

— Coop et moi, on était volontaires. On dépend de la Mondaine, maintenant.

Sarah rassembla les torchons et les suspendit à leurs crochets.

— Qu'est-ce que c'est que ça exactement, la Mondaine ? Tu vas courir après les souteneurs et les dealers de drogue ?

— Nous allons opérer dans les casinos, au bord du fleuve, sans que les tauliers sachent que nous sommes des flics.

Shauna se laissa tomber sur une chaise. Sarah n'avait soudain plus l'air d'avoir envie de plaisanter.

— Tu vas jouer, à la roulette ? murmura Shauna.

Elle était bien placée pour connaître les progrès de la criminalité, depuis que ces casinos avaient ouvert leurs portes. Législation des jeux contournée. Chantage, intimidation. Prostitution, blanchiment d'argent sale et même meurtre. Le jeu était un vice qui avait particulièrement affecté leur famille. Il avait détruit son mariage et gravement perturbé la vie de Seth et de Sarah.

— J'ai été engagé comme videur à temps partiel, pour le moment…

Il prit la main de sa mère et s'assit auprès d'elle.

— Tu sais, nous enquêtons surtout sur les connexions possibles avec le marché de la drogue ou la prostitution. Aussi bien, je ne m'approcherai jamais des tables…

Shauna haussa les épaules.

— Je n'ai pas de craintes par rapport à ça.

— Je savais bien que je n'avais pas envie que tu deviennes flic ! dit Sarah qui, impulsivement, vint serrer son frère dans ses bras.

Il la fit s'asseoir sur ses genoux et la serra fort à son tour.

— Tout va bien se passer, lui dit-il. Coop et moi avons été entraînés pour ça. Et puis, les casinos, vous savez que ça me connaît… J'ai dû en arracher papa tellement de fois…

Le cœur de Shauna se serra. Elle se sentait coupable.

— Est-ce ton père qui t'a fait engager ?

— Je ne peux pas entrer dans les détails, maman, tu connais la musique. Moins tu en sauras, et mieux cela vaudra pour Sarah et pour toi.

Il y avait bel et bien autre chose, que Seth ne voulait pas dire et qu'elle ne pouvait effectivement pas lui demander de préciser. Elle ne pouvait même pas appeler Mitch Taylor et lui demander quel danger, exactement, il faisait courir à son fils. Ce serait un grave abus de pouvoir, qui mettrait Seth dans une situation très embarrassante.

Quand ce dernier se prépara à rentrer chez lui, elle le prit à part et lui dit combien elle était fière de lui, et qu'elle lui faisait toute confiance pour mener cette mission à bien.

— Tu vas probablement entendre beaucoup de choses désagréables à mon sujet, lui dit-il, mais tu sais que ça fait partie du jeu.

A la porte, il serra sa mère et sa sœur dans ses bras, et les embrassa tendrement.

— Je passerai vous voir dès que je le pourrai, et rappelez-vous, quoi que vous puissiez entendre : je vous aime, vous trois.

Il incluait Sadie, dont il caressa le museau.

— Faites bien attention à vous, quand je serai parti.

— C'est plutôt nous qui devrions te dire ça !

— Eh bien, dites-le !

Shauna reprit son fils dans ses bras et l'étreignit. Ses yeux étaient un peu humides, mais elle ne pleura pas quand, finalement, elle le laissa partir. Elle ne manquait jamais de rappeler à ses subordonnés, hommes et femmes, qu'ils étaient payés pour risquer leur vie, s'il le fallait. Elle veillait à leur sécurité et prenait toute la responsabilité de leurs actions. Mais cette fois, c'était son propre fils qu'elle devait envoyer au combat…

— Ouvre l'œil et fais bien attention à toi. Sois en permanence sur tes gardes. Je t'aime !

23 heures…

Après le départ de Seth, puis de Sarah, et un dernier petit tour de Sadie au jardin, Shauna ferma la maison, enclencha le système d'alarme et monta à l'étage. Enervée comme elle l'était, il n'était pas question de s'allonger et d'attendre simplement le sommeil. Alors elle mit un CD de musique douce, se fit couler un bain chaud et y versa des huiles essentielles, pour parvenir à se détendre.

Elle avait bien des raisons de se dorloter un peu. La mission clandestine dont on avait chargé son fils pouvait être longue, compliquée et risquée — de quoi donner des cauchemars à n'importe quelle mère. « Bien à Vous » l'avait directement menacée et Masterson l'avait découvert. Le mépris de l'inspecteur pour la chaîne de commandement lui donnait du souci. Soyons honnêtes : le désir qu'il lui inspirait lui en donnait encore davantage. Chaque fois qu'elle le voyait, qu'il lui parlait, qu'il l'effleurait, il l'attirait bien plus qu'il ne l'agaçait. Dans la vapeur d'eau au parfum délicat qui emplissait la salle de bains, elle retira sa robe et ses sous-vêtements avant d'entrer dans la baignoire. Ses genoux à vif se rappelèrent à son souvenir quand elle s'enfonça dans l'eau, mais peu à peu, la chaleur adoucit toutes ses douleurs et Shauna s'autorisa à fermer les yeux et à se relaxer, enfin.

Sa journée n'aurait pas pu être pire…

Elle en riait presque, quand le téléphone se mit à sonner.

Voilà qui venait à point, au moment où elle baissait sa garde et se laissait aller à imaginer avoir la paix.

A la troisième sonnerie, elle se demandait toujours si elle devait ou non décrocher. Que ce soit Eli ou Michael Garner, il n'hésiterait pas à venir sonner à sa porte si elle ne répondait pas… A regret, elle quitta la baignoire pour affronter l'air frais sur sa peau mouillée. Et si c'était à propos de Seth ? Non, il n'était pas parti depuis assez longtemps pour s'être mis en danger. Enfin, elle l'espérait. Elle s'essuya, passa un peignoir de bain et se rua vers sa chambre.

Et si c'était… « lui » ?

Elle fit une pause devant l'appareil et regarda le petit écran numérique. Appel caché, naturellement…

Elle réprima un frisson qui n'avait pas grand-chose à voir avec la fraîcheur de l'air.

Ce ne pouvait pas être « lui ». « Bien à Vous » préférait l'anonymat d'un e-mail ou d'un message déposé sur un pare-brise. Jamais il n'aurait le cran de lui téléphoner…

5

Shauna se serait presque pincée. Etait-ce bien elle qui se retrouvait en chemise de nuit et en peignoir devant sa porte, retenant fermement sa chienne pour l'empêcher de se lancer au-dehors, et discutant âprement avec son ex-mari ?

— Je t'avais demandé de ne plus venir ici !

Sadie chercha à renifler ce visiteur qui n'avait pas l'air d'être le bienvenu. Comme Shauna lui donnait l'ordre de s'asseoir et de rester tranquille, Austin en profita pour faire un pas de plus vers l'entrée.

— Je sais que tu m'as dit d'appeler à ton bureau demain et qu'on regarderait ton agenda, mais ça ne pouvait pas attendre… Tu comprends, si on ne saute pas sur l'opportunité tout de suite, il sera trop tard…

Shauna se sentait l'envie, plutôt que de retenir la chienne, de la lâcher sur Austin en lui disant « Attaque ! », pour faire passer à celui-ci le goût de venir lui raconter des sornettes à cette heure tardive. Mais il lui faudrait ensuite rouvrir la porte pour rappeler Sadie, si entre-temps du moins la chienne ne filait pas dans la nuit. Elle aurait bien mieux fait, au fond, de ne pas ouvrir du tout…

Tout venait de ce que Seth lui avait annoncé, plus tôt dans la soirée. Etant donné les nombreuses connexions que son ex-mari avait avec le monde du jeu, elle avait craint que son appel et sa demande de passer la voir toute affaire cessante ne cachent déjà une mauvaise nouvelle touchant leur fils. Peut-être avait-il dit ou fait quelque chose qui pouvait mettre en danger Seth — en révélant son appartenance à la police, par exemple. Bien que Shauna ait renoncé depuis longtemps à tout sentiment amoureux envers son ex-mari, elle voulait encore croire qu'il restait un bon père et qu'il répondrait présent, si Seth ou Sarah avait besoin de lui.

Mais comme d'habitude, sa visite de ce soir ne servait d'autre intérêt que le sien…

— D'abord, lui dit-elle en martelant chaque mot, je ne suis plus ta chérie, ton cher ange ou quoi que ce soit de ce genre. Ensuite, nous étions convenus qu'à moins d'une urgence concernant nos enfants, nous ne nous parlerions plus que par l'intermédiaire de nos avocats respectifs. Je ne veux pas être désagréable, mais nous avons chacun notre vie, à présent, et la mienne exige quelques heures de sommeil par nuit.

— Dix minutes… donne-moi seulement dix minutes !

— Avec toi, les minutes durent des heures. Bonne nuit !

Retenant toujours la chienne d'une main, elle repoussa la porte. De sa large main, un vrai battoir de boxeur, Austin la retint. Shauna perdit un instant l'équilibre et si le poids de Sadie tirant sur sa laisse ne l'avait retenue, elle se serait effondrée sur la poitrine de son ex-mari.

— Austin ! protesta-t-elle.

La chienne, sentant qu'il se passait quelque chose d'anormal, poussa un bref aboiement d'avertissement. Austin, qui n'avait jamais trop aimé les animaux, même une vraie peluche comme Sadie, recula instinctivement, mais il se garda bien de lâcher la porte. Son visage anguleux arborait toujours, comme plaqué, ce sourire enfantin que Shauna avait autrefois trouvé si séduisant. Elle savait à présent que ce n'était rien d'autre qu'une façade.

— Mais les enfants sont concernés, eux aussi, plaida-t-il. Je sais que je me suis mal conduit envers eux. J'essaie depuis des années de regagner leur respect et leur affection. Ce que je te propose pourrait bien y aider. Tu m'avances l'argent et dans un an, dans six mois, si je fais vraiment des efforts — et je compte bien en faire — je te rembourse intégralement.

— Austin, je ne te donnerai plus d'argent, c'est fini.

— Qui parle de donner ? Je te demande un prêt et une garantie. Tu viens signer à la banque avec moi et dès que ça marchera avec le casino, je rembourserai ce que j'ai pris du prêt pour les études des enfants… Je le leur rends directement, si tu veux. Ils pourront l'utiliser pour les leurs.

Le casino ? Aussi sincères que pouvaient être les yeux bleus de son ex-mari, Shauna avait appris, de la plus dure manière qui soit, qu'il ne fallait en aucun cas croire à ses mirifiques projets. Austin pouvait bien avoir le cœur à la bonne place, son jugement était définitivement altéré par son addiction au jeu. Elle lui avait déjà accordé tellement de « secondes chances » qu'elle devait bien en être à la vingtième… Elle ne se laisserait pas attendrir par ses histoires, ni par la lueur d'espoir dans son regard…

— Depuis quand tu n'es plus allé à une réunion des joueurs compulsifs anonymes ? demanda-t-elle sèchement.

Le sourire enfantin disparut comme par enchantement.

— Ça n'a rien à voir avec le jeu ! C'est un investissement. Il me faut un financement pour démarrer l'affaire.

— Un financement ? Non mais, tu te rends compte de ce que tu dis ?

Sadie aboya de nouveau et s'agita.

— Tu ne pourrais pas faire taire un peu Médor ? grogna Austin. On essaie de discuter, là…

Le ton de sa voix ne dut pas plaire à la chienne, qui aboya de plus belle. Cela tombait à pic…

— On a discuté, répondit Shauna. Maintenant rentre chez toi, ou ma chienne va réveiller tout le quartier…

— Pardon, pardon, ma chérie, je me suis mal exprimé… Quand j'ai parlé de casino, je voulais dire en ouvrir un, pas jouer à la roulette ou au black jack…

— Austin, tu es architecte, enfin, tu l'étais. Qu'est-ce qui te fait croire que tu saurais diriger un casino ?

— Bon sang, je sais tout de même ce que je fais ! gronda-t-il en tapant de son poing fermé sur la porte.

Sadie poussa un aboiement bref et Shauna dut lui fermer la gueule de la main. Elle la sentait gronder sous ses doigts.

— Va-t'en, maintenant, Austin…

— Fichu chien !

Malgré la fraîcheur de la nuit, des gouttes de sueur perlaient sur sa lèvre supérieure.

— Bon Dieu, enchaîna-t-il, presque implorant, je t'offre la possibilité d'être partenaires, de posséder quelque chose, de nouveau. Ça pourrait être une opportunité formidable, pour moi. Celle d'une nouvelle carrière.

Comme si, songea Shauna, il pouvait refaire sa vie au contact même de la passion qui l'avait détruite…

— J'espère pour toi que ça marchera, mais…

— Il y a un problème, patronne ?

La voix grave d'Eli sortait de l'ombre, devant le perron.

Ne l'avait-elle pas renvoyé chez lui aussi, celui-là ?

Personne n'écoutait plus ses ordres ?

Mais pourquoi tremblait-elle de soulagement, alors ?

— Inspecteur Masterson…

Eli monta les marches du perron et Austin se retourna vivement, jouant les maîtres de maison.

— Tu connais ce type ?

Eli entra dans le cercle de lumière de la lampe extérieure.

— Oui, elle me connaît.

Il n'avait plus de cravate et son col était ouvert. La blancheur impeccable du col rond de son T-shirt contrastait avec la barbe dure qui commençait à ombrer sa gorge.

Une autre sensation, bien différente du soulagement, se manifesta au creux de l'estomac de Shauna.

— Oui, il travaille avec moi, dit-elle du bout des lèvres.

Les épaules remontées, Austin faisait face à Eli, qui le dominait de plusieurs centimètres.

— On est très au-delà des heures de bureau et il est un peu tard pour les visites, 'croyez pas ?

— C'est drôle, répondit Eli sans s'émouvoir, j'étais en train de me faire la même réflexion…

— Je suis son mari. Si elle n'a pas de temps pour moi, je vois mal comment elle en aurait pour vous. Alors bougez de là, s'il vous plaît … Elle a besoin de dormir.

Son mari ? Il y avait des années de cela, une éternité, Shauna aurait donné n'importe quoi pour entendre Austin clamer ainsi ses droits sur elle. Mais s'il croyait marquer un point de cette manière, il se trompait. Elle avait assez joué la conciliation et la diplomatie toute la sainte journée, écoutant, apaisant les tensions, s'efforçant de ne heurter aucun de ses interlocuteurs. Elle était fatiguée de ménager la chèvre et le chou. Son corps courbatu, sa patience à bout… et sa chienne, de plus en plus nerveuse, tout plaidait pour une décision égoïste et tranchée.

— C'est moi qui décide pour qui j'ai du temps, lança-t-elle.

La queue de Sadie battait contre son pied nu, lui transmettant son excitation. Shauna entendait accueillir Eli aussi bien que la chienne semblait le souhaiter.

Elle dénoua sa laisse et la chienne bondit au-dehors, déséquilibrant Austin au passage. Comme il lâchait enfin la porte, Shauna prit Eli par le bras et l'attira dans le vestibule. Sadie, qui avait déjà donné sa fidélité à son copain lanceur de bâton, s'engouffra à leur suite en aboyant de joie. Elle galopa le long du couloir jusqu'au seuil de la cuisine, se retournant vers Eli dans l'espoir qu'il la poursuive.

La porte était à présent verrouillée mais elle était vitrée et Shauna pouvait voir l'expression stupéfaite de son ex-mari. Elle actionna l'Interphone.

— Notre mariage a réellement cessé au moins deux ans avant notre divorce, dit-elle dans le micro. Si tu veux me parler affaires, prends rendez-vous avec moi au bureau.

— Allons, chérie, laisse-moi entrer. C'est la dernière faveur que je te demande !

— Et arrête avec tes « chérie ». Il est trop tard.

Austin voulut essayer autre chose.

— Déjeunons ensemble demain. Je t'invite…

— Je veux dire qu'il est trop tard pour ce genre de relations. Je ne peux plus te servir de garde-fou.

— Je fais ça pour les enfants, Shauna. Aide-moi à devenir le père qu'ils méritent.

— Je crois qu'elle vous a tout dit, mon vieux…

Les mains d'Eli se posèrent sur ses épaules. Elle sentait son souffle sur sa nuque et la douce pression de ses doigts semblait faire fondre tous ses nœuds de tension. Elle dut se forcer, jambes tendues, à rester immobile, alors qu'elle ne demandait pas mieux que de se laisser aller contre lui, dans sa chaleur.

— Ah, c'est donc ça, hein ?

Le regard d'Austin allait des mains d'Eli au visage de Shauna, où ses émotions interdites devaient se lire à livre ouvert.

— Tu as finalement trouvé un type qui peut s'accommoder de tes horaires et de toutes tes règles à la noix ?

Il la contempla de la tête aux pieds, avec un air de désapprobation mêlée de regrets.

— C'est à lui que tu donnes ce que tu ne veux plus me donner ?

Quoi donc ? Son argent ? Son corps ? Son soutien inconditionnel ?

Les doigts d'Eli se crispèrent légèrement. Il se pencha à l'oreille de Shauna.

— Je peux le faire partir, si vous voulez. Vous n'avez qu'un mot à dire…

— Bonne nuit, Austin.

Shauna tira le rideau qui obturait la porte vitrée et donna un second tour de verrou, en regrettant de ne pouvoir chasser la honte et le chagrin d'un geste aussi simple.

— Que le diable l'emporte ! murmura-t-elle rageusement.

Même en faisant la part de la frustration d'Austin, de sa vie gâchée, ses mots la blessaient encore. Elle lui avait tout donné et n'avait plus rien. Le quitter avait été une mesure de survie, pour elle et leurs enfants. Mais il pouvait revenir la hanter tel un fantôme, en tâchant de la faire se sentir coupable, en insinuant qu'elle n'avait pas été suffisamment patiente avec lui, ne l'avait pas assez aidé, assez aimé, même. Tous ces vieux doutes l'avaient longtemps minée …

Les mains d'Eli étaient toujours sur elle. Elle n'eut pas le ressort de s'écarter de lui. Il fit glisser ses doigts le long de ses bras, qu'il frotta doucement.

— Vous êtes glacée, dit-il dans son cou. Vous êtes connue pour toujours garder la tête froide, mais on n'avait pas parlé de vos bras…

La raison commandait de lui donner l'ordre de s'en aller. Mais la chaleur de ses doigts sur la soie chassait sa fatigue. Cet homme-là l'apaisait physiquement et aussi mentalement.

— Shauna ?

Amollie par ses attentions, elle aurait dû se forcer beaucoup pour lui parler sévèrement. Il y avait davantage de taquinerie que de réprimande dans le ton de sa voix quand elle lui répondit :

— Je suppose que vous étiez dans votre voiture, au coin de la rue, en train d'espionner…

— Tant que vous ne me rapporterez pas les menaces de « Bien à Vous », je…

— C'est sans importance.

Comme pour ponctuer ses paroles, elle s'écarta nettement.

Les attentions d'Eli n'étaient qu'une illusion de plus. Il faisait simplement son travail, en bon flic passionné par son métier. Son genre, c'était le sarcasme, la raillerie et l'obstination, pas la tendresse. Si elle l'avait laissé la toucher une minute de plus, elle aurait jeté le sacro-saint règlement par-dessus les moulins et aurait fondu dans ses bras. S'il devait la toucher encore, elle ne répondait de rien.

Mais il ne la toucha pas. Au lieu de cela, il écarta le rideau de quelques centimètres pour jeter un coup d'œil au-dehors.

— Votre mari n'est pas encore parti. Voulez-vous que je sorte pour l'y encourager ?

— Il s'agit de mon ex-mari et la réponse est non. Cela n'en vaut pas la peine.

Eli remit le rideau en place.

— Vous m'avez invité à entrer chez vous. Qui suis-je supposé être ? Petit ami ? Garde du corps ?

— Ni l'un ni l'autre.

Elle croisa les bras sur sa poitrine et s'approcha de lui, écartant le rideau à son tour. Austin était assis dans sa voiture, garée le long du trottoir.

— Vous croyez qu'il nous voit, enfin, qu'il voit nos silhouettes se détacher en ombres chinoises ? demanda-t-elle.

— Probablement. Pourquoi ? Quel rôle voulez-vous me faire jouer ? Je vous préviens, je suis un très mauvais acteur.

Elle n'était pas bien sûre elle-même de pouvoir jouer ni les femmes fatales ni les malheureuses en détresse. Eli détaillait son visage avec intérêt. Au moment de sa vie où elle en était arrivée, le terme de petit ami n'avait plus grand sens et une professionnelle de son expérience n'aurait pas dû avoir besoin d'un garde du corps, pas vrai ?

Il n'était pas désagréable d'avoir un peu de compagnie, même celle d'un inspecteur ironique et désabusé qui se moquait de ses ordres comme de sa première chemise.

— Aucun rôle, je vous assure…

Impulsivement, elle leva la main pour écarter une mèche noire des cheveux d'Eli et passer ses doigts sur le pansement qui recouvrait sa blessure à la tempe.

— Il faudrait changer ça, remarqua-t-elle.

— Je peux m'en charger moi-même.

— Pensez-vous ! Je me fais un plaisir de prendre soin de mes visiteurs, même en pleine nuit…

Austin démarra alors. Le rayon des phares balaya la porte.

— Enfin ! dit-elle. Ce n'est pas trop tôt !

Sadie vint se glisser entre leurs jambes pour aboyer vers la porte, comme si elle avait voulu, elle aussi, renvoyer Austin aux cent mille diables. Eli se mit à rire et gratta le crâne de la chienne, pour le plus grand plaisir de celle-ci.

— Voilà celle qui devrait être la gardienne de cette maison… Tu ne trouves pas que tu t'y prends un peu tard, fifille ?

— Elle est beaucoup plus douée pour les câlins que pour dissuader d'éventuels intrus.

La certitude qu'elle avait d'enfreindre une règle en recevant Eli chez elle se dissipa un peu, tandis qu'elle le regardait jouer avec la chienne. Après tout, il était peut-être possible de le garder comme « dog-sitter » sans outrepasser les règlements de la police de Kansas City…

— Depuis combien de temps êtes-vous là dehors à attendre le moment de voler à mon secours ?

— Assez longtemps.

Il voulait certainement dire : depuis qu'elle lui avait donné congé.

— Donc, vous n'avez pas dîné ?

Il eut un sourire un brin ironique.

— Pourquoi ? Le grand Manitou sait cuisiner ?

— Mieux que vous ne le pensez. Je vais vous faire un sandwich.

Shauna se dirigea vers la cuisine et Eli la suivit.

— Dis donc, Sadie, l'entendit-elle dire à la chienne, on dirait que je reste un peu…

— Seulement le temps que je sois bien sûre qu'Austin ne va pas revenir me harceler. Quand je serai rassurée à ce sujet, vous partirez, c'est bien compris ?

Elle parlait avec autorité, autant pour s'en convaincre elle-même que pour lui.

— Vous mangez un morceau, puis vous rentrez chez vous vous coucher. Je veux que vous soyez en pleine forme demain — pour mener ces interrogatoires et non pas pour me suivre comme mon ombre.

— Bien, patronne.

— Et arrêtez de m'appeler comme ça !

— Oui, m'dame.

— Eli…

Il était bien difficile de se formaliser de son irrévérence, quand on commençait à s'habituer à son sens de l'humour.

Après lui avoir indiqué une place à table, Shauna retourna dans le vestibule pour réactiver le système d'alarme et éteindre la lumière extérieure.

Elle était trop occupée à réfléchir à sa situation pour remarquer l'homme tapi dans l'ombre, de l'autre côté de la rue, qui surveillait sa porte.

Une heure plus tard, Eli ne savait pas exactement pour quelle raison il se trouvait toujours dans la cuisine de

Shauna, même si les deux messages qu'Austin Cartwright avait laissés sur le répondeur, en demandant si « ce fouineur d'inspecteur » était toujours là, y étaient peut-être bien pour quelque chose. Le sandwich promis s'était mué en un véritable repas, délicieux et sans prétention, le meilleur à vrai dire qu'il ait fait depuis longtemps. Sadie, allongée sous la table, en avait eu sa part, surtout du fait de sa maîtresse, qui chipotait dans son assiette. C'était si bon qu'Eli l'aurait volontiers terminée à sa place. Il aimait également l'entendre parler du linge de famille, brodé à la main, qui décorait sa table. Tout ceci le ramenait à son enfance, avant le crash de l'avion, avant la drogue, avant la honte d'apprendre que son coéquipier était corrompu. Il y avait eu un temps où il avait confiance en lui, comme dans les autres, et pouvait se fier à ses impressions aussi bien qu'à un fait. Et il ne voyait pas d'objection à regarder Shauna aller et venir dans son pyjama pêche… Oh ! bien sûr, ce vêtement très pudique la couvrait entièrement, du cou jusqu'aux chevilles, mais même le tablier de cuisine fatigué qu'elle avait noué par-dessus ne parvenait pas à dissimuler la façon dont la soie moulait ses formes et les accompagnait dans tous leurs mouvements. Il savait combien sa peau était douce en dessous, et comment elle répondait aux moindres effleurements…

Certes, il avait bien vu qu'elle était tendue comme une corde de piano, mais il n'avait pas senti que du stress, quand il était juste derrière elle, les mains sur ses épaules. Quelque chose d'élémentaire, de physique, de sexuel était passé entre eux et restait encore suspendu à cet instant même, comme la menace, le danger auquel elle refusait de croire.

Shauna l'avait peut-être reçu chez elle pour tenir son ex à distance, le remercier de son intervention en le gardant à dîner sans aller plus loin, peut-être lui présentait-elle le visage d'une heureuse maîtresse de maison pour le persuader qu'elle n'avait rien à redouter de « Bien à Vous », mais lui, Eli, se sentait irrésistiblement attiré, comme un moustique par la lumière, par la chaleur humaine qui régnait dans cette jolie cuisine et par le feu intérieur de cette femme qui était, pour le moment, en train de remplir deux tasses de décaféiné derrière le plan de travail.

Quand elle leva les yeux et qu'elle le vit la regarder, elle se mit à rougir. Loin de détourner la tête par charité, il admira la façon dont cela faisait ressortir le vert pâle de ses yeux, le sourire timide qui adoucissait le contour de sa bouche.

— Quand je vous vois, Masterson, je me dis que j'ai bien fait de préparer du déca. Pas la peine de vous exciter davantage.

Eli sourit. Une femme qui avait le cran de vous reprendre avec cet humour était de taille à vous surprendre tout au long d'une relation.

Si relation il y avait…

Des relations, même s'il avait voulu l'ignorer, il n'aurait pas tardé à apprendre que Shauna Cartwright en entretenait plusieurs et de solides : avec ses enfants, sa chienne, les hommes et les femmes qui travaillaient sous ses ordres. Avec la ville de Kansas City tout entière.

Il pouvait bien y avoir une sorte de chimie entre eux, cela pouvait se révéler fort volatil et se terminer très mal, créer une situation instable et dangereuse pour l'un comme pour l'autre. Elle devait certainement le craindre.

De plus elle pouvait, d'un trait de plume, l'envoyer trier des dossiers au fond d'une cave obscure jusqu'à l'âge de la retraite.

— Sans lait et sans sucre, lui dit-il en souriant. Par contre, si jamais vous aviez un morceau de tarte…

— Désolée, inspecteur. J'adore faire de la pâtisserie, mais j'en ai rarement le temps.

Elle posa une tasse fumante devant Eli et s'assit face à lui.

— Lorsque Seth était adolescent et vivait encore à la maison, j'avais l'impression de cuisiner toute la journée, mais quand sa sœur et lui sont partis à l'université, je n'allais pas continuer à mitonner toutes ces douceurs pour moi seule. Plus je vieillis et plus j'ai de mal à contrôler mon poids.

Eli ne l'avait pourtant guère remarqué. Il baissa le nez sur le breuvage odorant, tâchant de chasser les idées affriolantes qui lui venaient à l'esprit. Le café était très chaud, il avait besoin de refroidir un peu.

Lui aussi…

Le mieux était encore de parler travail.

— Je sais que vous souhaitez que tout reste uniquement professionnel entre nous, mais je dois néanmoins vous poser quelques questions à propos de votre ex-mari.

— Il n'a aucun lien avec l'enquête.

— Il est venu vous demander quelque chose, ce soir, que vous avez refusé.

Il montra, dans un coin, le téléphone dont une diode rouge indiquait en clignotant deux messages.

— Je suppose que ce n'est pas la première fois que vous lui opposez un refus…

— Où voulez-vous en venir ?

— On ne peut pas exclure qu'Austin soit « Bien à Vous ». S'il a un motif personnel de vous en vouloir, il peut utiliser l'affaire Baby Jane comme prétexte. Ce ne serait pas la première fois qu'un harceleur agirait dans l'espoir de voir sa victime, ignorant qui il est vraiment, se tourner vers lui pour lui demander sa protection.

— Vous pensez qu'il voudrait que nous nous remettions ensemble ?

Elle mit ses mains en coupe autour de sa tasse et souffla sur le liquide avant d'en avaler une gorgée.

Il ne put s'empêcher alors de contempler la délicieuse moue de ses lèvres. Il aurait dû lui demander une boisson glacée, plutôt que ce décaféiné brûlant, aussi brûlant que cette vision qui le faisait se sentir à l'étroit dans son pantalon.

Oh là, tout doux, Masterson…

Il se recula sur sa chaise, histoire de mettre un peu de distance entre eux.

— Toujours en admettant que « Bien à Vous » soit votre ex-mari, reprit-il, il pourrait feindre de vous menacer afin de vous déstabiliser, vous placer dans un état de confusion tel que, de guerre lasse, vous lui accordiez ce qu'il vous demande…

— Le meurtre de Baby Jane m'a beaucoup perturbée et il le sait, tant parce que c'était une toute jeune fille que parce que l'affaire est restée si longtemps sans solution…

Elle secoua la tête.

— Mais plus j'y réfléchis et moins je vois Austin planifier une telle machination et la mener ainsi à bien. Du reste, s'il a un réel problème avec le jeu, je le crois incapable de faire du mal à une jeune fille.

C'était peut-être vrai et peut-être ses manœuvres de ce soir n'étaient-elles motivées que par la faiblesse et le besoin d'argent, mais après l'avoir vu à la porte de son ex-épouse, Eli n'était pas disposé à rayer d'office Austin Cartwright de la liste des suspects.

— Il ne faut pas nécessairement confondre le tueur avec celui qui vous menace, fit-il remarquer. Quelqu'un aurait-il des raisons de vous en vouloir ?

— Il y a bien tous les truands pour qui je personnifie l'institution qui les a mis à l'ombre. Mais je ne pense à personne en particulier…

Elle se mit à rire derrière sa tasse.

— … A part Betty Mills.

— Votre secrétaire ?

— Si elle vous entendait ! Mon assistante… Je pense qu'elle avait un gros faible pour Edward Brent et qu'elle me tient rigueur d'occuper sa place. A moins que simplement elle n'aime pas obéir à une femme.

— Elle a l'air d'être de la vieille école…

Shauna reposa sa tasse.

— Mais je ne peux pas croire qu'elle ferait du tort au KCPD. Elle en fait tout de même partie depuis trente-cinq ans. Même très remontée, elle ne se permettrait sûrement pas de critiquer ses chefs…

— « Bien à Vous » n'a pas vraiment fait d'annonce publique de ses intentions, vous savez…

— Non, mais Betty ne m'a pas non plus suivie dans le parking.

— Elle a accès à votre bureau, à votre messagerie et à votre agenda…

— Ces fautes d'orthographe dans les messages… Impossible que ce soit Betty…

— A moins qu'elle ait voulu brouiller les pistes…

Soudain, Shauna se ferma, comme si un arbitre invisible avait sifflé la fin du match.

— Bon, dit-elle, pouce, il est 1 heure du matin, la soirée tire à sa fin. Et puis je vous ai demandé d'enquêter sur l'affaire Baby Jane, pas sur ma vie…

Elle ramassa leurs tasses et alla les placer dans l'évier, lui signifiant clairement qu'il fallait qu'il parte, à présent.

— Vous n'avez pas besoin de m'envoyer de rapport pour le moment, ajouta-t-elle, du moins tant que vous n'aurez pas trouvé quelque chose à propos du meurtrier, ou qui mette en cause un de nos collègues.

Eli se leva, dérangeant la chienne toujours allongée à ses pieds.

— Bien madame, mais si mes recherches me conduisent à mettre mon nez dans les affaires de Betty Mills ou de quiconque dans la boîte, il faudra bien que je le fasse. Il n'y a pas trente-six façons de faire ce métier…

Le téléphone se mit à sonner, ponctuant étrangement cette déclaration faite d'un air de défi.

Shauna sursauta.

— Encore ! s'exclama-t-elle. C'est ridicule !

Elle traversa la pièce au pas de charge et regarda le petit écran numérique.

— Toujours un appel caché, bien entendu !

Elle arracha le combiné de son support.

— Bon Dieu, Austin, est-ce que tu vas me fiche la paix ? Tu peux m'appeler dem…

Elle s'interrompit et se figea. Eli fut aussitôt en alerte.

— Allô ! reprit-elle au bout d'une seconde. Qui est à l'appareil ?

Eli contourna la table pour venir face à elle.

— Laissez-moi lui parler, chuchota-t-il, devinant parfaitement qui était au bout du fil, mais sans savoir, évidemment, quelles menaces il était en train de proférer. Vous m'entendez, Shauna ? Passez-le-moi…

Elle secoua la tête et appuya sur un bouton, à la base de l'appareil.

— Je suis en train d'enregistrer tout ce que vous dites, espèce de lâche, et… Allô !

Elle devint tout à coup très pâle. Eli lui arracha le combiné des mains.

— Police ! annonça-t-il.

Il y eut un instant de silence, puis le corbeau raccrocha.

— Comment a-t-il pu avoir mon numéro ? s'étonna Shauna, interdite, les bras serrés autour de sa poitrine.

Rouge de colère, elle se mit à faire les cent pas dans la cuisine, Sadie inquiète trottinant derrière elle.

— Il m'a demandé pourquoi je recevais des hommes chez moi ce soir, m'a dit que je devrais bien garder mes forces pour ce qui allait venir et que je n'étais peut-être pas aussi intelligente qu'on le disait, après tout…

Elle se retourna vivement vers lui.

— Vous vous rendez compte ? Il savait comment j'étais habillée !

Tandis qu'elle retirait son tablier et le lançait sur le plan de travail, Eli appuya sur le bouton pour écouter les derniers mots prononcés par la voix métallique, artificiellement déformée.

« Vous comprenez ce que je vous dis, madame Cartwright ? C'était mon ultime avertissement. Je ne joue plus… »

Eli voulait une garde rapprochée autour de cette maison. Maintenant. Tout de suite.

Il rembobina la bande et tira son mobile de sa ceinture. Il venait à peine de taper les deux premiers chiffres du numéro de police-secours quand Shauna vint refermer le clapet de l'appareil d'un coup sec.

— Non. N'appelez personne !

— Mais enfin, Shauna, il ne peut tout de même pas vous menacer et s'en tirer comme ça !

Au cours de l'heure qui venait de s'écouler et de leur conversation, il s'était surpris à ne plus penser à elle comme à la commissaire principale, chef de la police de Kansas City, mais comme à une victime, une femme harcelée et torturée sans raison. Une femme qu'il devait protéger, sans qu'il soit question de hiérarchie ou de chaîne de commandement.

Mais voilà que celle qu'il voulait protéger se précipitait dans l'entrée.

— Il est peut-être encore là !

— Oh là, oh !

En trois enjambées, il la rattrapa et lui prit le bras.

— Où allez-vous comme ça ? Vous n'êtes même pas armée !

— Laissez-moi ! fit-elle en se dégageant. J'en ai assez de me laisser faire sans réagir. Je veux voir la tête qu'il a !

— Shauna, voyons !

Il la rattrapa par le bas de son peignoir alors qu'elle montait l'escalier. Pour prendre son arme ? S'habiller ?

— Restez donc tranquillement ici et laissez-moi aller jeter un coup d'œil. Si vous voulez, appelez un flic en qui vous avez confiance, votre fils par exemple, pour qu'il vienne patrouiller le quartier en voiture…

Il ne pouvait pas indéfiniment la tenir ainsi, par un bout de peignoir de soie.

— Non, lui répondit-elle, je ne peux pas appeler Seth.

— Pourquoi ? Parce qu'il se soucie de votre sécurité, lui, alors que vous vous en fichez complètement ?

Elle se retourna et redescendit les marches.

— Ce cinglé disait que… vous et moi, nous… oh, mon Dieu, il était très cru…

Elle ramena les pans de son peignoir froissé entre ses genoux et lui tourna de nouveau le dos.

— Il faut que je m'habille, murmura-t-elle, confuse.

Alarmée par la détresse de sa maîtresse, Sadie se fourrait dans leurs jambes en jappant plaintivement. Shauna lui marcha accidentellement sur la patte. L'animal poussa un petit cri de protestation.

— Idiote de chienne ! cria Shauna. Hors de mon chemin !

Cela, ça n'était pas normal…

Poussée par Sadie, elle faillit perdre l'équilibre. Eli la retint de justesse en lui passant un bras autour de la taille. La chienne fila se mettre à l'abri sous une table. Shauna enfonça ses doigts dans le bras d'Eli et se tortilla contre sa hanche.

— Laissez-moi, voyons !

— Calmez-vous, je suis de votre côté !

— Laissez-moi !

Elle le poussa contre la rampe d'escalier pour lui faire perdre à son tour l'équilibre.

Mais Eli la souleva de terre, la tenant étroitement serrée dans ses bras pour prévenir ses réactions. Il ne les desserra, sans toutefois la lâcher, que lorsqu'elle fut un peu calmée. Il la fit alors se tourner face à lui, toujours entre ses bras.

— Vous faites peur à la chienne, lui dit-il à l'oreille.

Il eut l'impression qu'elle émettait un rire bref, la bouche dans son cou. A moins que ce petit bruit ne soit plutôt celui d'un sanglot à demi étouffé. Il sentait aussi que ses mains remontaient sur sa poitrine, agrippant les revers de sa veste comme on se raccroche à une bouée.

— Je… je suis désolée.

Ses lèvres chatouillaient la base du cou d'Eli. Le désir furieux de faire bien davantage que la protéger l'envahissait.

— Sadie n'a rien ? fit Shauna d'une toute petite voix. Je n'ai pas voulu…

— Elle n'a pas l'air d'avoir grand mal.

Il devait se tenir penché, en raison de leur différence de taille, et tentait d'ignorer les douces courbes féminines pressées contre son corps dur. Il s'inclina suffisamment pour qu'elle puisse reposer sur ses pieds et la tint ainsi, une main dans son dos et l'autre à sa taille. Alors, il enfouit son nez dans la couronne de ses cheveux courts et demeura immobile en écoutant sa respiration redevenir peu à peu normale et son corps se détendre doucement.

— Je suis désolée, répéta-t-elle contre les boutons de sa chemise, et il supposa que c'était une manière de lui présenter des excuses.

Une petite tête chaude vint se presser contre sa cuisse et il se pencha pour caresser la chienne.

— Là, là. Ta maman va bien, fifille…

— Non, elle ne va pas bien.

Shauna noua ses bras autour de la taille d'Eli et se serra contre lui. Ses larmes le mouillèrent à travers la chemise.

— Je ne me suis jamais sentie aussi mal…

Il y avait de quoi…

— Je dois être plus fatiguée et déprimée que je le pensais. Je pourrai certainement assumer tout cela avec plus de professionnalisme lorsque j'aurai dormi un peu.

— Mais bien sûr !

Pour la réconforter, il frottait son dos, tâchant d'oublier ses seins lourds que la double épaisseur de soie et de coton ne l'empêchait pas de sentir contre son ventre et d'imaginer. Avait-elle la moindre idée de la façon dont elle faisait bouillir son sang ? Son attirance pour elle était complètement saugrenue et pourtant, elle paraissait si évidente, quand il la tenait ainsi entre ses bras. Les doigts délicats de sa supérieure hiérarchique lui caressaient l'échine, juste au niveau des reins, et un désir illicite brûlait en lui, de plus en plus fort.

Bon Dieu, il voulait prendre sa bouche ! Il voulait bien d'autres choses encore, mais il se serait contenté de la tenir contre lui jusqu'au bout de la nuit. Pourvu qu'elle reste là, en sécurité… Il pressa avec ferveur ses lèvres sur ses cheveux en pensant à ce qu'il n'aurait jamais d'elle et qu'il n'aurait pas dû vouloir…

— Si vous parlez de ceci à quiconque, il y aura un blâme dans votre dossier…

Eli eut un petit sourire.

— Vous n'avez rien à craindre, patronne.

— Merci…

Elle se redressait. Il comprit que son état d'esprit avait changé. Elle serra les pans de son peignoir autour d'elle, puis croisa les bras, comme pour cacher son corps et lui faire oublier ses courbes.

Ce qui était peine perdue…

— Vous êtes quelqu'un de bien, inspecteur.

— Ah ?

Au cours de cette soirée, Eli avait pensé à pas mal de choses plus ou moins avouables. Il s'était même préparé à devoir passer la nuit sur le canapé de la commissaire ou pire, dans sa propre voiture, sachant qu'elle dormait à l'étage, dans cette si jolie seconde peau de soie pêche. Mais voilà qu'il avait sa récompense : il était un type bien ! Quelle dérision…

— Oui, je garde tout à l'intérieur, vous comprenez, mais quand les émotions débordent… Je suis vraiment désolée que vous ayez assisté à ceci… Ah… il va me falloir une minute pour récupérer… Je vous remercie, mais je ne peux pas m'appuyer sur vous ainsi. La police et la ville de Kansas City ont besoin que je tienne bon sur mes deux jambes.

Elle était sincère, mais elle tirait visiblement un trait sur ce qui s'était passé entre eux.

— Cela ne se reproduira plus, affirma-t-elle.

— Vous croyez que vous pourrez le contrôler ? répliqua-t-il, ne pouvant s'empêcher de se montrer sarcastique.

Elle cilla, montrant qu'elle comprenait qu'il faisait allusion à ses quelques larmes.

— Bonne nuit, Eli.

— Pas question que je vous laisse seule, pas avec ce cinglé qui se promène en liberté.

— S'il vous plaît… Je vous le demande.

Elle alla débrancher l'alarme de la porte avant de revenir vers lui.

— « Bien à Vous » vous a vu ici. Et Austin. Et mes

enfants. Je pense qu'il est temps pour moi de reprendre un peu le contrôle de tout ceci.

— Vous voulez vraiment rester seule, avec ce type, dehors, quelque part, qui vous surveille en permanence ?

Elle frissonna à cette évocation et il en éprouva du remords. Mais il avait besoin de savoir pourquoi elle tenait tellement à négliger sa propre sécurité.

— Shauna, j'essaie de veiller sur vous, surtout depuis que je me suis aperçu que vous tenez tellement à courir des risques inutiles. Je n'aime pas du tout l'idée qu'il puisse vous arriver quelque chose.

— Que vous aimiez cela ou non n'est pas la question…

Les épaules de Shauna se raidirent. Elle était redevenue la chef de la police.

— Vous comprenez, tenta-t-elle d'expliquer, nous ne pouvons pas nous laisser aller à… ces sentiments. Il ne le faut pas.

Il chercha son regard, l'accrocha, ne le lâcha plus.

— Pourquoi les éprouvons-nous, alors ?

— Le stress… les circonstances… peut-être parce que nous sommes deux solitaires… je ne sais pas, Eli… Il y a plusieurs années que je suis divorcée et je ne sais toujours pas flirter avec un homme. D'ailleurs, je ne sais jamais quand vous flirtez avec moi… Vous êtes vraiment un beau spécimen de mâle et vous m'attirez beaucoup mais enfin, tout ça, ce ne sont que… des hormones…

Elle haussa les épaules.

— … et j'ai bien peur qu'elles soient déréglées à mon âge, alors je ne peux pas m'y fier…

— Votre âge ? Il n'y a rien à redire à votre âge et à la façon dont vous le portez, croyez-moi. Rien du tout !

— Arrêtez de me dire des choses comme ça !

Bien que ses joues se soient joliment colorées, elle

revint mettre son bras sous le sien pour le raccompagnez à la porte.

— Vous êtes sous mes ordres et nous travaillons tous les deux pour les habitants de Kansas City. Vous vous sentez sans doute responsable de moi parce que je vous ai confié une mission. Cela vous honore, mais ça ne veut pas dire que nous devions y faire entrer des sentiments personnels.

— Vous me prenez pour un naïf ?

Est-ce qu'elle n'avait donc fait attention à rien de ce qu'il avait pu dire ou faire depuis quelques jours ?

— Je vous en prie, ajouta-t-il, épargnez-moi ce genre de discours.

— Nous mettons tous les deux la barre très haut, Eli. Mais je ne permettrai pas qu'on remette en question mon comportement ou ma capacité à occuper mon poste.

— Très bien.

Il pouvait le lui concéder. Il pouvait aussi mettre sa libido entre parenthèses, s'il le fallait. Mais lui non plus n'admettait pas que l'on remette en question sa façon de faire son métier.

— Je vais aller faire le tour du pâté de maisons, lui dit-il, puis j'irai faire le guet dans ma voiture.

— Je veux que vous rentriez chez vous et que vous vous reposiez.

— Est-ce que vous allez signaler ce salaud ?

— Donnez-moi la bande du répondeur. Je la garderai à toutes fins utiles.

C'était une manière de dire qu'elle ne le signalerait pas…

— Je serai dans la voiture.

Elle le regarda d'un air de défi, le menton levé, mais n'argumenta pas davantage.

— Très bien. Faites ce que vous avez à faire. Mais ne jouez pas au héros. Tout ce que je vous demande, c'est de trouver la vérité.

— Bien, madame…

Il regarda, derrière elle, la chienne qui se tenait sur le seuil de la cuisine.

— Garde bien la maison, Sadie ! lui lança-t-il.

Puis, avant qu'elle ait pu protester, il prit la bouche de Shauna.

Protestation il y eut bien, mais elle se perdit dans sa gorge et quand elle posa ses mains sur le torse d'Eli, elle s'accrocha aux revers de sa veste plutôt que de le repousser. Elle l'attira même plus près. Grisé par l'odeur de sa peau, il mit ses mains en coupe autour de son visage et approfondit leur baiser. Les lèvres pleines et douces de Shauna se réchauffèrent sous les siennes, s'ouvrirent, et il glissa sa langue pour chercher la sienne. Alors il sut pourquoi il avait tant désiré cet instant. Jamais il ne pourrait oublier ce baiser.

Ce n'était rien de plus que cela : mains, lèvres et langues. Mais c'était doux, brûlant et merveilleux.

Il devait partir tant qu'il le pouvait encore. Il s'écarta, satisfait de voir qu'il n'était pas le seul à manquer de souffle en ce moment précis. Satisfait, troublé, ou bien inquiet ?

— Vous vouliez avoir le dernier mot ? s'enquit Shauna, sa voix rauque encore de désir lui vrillant délicatement les nerfs.

— On va voir ça comme ça…

Il ouvrit la porte. Il avait besoin de l'air frais de la nuit et des dangers cachés au-dehors pour purger tout son désir inassouvi.

— Je suis content que ça vous fasse si peu d'effet, à vous aussi, lui dit-il.

6

— L'un ne t'a pas téléphoné et l'autre ne t'a pas embrassée, murmurait Shauna comme un mantra, la laisse de Sadie à la main, lors de son traditionnel jogging matinal.

Hier c'était hier et aujourd'hui, Shauna reprend la main…

Elle respira profondément, puis expira.

— Aujourd'hui, Shauna reprend la main.

Si elle courait en répétant ces mots assez longtemps, peut-être commencerait-elle à croire que le monde n'avait pas vraiment vacillé sur ses bases une demi-douzaine de fois au cours des derniers jours — et réussirait-elle à reprendre le contrôle des événements, si elle ne parvenait pas à contrôler ses réactions.

Seth était un bon flic. Bien entraîné, intelligent et vif. Il allait se montrer à la hauteur, dans sa mission clandestine. Elle avait confiance dans le KCPD, confiance dans son fils.

« Bien à Vous » l'observait peut-être en permanence comme sous l'œilleton d'un microscope, mais il ne pouvait pas lire dans ses pensées. Jamais elle ne se laisserait prendre de court. Elle avait toujours gardé une longueur d'avance et elle découvrirait son identité bien avant qu'il ne devine ses peurs. La solution du meurtre de Baby Jane Doe n'était pas qu'une question de fierté professionnelle. L'idéal de Shauna était que chaque crime ait sa réponse, adaptée et mesurée. On devait la vérité à la mémoire de cette pauvre jeune fille assassinée.

Et le baiser d'Eli Masterson, lui, n'était rien de plus qu'un baiser, mélange de tension, de disponibilité et d'hormones exacerbées avant l'inéluctable déclin.

Oui, elle pouvait maîtriser ses émotions.

Les semelles de ses Nike, sur le bitume, rythmaient son mantra.

— Aujourd'hui, Shauna reprend la main, aujourd'hui…

Elle aurait dû sombrer dans un sommeil profond, hier soir, juste après le départ d'Eli. Au lieu de cela, elle avait frissonné sous ses couvertures, en manque de cette chaleur qui semblait irradier de lui. Elle avait étreint un oreiller, puis un autre, mais il n'avait pas la fermeté souple de son corps masculin. Et puis, ce sentiment de renaître à la vie, quand elle était entre ses bras…

Elle avait repoussé l'édredon du pied, les nerfs à vif et incroyablement excitée, brûlant par tous les pores de la peau de l'envie d'être prise, possédée. Se sentant puissante et vulnérable à la fois. Tout ça à cause d'un simple baiser.

C'est ça, oui. Tout était sous contrôle…

Bah, au moins, personne ne pouvait voir les folies qu'elle avait dans la tête…

Comme elle tournait les talons pour revenir chez elle, son mobile se mit à sonner dans la petite pochette qu'elle portait à la taille.

— Qu'y a-t-il encore ? maugréa-t-elle.

Elle ralentit son allure, mais ne s'arrêta pas. Sadie, aussi bien qu'elle, avait besoin de retrouver graduellement un rythme respiratoire normal. Une seconde sonnerie lui fit ouvrir la fermeture Eclair et sortir le téléphone. Un coup d'œil sur le petit écran numérique, un autre par-dessus son épaule pour vérifier ce qu'elle savait déjà : un SUV noir de marque Chevrolet l'avait suivie jusqu'au parc et retour.

Bon sang, ce type était obstiné !

Elle appuya sur le bouton tout en continuant à courir.

— Eli ?

— Ah, vous regardez d'où viennent les appels, à présent… bonne nouvelle.

Le manque de sommeil rendait la voix familière plus grave, mais l'ironie restait la même.

— Rappelez-vous : les messages non identifiés doivent rester dans votre messagerie. Vous ne devez pas les relever.

— Je suis en train de courir, inspecteur. A moins que vous ayez trouvé une faille dans les aveux de Donnell Gibbs pendant que vous étiez en planque devant chez moi, je n'ai pas le temps de profiter de vos conseils avisés. Je dois encore me doucher et partir travailler dans la foulée.

— Moi aussi. Mais je crois que nous devrions fixer quelques règles, avant de continuer, chacun de notre côté…

Chacun de son côté ? Voulait-il dire qu'il allait la laisser seule ? Inquiète et contrariée de l'être, elle faillit se prendre les pieds dans la laisse de Sadie. Il était temps de se remettre à marcher.

L'ombre des grands chênes bordant le parc rafraîchissait la sueur qui coulait dans son dos et sous le bandeau de tissu-éponge qu'elle portait autour de la tête.

— De quelles règles voulez-vous parler ? Vous faites votre boulot et moi le mien.

Elle inspira profondément, prenant le temps d'apaiser toute trace d'inquiétude dans sa voix.

— Si toute la ville ne sait pas encore que vous êtes en mission pour moi, gardons cette connexion secrète, avant d'avoir quelque chose de tangible à rapporter aux médias. En ce qui me concerne, c'est la seule règle qui compte.

Le véhicule noir roulait maintenant à sa hauteur, sans la dépasser. Eli la regardait par la vitre baissée.

— Vous allez choisir trois personnes en qui vous avez confiance, lui dit-il. Je veux que vous soyez avec l'une d'entre elles à tout moment.

— Vous plaisantez ! Je ne peux pas travailler comme ça.

— Je ne veux plus que vous soyez seule. Ne donnez pas à ce type l'occasion de passer à la vitesse supérieure et de mettre ses menaces à exécution.

Shauna pouffa.

— Je suis en réunion toute la journée. Avec des policiers… Ça vous va, comme niveau de sécurité ?

— Et au déjeuner ?

— J'ai rendez-vous avec Austin.

— Il n'en est pas question !

A l'intersection suivante, Shauna traversa devant lui et s'arrêta un instant, afin de le regarder bien en face.

— Vous ne pouvez pas me parler comme ça.

— Où irez-vous déjeuner ?

Même un pare-brise de verre fumé ne pouvait atténuer l'intensité du regard de ses yeux dorés. Il était ridicule d'avoir cette conversation au téléphone alors qu'il était à deux mètres d'elle, mais Shauna était reconnaissante à la technologie de lui offrir, précisément, cette distance rassurante.

Parce que son regard passait sur elle comme une caresse, réveillant chaque centimètre carré de son corps et ravivant le souvenir de leurs baisers. Shauna sentit ses seins pointer et de la chair de poule sur ses bras, malgré la chaleur générée par l'effort. Ses lèvres brûlaient du souvenir des siennes et une force quasi irrésistible semblait le pousser vers lui.

Mais la commissaire en elle était plus forte que tous les besoins physiques, toutes les réactions chimiques au monde. Elle se força à détourner les yeux et à continuer son chemin.

— Je suis dans la police depuis de nombreuses années, reprit-elle. Je connais Austin depuis plus longtemps encore. Je sais ce que je dois lui dire et ce que je dois absolument lui refuser. Mais j'ai besoin de l'entendre, pour éviter qu'il essaie d'impliquer Seth et Sarah dans sa nouvelle lubie. Je lui opposerai toujours un refus, mais cette fois en position de force et non pas déstabilisée parce qu'il sera venu me surprendre au beau milieu de la nuit.

— Où avez-vous rendez-vous ?

Shauna était arrivée devant chez elle. Elle détacha Sadie.

— Vous n'avez pas votre propre journée à mettre en train, vous aussi ?

— Où, Shauna ?

— A l'Union Café, dans la gare centrale. C'est toujours plein de monde. Aucun risque.

— J'y serai.

— Vous ne pouvez pas faire ça !

— Pourquoi ? Je serai parmi les consommateurs. Vous ne me verrez même pas.

Avec toute cette électricité entre eux, Shauna était bien certaine, elle, qu'elle sentirait sa présence. Elle n'avait pas même besoin de tourner la tête vers sa voiture pour savoir qu'il était là, un peu plus loin dans le bas de la rue.

— Je suppose que si quelqu'un vous remarque, vous pourrez toujours prétendre que vous êtes là pour le travail, dit-elle avec réticence, après deux secondes de réflexion.

— *Si* on me remarque. Mais ça n'arrivera pas. Et moi je pourrai observer tranquillement la foule et repérer toute personne suspecte.

Il se tut pour laisser Shauna taper le code de sécurité du portail, puis mettre sa clé dans la serrure. Mais il n'en avait pas fini.

— A quelle heure est votre dernier rendez-vous de la journée ?

— Ah non ! Vous n'allez pas revenir vous mettre en planque devant chez moi. Je ne veux pas que vous dormiez dans votre voiture toutes les nuits.

— Où voulez-vous que je dorme, alors ?

Son ton moqueur, un brin coquin, donna à Shauna un petit frisson d'excitation, qu'elle se dépêcha de réprimer en faisant entrer la chienne et en refermant la porte derrière elle.

— Chez vous, Eli. Dans votre lit.

— Dans mon… ?

— Et tout seul…

— Rabat-joie ! En fait, j'étais en train de me dire que nous devrions mettre au point une sorte de code afin que je puisse vous alerter lorsque j'ai des infos à vous transmettre. Inscrivez-moi dans votre agenda pour 17 heures. Nous en parlerons et je vous raccompagnerai chez vous.

— Est-ce qu'il vous arrive de comprendre le mot « non » ?

Elle sut qu'elle avait perdu la partie quand elle l'entendit répondre, railleur :

— Vous m'avez choisi précisément pour ça…

— Si Shauna pense que la police peut apporter du nouveau, je suis ravi de l'apprendre, car je peux vous dire que j'ai souvent établi mes réquisitions — et heureusement ! — sur des dossiers bien mieux ficelés que celui-ci…

Dwight Powers, le procureur adjoint, avait une allure militaire du genre unité de choc. Bien sûr, le costume impeccablement coupé, la cravate et les cheveux gris ne détonnaient pas chez un juriste, mais il y avait du fauve en chasse dans la façon dont il avait souplement dégringolé les marches de l'escalier menant à la salle des interrogatoires de la prison de la ville, et même dans la façon décidée dont il avait signé le registre. Il s'était laissé ensuite fouiller par le gardien en parlant avec une autorité franche et concise qu'Eli appréciait et respectait.

Bien que le ministère public eût approuvé la clôture du dossier, Eli commençait à comprendre que sa patronne et lui n'étaient pas les seuls à ne pas être tout à fait satisfaits des conclusions rendues.

— Combien de fois le procès de Gibbs a-t-il été reporté, monsieur le procureur ?

Dwight Powers haussa ses larges épaules.

— Je vous avoue que je n'ai pas gardé le souvenir de toutes les motions déposées ni du nombre de procureurs épuisés, au juste. Mais ce que je peux vous dire, c'est que si le dossier à charge avait été solide, Gibbs serait condamné depuis longtemps. Tout ce que nous avons, ce sont des aveux pas très convaincants, son casier judiciaire et quelques broutilles. Bien sûr, je pourrais essayer de faire jouer l'intime conviction des jurés, mais ce n'est pas mon genre…

Au comptoir, Eli signa le reçu du dépôt de son arme de service et se laissa passer au détecteur de métaux, à son tour.

— Vous pensez que le jury pourrait le déclarer coupable sans avoir de preuves suffisantes ?

— Je connais plus d'un procureur qui n'hésiterait pas à jouer là-dessus, mais je vais vous dire : c'est le meilleur moyen pour qu'il y ait ensuite appel, sans compter que le juge peut prononcer un non-lieu…

Un premier portail de sécurité s'ouvrit devant eux. Ils le passèrent, et durent attendre qu'il se referme pour que le deuxième s'ouvre.

— Dites-moi, s'enquit le procureur, y a-t-il quelque chose dans l'enquête dont Shauna ne m'a pas parlé, pour que l'Inspection des Services soit impliquée ?

Eli le suivit à travers le portique d'acier avant de répondre, un peu évasivement :

— Il n'est pas inhabituel qu'elle soit requise quand il y a des défauts de procédure dans l'enquête, des éléments sans consistance…

— Sans consistance ?

— Disons, des conclusions un peu bâclées. La police pense, comme vous, qu'il faut que ce dossier soit carré, pour aller au tribunal…

Powers fit un signe à un gardien, qui ouvrit une porte métallique et leur fit signe d'entrer. Quand elle se referma sur eux, le procureur tourna vers Eli son regard gris acier.

— Vous pensez que Gibbs pourrait être mis hors de cause ?

— Je ne mène qu'une enquête de routine, répondit Eli.

— Ne me racontez pas d'histoires…

Powers se pencha légèrement vers lui.

— C'est moi qui ai requis contre votre coéquipier, Jo Niederhaus, il y a quelques années. Vous vous souvenez ? Il avait pris la mauvaise habitude de faire chanter ses collègues et d'intimider les témoins, tout ça pour obtenir la libération de ses… amis de la pègre, dont l'homme qui a tué ma première femme. Alors je ne laisserai personne et surtout pas un flic me sortir un lapin du chapeau à l'audience. Suis-je assez clair, Masterson ?

Eli resta impavide. L'implicite accusation de corruption ne le fit même pas ciller. Il avait appris depuis longtemps à ne pas réagir à ce genre de provocation, même si celle-ci, à propos de son ancien partenaire, remuait particulièrement le couteau dans la plaie. Mais il faisait un métier où il fallait garder la maîtrise de ses nerfs… et savoir faire taire son amour-propre.

— On va voir les choses de mon point de vue à moi, répliqua-t-il tout doucement. Si vous aviez eu un coéquipier qui ne se gênait pas pour mélanger les genres et en prendre à son aise avec la loi, vous ne croyez pas que ça vous aurait servi de leçon et que vous feriez particulièrement attention à rester dans les clous ? Afin que plus personne, jamais, ne vous confonde avec lui ?

Il avait prononcé cette dernière phrase plutôt sèchement, en appuyant sur le mot « jamais » et les yeux vissés dans ceux de son interlocuteur. Celui-ci le regarda un instant en silence, puis hocha la tête, indiquant qu'il était satisfait de cette réponse. Pour le moment…

La tension se relâcha un peu entre eux et c'est presque détendu que Dwight Powers alla s'asseoir à la table où l'on menait les interrogatoires.

— Bien, dit-il. Parlez-moi un peu de ces… éléments sans consistance.

Le procureur ne laissait rien passer. Il était, comme Shauna, du genre à relever les expressions que vous pouviez utiliser pour mieux les retourner contre nous. Mieux valait, autant que possible, lui dire la vérité.

— La principale question que je me pose, et dont découle tout le reste, est : qui était celle que nous appelons Baby Jane Doe ? On peut bien condamner un homme pour l'avoir tuée, mais je trouverais normal qu'on essaie de savoir quelle était cette vie qu'il a tranchée. Et puis il y a, quelque part, une famille dans l'incertitude. A eux aussi, on doit la vérité.

Visiblement sceptique, Powers opina.

— Vous cherchez un nom ? Je vous souhaite bien du plaisir… surtout avec Gibbs. Je ne suis pas certain qu'il se souvienne toujours du sien. Alors, de celui de la victime…

Eli pensait que le procureur plaisantait, mais après avoir vu cinq minutes le frêle petit homme noir marcher nerveusement autour de la pièce, tandis que son avocate commise d'office — la dernière en date — tentait sans succès de le faire se rasseoir, il commença à reconnaître les symptômes du drogué en voie de désintoxication.

Ce n'était pas tant le patch de nicotine sous la manche de sa combinaison orange de détenu, ni ses cheveux spongieux dont il tordait inlassablement une mèche autour de ses doigts, mais plutôt l'aspect désespéré d'un homme anxieux de voir son manque s'apaiser enfin — or ce n'était pas encore pour tout de suite… Donnell Gibbs était peut-être enfin « clean », mais c'était récent et pas forcément de son fait… Toute son attention était tournée vers lui-même et sa lutte contre son besoin de drogue. Son cerveau cramé ne lui permettait plus de faire face qu'à la minute suivante et ainsi de suite. Le forcer à se concentrer sur des événements survenus deux ans auparavant, c'était lui demander la Lune…

Powers se pencha vers Eli et murmura :

— D'après les psychiatres, son intelligence est inférieure à la moyenne, sans aller jusqu'au handicap mental. Il se souvient de la disposition du corps et deux ou trois choses de ce genre… Ah, et puis, il connaît la différence entre la droite et la gauche et il sait pourquoi il a été puni et comment…

— Qu'est-ce qu'il prenait ? crack ? méthadone ?

La jeune avocate de Gibbs intervint.

— Les drogues que mon client a pu utiliser par le passé n'ont aucun rapport avec cet interrogatoire, messieurs. Il a accepté de vous parler, mais je ne saurais admettre qu'on brandisse la menace de nouvelles charges contre lui.

Powers leva les deux mains en signe de bonne volonté.

— Détendez-vous, maître Kline, nous n'avons aucune nouvelle charge, au contraire… Les questions de l'inspecteur Masterson viseraient plutôt à les alléger dans l'affaire Baby Jane Doe. C'est bien ça, inspecteur ?

Eli acquiesça. Momentanément calmée, Audrey Kline donna elle-même le signal de continuer.

— Donnell ?

Le prisonnier tourna la tête vers elle, sans tout à fait la regarder en face.

— Nous avons besoin que vous vous asseyiez…

— Ça ira, merci, dit Eli en se levant.

Il boutonna son veston et alla rejoindre le petit homme, qui comptait quelques pièces de menue monnaie sur le caisson d'un haut-parleur installé dans un coin de la pièce.

— Bonjour, Donnell. Mon nom est Eli, je suis inspecteur de police.

— Donnell Gibbs…

Le petit homme lui tendit sa main, mais sans le regarder… Il fixait le mur.

— Enchanté de vous rencontrer, monsieur l'inspecteur Eli.

Sa poignée de main était molle et timide. On pouvait voir, sur ses phalanges, les traces d'anciennes bagarres — ce qui n'était pas rare, sur un suspect d'agression sexuelle.

— C'est dans la cour que c'est arrivé ? lui demanda-t-il.

— Non, je suis tout seul… 496… 498…

Des marques de strangulation étaient pourtant visibles sur son cou. Audrey Kline expliqua, pour lui éviter d'avoir à le faire :

— Il a été attaqué par un autre prisonnier, c'est pourquoi il est au confinement, désormais, pour sa propre sécurité.

Eli ne s'était pas attendu à ça. Il croyait rencontrer un dur, une brute incapable de comprendre ce qu'il pouvait y avoir d'affreux dans le fait de tuer une toute jeune fille. Quelqu'un qui garderait son secret par le silence et le refus de coopérer. Il avait pensé devoir regarder dans les yeux un homme qui n'hésiterait pas à le tuer lui aussi, s'il en avait l'occasion, et non pas tenter de capter le regard vide d'un malade.

Il avait déjà vu cet air absent, comme retiré du monde, sur un visage plus jeune et plus joli que celui de Gibbs. Penser que sa sœur Jillian pourrait finir ainsi, dans une cellule, seule, les yeux morts, battue par ses codétenues, lui serrait le cœur et le déprimait au-delà de toute expression.

Mais il avait apporté à Jillian toute l'aide qu'il avait pu, même s'il avait dû parfois jouer les frères autoritaires pour lui éviter les plus graves ennuis, et l'heure n'était pas à la remise en question de ses échecs avec elle. En outre, c'était Shauna qui lui avait demandé de rouvrir ce dossier, et comme il n'était pas question de la laisser faire face seule à l'animosité et au ressentiment contre la police qui n'allait pas manquer de se réveiller dans toute la ville, il allait faire ce qu'elle lui demandait consciencieusement.

— Vous en avez oublié un, fit-il remarquer à Gibbs, qui leva la tête, mais sans cesser de regarder le mur. 497…

Le prisonnier parut faire quelques calculs mentaux, puis il hocha le menton et reprit :

— 497…

— Est-ce que vous avez tué une jeune fille et abandonné son corps près des poubelles ? enchaîna Eli, sans transition.

— Inspecteur…

Dwight Powers interrompit d'un geste l'avocate.

— Ces aveux sont déjà dans le dossier, fit-il remarquer.

— On ne peut pas la reconnaître, marmonna Gibbs, on ne peut pas… 500…

— Où l'avez-vous rencontrée ? demanda Eli.

— Au parc.

Eli suivit le prisonnier à travers la pièce.

— Quel parc ?

— Swope Park.

— Vous la voyiez là pour la première fois ou bien vous l'observiez depuis plusieurs jours ? Combien de jours, Donnell ?

— 632…

Ce n'était évidemment pas la réponse à sa question.

— Comment s'appelait-elle ?

Gibbs secoua la tête.

— 630… Toute jeune… Jolis yeux bruns. Jolie robe. Pas aussi jolie que Daisy…

— Daisy ?

Le procureur Powers lui montra une ligne du dossier qu'il avait ouvert à plat devant lui.

— Daisy Watts. Seize ans. Gibbs a été jugé pour l'avoir agressée sexuellement en 2002…

— Il a accompli sa peine, dit l'avocate, et il a été libéré sous condition de traitement médical…

Eli se tourna vers Gibbs, qui s'était déplacé jusqu'au coin suivant de la pièce et comptait toujours.

— Parlez-nous de Daisy. Vous lui avez fait du mal ?

— Il ne fallait pas… Il ne faut pas toucher aux jeunes filles. 631…

— Justement, Donnell. La petite jeune fille avec les jolis yeux bruns. Vous lui avez fait du mal ?

— Je l'ai tuée.

— Comment l'avez-vous tuée ?

— 635…

— Avant de la tuer, avez-vous vu quelqu'un avec elle ? Un garçon, une fille, ses parents ? L'a-t-on déposée au parc en voiture ?

— 600…

Gibbs parut réfléchir une seconde.

— Pas de voiture. 638…

— D'accord, mais avez-vous vu quelqu'un avec elle, une seule fois ?

— Masterson, s'impatienta le procureur, on tourne en rond, ça ne mène à rien…

— La police et le bureau du procureur ont déjà posé cette question, renchérit l'avocate.

Eli leva la main pour les faire taire.

Shauna pensait qu'il restait des zones d'ombre dans ce dossier. C'était sans doute de l'intuition, féminine si on voulait, ou bien inspirée par sa longue expérience professionnelle ; quoi qu'il en soit, il avait le même sentiment. Et puis, il avait vu autre chose, de plus tangible…

— Où est le 602, Donnell ? demanda-t-il doucement.

Le petit homme leva la tête et le dévisagea pour la première fois. Puis il pointa son doigt vers l'un des carreaux de céramique qui recouvraient le mur.

— Là.

— Et 200 ?

Gibbs gagna le mur opposé et lui montra un carreau.

— Ici.

— Vous pouvez nous expliquer à quoi vous jouez, inspecteur ? lança l'avocate, de plus en plus agacée.

Mais le procureur, intéressé, se pencha en avant et demanda à son tour :

— Montrez-nous le 900, Donnell.

Le prisonnier secoua la tête.

— Je n'en suis pas encore là.

Eli lui posa d'autres questions, destinées à tester sa mémoire. Gibbs pouvait se souvenir de ce qu'il avait mangé la veille et aussi du nom de son institutrice au cours préparatoire. Il savait quelle équipe de football américain avait gagné le championnat du monde en 85.

— Vous avez dit à la police que vous l'aviez amenée chez vous, la jeune fille aux jolis yeux bruns, reprit Eli, revenant aux choses sérieuses. Au fait, comment vous l'appeliez ? Chérie ? Bébé ? Mon cœur ?

Gibbs hésita. Il roulait des yeux en cherchant la réponse.

— Je l'ai rencontrée au parc, marmonna-t-il.

— Pourquoi n'avez-vous pas fait l'amour avec elle ? Elle ne vous plaisait pas ?

— Jolis yeux bruns… Jolie robe…

— Comment s'appelait-elle, Donnell ?

Audrey Kline bondit sur ses pieds pour défendre son client.

— Il a été établi à l'instruction que c'était une rencontre fortuite. Un crime de rôdeur. Il n'en sait rien !

Eli hocha la tête. Il laissa Gibbs à ses comptes et revint s'asseoir à la table. Un crime de rôdeur…

« Bien à Vous » avait peut-être raison, quand il affirmait que Gibbs était innocent, et si c'était bien le cas, que savait-il du véritable meurtrier, et jusqu'où irait-il pour faire payer à Shauna les errances de l'enquête ?

Un peu plus tard, alors qu'il récupérait son arme de service au greffe, le procureur Powers vint à lui.

— Vous pouvez m'expliquer à quoi ça rimait, votre affaire, à part donner à mon adversaire des arguments pour que Gibbs soit reconnu irresponsable ?

— Je ne crois pas qu'il soit fou. Mais je suis de plus en plus persuadé que c'est un faux coupable.

— Bon Dieu, ne me dites pas ça ! Le procès ouvre dans une semaine, alors si vous avez une intuition géniale, c'est le moment de le signaler !

Rien à voir avec l'intuition, même si Eli commençait à se faire beaucoup de soucis pour une blonde qui avait du caractère, mais qui était un peu trop vulnérable à son goût.

— Cela me paraît évident…

— Comment ça, évident ?

Eli regarda discrètement sa montre. Il devait filer à la gare centrale pour surveiller le déjeuner de Shauna avec son ex-mari et s'assurer que personne d'autre que lui ne l'observait, dissimulé parmi les consommateurs.

— Vous voyez bien que la mémoire de Gibbs fonctionne parfaitement. Il a donné un numéro à chaque fichu carreau dans la pièce et se souvient de l'endroit où ils se trouvent. Or ses déclarations aujourd'hui sont identiques à celles de son premier interrogatoire. Il utilise exactement les mêmes mots, ne développe jamais et ne se reprend jamais. Vous ne trouvez pas ça curieux ? C'est comme si quelqu'un lui avait donné une sorte de mémo sur le crime à apprendre par cœur. Il le récite, mais il est incapable de broder. Pourquoi, sinon parce qu'il ignore tout le reste, tout ce qu'on ne lui a pas dit du meurtre ?

Il marquait un point. Ses soupçons pourraient bien réduire à néant toute l'accusation et faire libérer Gibbs. Ce qui ne serait d'ailleurs pas une solution : un illuminé pouvait le tuer, dans l'idée de « protéger des enfants innocents ». Et la ville retomberait dans la panique…

Mais contrairement à ce que devait penser son ancien coéquipier, tout le monde ne mettait pas son propre intérêt ou son succès au-dessus de la recherche de la vérité. A la grande surprise d'Eli, Dwight Powers lui emboîta le pas jusque dans la rue et lui demanda :

— Bon, dans ce cas, qui le lui aurait donné, ce mémo ?

7

Shauna jeta un regard circulaire sur le vaste hall de la gare centrale, depuis la terrasse située au premier étage de l'Union Café. Où était Eli ? Derrière une des arches métalliques de la galerie supérieure ? Parmi les voyageurs, près du kiosque d'information ? Derrière les vitrines du petit musée du train ? Sous la grande horloge où se rassemblaient les groupes scolaires venus visiter le musée des Sciences tout proche ?

Elle croyait pouvoir sentir sa présence. Elle était sûre, en tout cas, qu'il tiendrait sa promesse d'être là pour veiller sur elle, comme chaque fois qu'elle s'éloignerait du bâtiment du KCPD et de ses systèmes sophistiqués de sécurité. Pourtant, elle ne ressentait rien. Aucun frisson d'avertissement ou d'excitation.

De deux choses l'une, ou il était aussi fort pour se dissimuler au milieu d'une foule qu'il le prétendait, ou il n'était tout simplement pas là.

A la pensée que cela signifiait sans doute qu'elle n'était pas davantage capable de déceler la présence de « Bien à Vous » autour d'elle, elle n'en mena pas large.

Pour autant qu'elle trouvait extrêmement dangereux tout attachement à cet homme, il lui fallait bien reconnaître que la présence d'Eli auprès d'elle la faisait se sentir en sécurité. Elle se sentait également… vivante, sous l'aiguillon de ses provocations et de ses regards entendus. Savoir qu'il était dans la même pièce ou dans le même bâtiment qu'elle, même un dédale comme la gare d'Union Station, la gardait de ce sentiment d'isolement auquel elle s'était presque habituée durant toutes ces années.

Bien sûr, elle n'était pas vraiment seule. Elle était assise à une table, en face de son ex-mari. Mais son attention était ailleurs, partout dans le vaste complexe, à tenter de sentir la présence d'Eli ou de… l'autre. Austin pouvait bien déployer toute son éloquence pour la convaincre, elle connaissait son numéro…

— Le Riverboat sera vraiment un grand casino, Shauna…

Il avait endossé pour l'occasion un costume strict et élégant de businessman et ne ménageait ni son charme distingué ni ce juvénile enthousiasme qui l'avait tant séduite, autrefois.

— Bien sûr, il ne sera pas aussi grand et luxueux que ces autres casinos au bord du fleuve, qui appartiennent tous à des chaînes, mais lui, il aura quelque chose en plus : l'essence même de Kansas City, son histoire, son jazz…

— … ses machines à sous.

Austin eut un petit rire forcé. C'était plutôt l'intérêt de Shauna pour ce genre d'aventures qu'il allait devoir forcer…

La serveuse vint retirer leurs assiettes vides et il continua :

— Le Riverboat sera doté de tous les équipements que possèdent les établissements de taille plus importante, mais son ambiance sera plus chaleureuse, plus conviviale. Les joueurs auront l'impression d'un voyage dans le temps, quand ils seront à bord, et ils se sentiront chez eux. Ce qui est primordial, dans ce métier…

Malheureusement pour lui, ces mots rappelèrent à Shauna quelques souvenirs plutôt amers et elle répliqua :

— Austin, je ne pense pas que pour quelqu'un comme toi, se sentir chez soi dans un tel endroit soit vraiment une bonne chose !

— Comme je te l'ai dit hier soir, s'empressa-t-il de

répondre, je ne m'occuperai pas des tables de jeu. Je n'en approcherai même pas. Ce que veulent les associés, c'est que je supervise les transformations. Ils ont acheté un vieux vapeur à double cheminée qui rouillait dans un bras mort du fleuve. Je dois le restaurer et concevoir de nouveaux équipements dans le même style ancien…

Aussi prometteur que pouvait être le projet, aussi intéressant qu'il aurait pu être, jadis, pour le jeune architecte ambitieux qu'était Austin quand elle l'avait épousé, Shauna n'en augurait rien de bon aujourd'hui. Elle le lui fit savoir sans ménagement.

Il se pencha vers elle au-dessus de la table et insista :

— Ils m'ont déjà engagé pour faire les plans, j'ai travaillé avec des ingénieurs pour lancer la construction. Mais je pourrais gagner beaucoup plus en devenant leur associé et en entrant dans le financement.

Shauna ne voyait aucun inconvénient à l'encourager à se remettre au travail, mais pas plus.

— Ecoute, Austin, je crois que la transformation de ce bateau est une très bonne opportunité pour que tu fasses ton retour dans ta branche mais, une fois que tu auras dessiné les plans et supervisé le chantier, tu ferais mieux, à mon avis, de prendre ton chèque et de t'en aller vers d'autres projets…

— La direction du port a déjà approuvé l'emplacement d'amarrage et le permis de construire. La commission des jeux nous a accordé une licence. Ce serait bien que nous ayons aussi le soutien de la police de Kansas City. Nous ne sommes pas encore ouverts et déjà, vous nous faites des histoires pour des questions de parking, de circulation et de sécurité…

Shauna tiqua.

— Nous vous faisons des histoires et tu voudrais le soutien de la police ? Je croyais que tu me demandais de l'argent à moi, personnellement. A moins bien entendu qu'on t'ait déjà promis quelque chose en échange de mon soutien ? Et d'abord, c'est qui, exactement, ce « nous » ?

— Bon sang, Shauna, je t'aimais mieux quand tu n'étais pas flic ! Au moins, tu m'écoutais, en ce temps-là…

— Et moi, je préférais quand tu ne faisais pas passer ta famille après tes intérêts, riposta-t-elle en faisant signe au serveur de lui apporter l'addition.

Cet entretien n'avait que trop duré.

— Je veux savoir qui sont tes partenaires dans cette mirifique histoire, Austin.

— Très bien, madame la commissaire…

Il avait prononcé son titre officiel avec une sorte de dégoût.

— … Un investisseur étranger apporte cinquante et un pour cent du financement. Ils cherchent le complément dans la région, mais ceux qui seront dans le projet dès le départ seront évidemment les premiers à en toucher les profits…

Un investisseur étranger ? Etranger à quoi ? Au comté, à l'Etat du Kansas, au pays ? Est-ce que tout cela ne cachait pas des activités illégales ? Le KCPD entretenait depuis longtemps des soupçons sur les casinos, même très légalement implantés, qui fleurissaient le long du fleuve, car leur arrivée avait coïncidé avec une recrudescence du crime organisé. Toutefois, placés sous une surveillance constante, ces établissements n'avaient été que très rarement impliqués, et jamais directement mis en cause.

— On dirait que Seth, lui aussi, trouve que le Riverboat sera une bonne opportunité…, ajouta, l'air de rien, Austin.

Il abattait là sa carte maîtresse…

Seth. Bien sûr. En mission secrète dans les casinos. En une seconde, la chef de la police de Kansas City redevint une mère.

— Seth ? Tu lui as demandé de l'argent ?

— J'ai jeté un coup d'œil sur les nouveaux engagements de personnel. Il va travailler comme videur dans un des bars de l'établissement. Je suppose que la ville ne le paye pas suffisamment et qu'il a besoin de faire des extra…

C'était donc cela, la mission qui lui avait été confiée par la brigade mondaine ? Infiltrer ces nouveaux arrivants, peut-être mettre en place une cellule de surveillance ? Shauna se pencha et saisit la main de son ex-mari.

— As-tu dit à quelqu'un, au Riverboat, que Seth était un policier ?

— C'est lui-même qui le leur a dit. Détends-toi, ma chérie… Je suppose qu'ils ont jugé que c'était un argument de plus pour l'engager…

Il retourna sa main et pressa la sienne.

— Tu vois, lui dit-il, tout miel, si j'avais une raison de me trouver là-bas en permanence, je pourrais garder un œil sur lui, vérifier qu'il n'a pas d'ennuis. Peut-être même, redevenir proche de mon fils, qui sait…

Le salaud ! Le monstrueux égoïste !

L'addiction au jeu était sans doute, comme on le lui avait beaucoup répété, une maladie, mais Shauna n'avait plus que mépris pour un homme capable d'utiliser son propre fils comme argument pour obtenir de l'argent. Elle déposa sur la table le montant de son déjeuner et se leva.

— Austin, lui dit-elle, le jeu a déjà détruit ma vie et, au cas où tu l'aurais oublié, il a également détruit la tienne. Aussi, tu voudras bien me pardonner, mais tu n'auras ni mon argent ni le soutien de la police. Bon après-midi !

Il se leva lui aussi et tenta de lui rendre ses billets.

— Mais Shauna, j'ai dit que je t'invitais…

Le couple installé à la table voisine leva les yeux, surpris par cette soudaine montée de ton.

— Quoi ? leur dit Austin, furieux, qu'est-ce que vous regardez ?

Ils baissèrent le nez sur leurs assiettes.

— Allons, reprit-il à l'intention de Shauna, rassieds-toi et achevons cette conversation.

— Elle est terminée et c'en est terminé aussi de notre relation. Ne me demande plus jamais mon aide.

— Oh ! voyons, Shauna…

Ignorant sa main tendue comme la vilaine insulte qu'il proféra entre ses dents, elle se faufila parmi les tables pour gagner l'escalier monumental.

Là, elle eut une hésitation. Une étrange impression venait de lui faire frissonner l'échine, comme une appréhension, quelque chose de très différent de la colère qu'elle éprouvait envers Austin ou de sa peur pour Seth. Un sentiment pénible qui devenait par trop familier, ces derniers temps…

« Il » était là et l'observait.

— Où es-tu ? fit-elle dans un murmure.

Elle se retourna et ne fit aucun effort pour dissimuler le fait qu'elle examinait chaque table du restaurant. Elle eut même un regard pour Austin, affalé sur son siège et accroché à son mobile. Tous ceux qu'elle voyait là semblaient avoir une excellente raison de s'y trouver. Mais « Bien à Vous » y était aussi. Elle le sentait. Son altercation avec Austin avait forcément attiré son attention.

Un homme portant des lunettes de soleil à verres miroirs entra dans le hall de la gare, par la porte à tambour située juste en dessous d'elle. Richard Powell avait-il été libéré de sa chambre sous garde armée, à l'hôpital ? Evidemment pas. L'homme retira ses lunettes pour accueillir une jeune femme qui venait joyeusement à sa rencontre, et main dans la main, ils s'en furent vers un fast-food, à l'autre bout du hall.

Pas de Powell, pas d'armes, pas de menaces. Mais ce pressentiment ne la quittait pas.

Je vais venir…

Shauna saisit le rail de la rambarde et le serra si fort que ses jointures devinrent blanches, tandis que sa mémoire lui restituait l'étrange message de la veille.

La voix de robot ne la quittait plus. Elle résonnait dans sa tête.

« Ménagez-vous, madame Cartwright. Si ce n'est pas pour demain, ce sera pour plus tard, le surlendemain ou le jour suivant. Mais je viendrai, je vous le jure. Justice sera faite. »

L'air était glacé, dans ses poumons. Shauna se força à exhaler doucement, puis à respirer de nouveau. Elle ne se laisserait pas prendre ainsi. Pas aussi facilement.

Elle regarda de nouveau autour d'elle.

— Montre-toi, espèce de lâche ! dit-elle à mi-voix.

— Madame ?

Un Afro-Américain d'un certain âge, affublé d'un nœud papillon, toucha son bras et elle fit un bond de surprise. Puis elle reconnut le serveur.

— Oh, pardon, je vous ai fait sursauter, lui dit-il. Tout va bien ? Y a-t-il eu un problème avec votre déjeuner ?

— Non, non, pas du tout, répondit Shauna en esquissant un sourire. Tout était parfait. J'ai d'ailleurs laissé un pourboire sur la table, si mon ex ne l'a pas déjà empoché…

— Merci, madame. Très bon après-midi…

Il lui sourit et la devança dans l'escalier.

Shauna se détendit un peu.

— Allons, ma fille, ressaisis-toi ! murmura-t-elle pour se donner du courage.

Elle carra ses épaules et, le menton haut, commença à descendre le grand escalier.

Son travail consistait à coordonner les enquêtes, à

communiquer avec la presse et la mairie, à soutenir les efforts de ses agents et de ses enquêteurs. Mais pour l'instant, elle voulait savoir de quoi la Mondaine soupçonnait le Riverboat Casino et quel rôle exact jouait son fils dans l'enquête. Il fallait qu'elle le sache dès cet après-midi. Elle n'avait pas le loisir de s'abandonner à la paranoïa.

Je suis là, patronne…

Il ne l'avait pas dit, elle ne l'avait pas entendu. Elle avait senti avant de le voir le regard chaleureux d'Eli au bas de l'escalier. Retenant à grand-peine un soupir d'aise, elle s'arrêta sur une marche et le regarda. Il était assis à une table près de l'entrée et devait, lui, la surveiller depuis un bon moment. La tête penchée, une mèche sur le front comme à son habitude, il faisait semblant de lire le journal.

Et soudain, la rumeur d'océan du vaste restaurant, les conversations, les rires, les allées et venues, la musique et l'écho du hall, tout s'évanouit devant les pépites d'or de ses yeux.

Eli était là. Sans doute depuis aussi longtemps qu'elle. Savoir qu'il avait tenu sa promesse enivrait Shauna. Son souffle s'accéléra. Son cœur se mit à battre plus vite, avec un incroyable mélange de soulagement et d'anticipation.

Elle se força à avancer. Elle ne pouvait pas aller tout simplement vers lui en public, lui tendre sa main ou se jeter dans ses bras. Jamais elle ne pourrait réclamer un nouveau baiser à un policier qui était sous ses ordres, ni exiger de lui qu'il la fasse se sentir en sécurité, femme et désirable.

Durant les quelques secondes où leurs regards se croisèrent, une douzaine de messages silencieux furent échangés. Des questions et des réponses. Du réconfort, de la taquinerie, une réprimande. Et finalement, une soif terrible d'être ensemble qui ne pouvait être mesurée ni dans le temps ni dans l'espace.

Avez-vous trouvé quelque chose ?

Oui. Je vous dirai. Tout va bien ?

Il est là, quelque part.

Il ne pourra rien vous faire. Je suis là. N'ayez pas peur.

Vous ne pouvez pas me suivre.

Essayez donc de m'en empêcher.

Eli…

Je vous couvre.

Elle dépassa sa table, luttant pour ne pas le regarder par-dessus son épaule. Ses talons sonnant sur les dalles de marbre, elle traversa le hall en direction de l'escalator qui la ramènerait au parking situé derrière la gare, au niveau de la rue.

Une douce chaleur se diffusait dans tout son corps et chassait la glaciale sensation du regard de « Bien à Vous » sur elle. Sans se retourner, elle sut qu'Eli la suivait. Hmm…

La réaction de son corps la fit sourire. N'était-elle pas un peu trop vieille pour ressentir encore ce délicieux et puéril plaisir de sentir l'intérêt d'un homme pour elle ?

A moins qu'elle ne soit folle de croire que la protection que lui offrait Eli était motivée par quelque chose de plus personnel que son sens élevé du devoir ?

A son âge, en tant que femme, une femme avec le genre d'insigne qu'elle promenait dans son sac, elle aurait mieux fait de veiller elle-même à sa protection que de se laisser aller ainsi à la dépendance…

Son sac, justement, bien serré sous son bras, elle s'arrêta pour examiner les gens autour d'elle avant d'emprunter l'escalator. Même avec Eli auprès d'elle, elle ne voulait pas être surprise par « Bien à Vous » ou même par Austin dans une situation où tout repli serait impossible.

La voie lui paraissant libre, elle descendit vers le rez-de-chaussée, passa devant quelques boutiques et gagna la sortie. Coupant une file de collégiens qui partaient visiter le musée des Sciences, elle tint la porte ouverte à un livreur aux mains prises par un colis puis traversa l'allée réservée aux autocars et aux transports scolaires, qui déversaient leurs flots de voyageurs vers la gare.

— Commissaire Cartwright !

Shauna sursauta, puis maugréa en reconnaissant la voix de femme qui l'interpellait. Le claquement déterminé des talons sur l'asphalte, derrière elle, lui fit presser le pas. Peut-être que si elle continuait son chemin de l'air de n'avoir pas entendu…

— Commissaire !

Du coin de l'œil, elle vit Eli remonter lui aussi d'un bon pas les files d'écoliers et de touristes pour ne pas se laisser distancer. Elle risqua un regard dans sa direction pour l'avertir que celle qui cherchait à la rejoindre ne représentait pas un danger. Il parut saisir, car alors qu'il se ramassait pour bondir à son secours, il marqua un temps d'arrêt, puis reprit une démarche normale.

— Commissaire !

Shauna poussa un soupir résigné, se composa en une seconde un visage serein et fit face à la mince jeune femme brune avec une queue-de-cheval qui venait à sa rencontre, un carnet à la main.

— Vous me cherchiez, mademoiselle Page ? demanda Shauna comme la journaliste arrivait à sa hauteur.

Rebecca Page était ambitieuse et ne craignait rien ni personne au monde. Shauna était toujours sur ses gardes avec elle.

— J'ai appelé votre bureau. Votre assistante m'a dit que vous déjeuniez au restaurant de la gare. Je suis bien contente de vous avoir trouvée…

Shauna ne réduisit pas son allure. Elle allait devoir dire

deux mots à Betty à propos de la confidentialité de ses rendez-vous personnels…

— Je n'ai pas voulu attendre la prochaine conférence de presse pour vous parler. Il est en train de se passer quelque chose d'important au KCPD et je veux mon scoop.

S'il était en train de se passer quelque chose dans son département, Shauna comptait bien en être la première informée. A moins qu'il ne lui faille désormais s'instruire auprès de la presse…

— A priori, tout est normal, lui répondit-elle calmement. Naturellement, je ne peux rien dire des enquêtes en cours avant d'avoir fait le point avec chacun des directeurs d'enquête concernés. Nous ne voulons pas laisser passer des informations non confirmées, vous le comprendrez…

— Et la population, elle, qui veut connaître la vérité ? Kansas City a besoin de savoir, pour se protéger…

Savoir pour se protéger ?

En longeant une file de voitures en stationnement, Shauna aperçut Eli, qui traversait la rue pour venir de son côté. Le simple fait de le voir lui procurait une joie qui ne demandait qu'à éclater au grand jour. Mais certes pas devant cette langue de vipère…

— Ce sont mes gens qui sont en charge de la sécurité des habitants de cette ville, mademoiselle Page, répondit-elle, toujours très calmement. Et ils font formidablement bien leur travail.

Rebecca Page eut une petite moue dubitative.

— Pourquoi n'avons-nous pas eu davantage de détails sur les tirs de la police, au moment du hold-up de la Cattlemen Bank ? Est-ce parce que vous étiez sur les lieux ?

Dans le tumulte de la circulation, un certain bruit de moteur alerta Shauna, mais la journaliste, grande et mince, un vrai physique de mannequin, lui bouchait la vue et la forçait à lui accorder toute son attention. Elle aurait bien aimé lui prendre son enregistreur des mains et le balancer dans le caniveau, et elle réprima cette tentation tout à fait non professionnelle.

— L'auteur des faits, Richard Powell, est en détention. Pour l'instant, il refuse de coopérer et il est d'ailleurs encore à l'hôpital, sous bonne garde. Il sera transféré en prison dès que les médecins le jugeront possible.

— D'accord. Si nous parlions un peu des nouveaux développements de l'affaire Baby Jane Doe ?

Malgré toutes ses précautions, Shauna faillit marquer sa surprise. Cette fille savait comment vous désarçonner ; mais des années de pratique des journalistes lui avaient permis de savoir garder son sang-froid, présenter un visage détendu et souriant à chacune de leurs attaques. Tout au plus se permit-elle un petit signe d'interrogation et d'intérêt :

— Quels nouveaux développements ? fit-elle d'un air ingénu.

— Vous prétendez ne pas le savoir ?

L'envie de lancer ce machin dans la rue revint de plus belle…

— D'après mes informations, les policiers qui ont arrêté Donnell Gibbs sont à présent eux-mêmes en examen. Ce matin, « on » a demandé leurs dossiers personnels et je sais que vous examinez vous-même tous ceux de cette affaire. Alors, que se passe-t-il ?

Shauna hocha la tête.

— Eh bien, vous n'avez pas chômé, dites-moi…

Ainsi, c'était bien du KCPD que « transpiraient » ses informations…

— Vous êtes bien renseignée, mais vous savez, ça n'a rien d'anormal de réexaminer un dossier important comme celui de Baby Jane Doe… Cette affaire a fortement ému la communauté et nous voulons être certains que rien n'est laissé au hasard, afin qu'il n'y ait pas de surprise au moment du procès. C'est même une procédure de routine...

Le moteur grondait, on allait voir ce que cette voiture avait sous le capot. Un signal d'alarme retentit dans la tête de Shauna, tandis que le véhicule fonçait sur elle dans l'allée. Oh non, pas ici !

— Rebecca ! Poussez-vous ! hurla-t-elle avant de faire plonger la journaliste entre les voitures en stationnement.

Des enfants tout autour, des accompagnateurs, des mères de famille. Les bus dans l'allée, des autos. En une fraction de seconde, Shauna évalua le dommage possible. La voiture fonçait sur elle et vers l'entrée noire de monde de la gare. La catastrophe était imminente.

Shauna tira à la fois son arme et son badge, brandit l'une en l'air et l'autre devant elle, hurlant déjà :

— Police ! A l'intérieur, vite ! Tout le monde à l'intérieur !

Elle tira deux coups de feu d'avertissement vers le ciel.

— A l'intérieur, j'ai dit ! Vite ! Vite !

Sans comprendre ce qui se passait exactement, des dizaines de personnes se ruèrent dans le hall de la gare. C'était une bonne chose, mais tout n'était pas fini pour autant. Shauna fit demi-tour et s'engagea en courant entre deux files de voitures, perdant une chaussure au passage, en espérant que le conducteur de l'auto tueuse la suivrait et renoncerait à foncer dans la foule.

Ses poumons la brûlaient, l'horrible crissement des freins lui vrillait les oreilles, l'odeur du caoutchouc chauffé envahissait ses narines.

— Shauna !

La voiture de son agresseur heurta la carrosserie d'un autobus dans un bouquet d'étincelles, acier contre acier.

— Non ! lui cria Shauna, au bord de l'hystérie. C'est à moi que tu en veux, salaud, à moi seule !

Elle regretta d'avoir fait demi-tour, cela n'avait eu d'autre résultat que de permettre à son ennemi de se replacer en ligne.

Des hurlements de panique fusèrent au-dessus du choc des carrosseries et des vitres éclatées, la voiture en ayant accroché d'autres. Le reflet du soleil sur le pare-brise l'empêchait de voir distinctement les traits du chauffeur. Tout ce qu'elle pouvait dire, c'est qu'il portait des vêtements sombres.

— Shauna !

Il fallait courir.

Elle perdit sa seconde chaussure en rejoignant une allée transversale. Derrière elle, elle sentit le déplacement d'air de la voiture qui chargeait de nouveau. Puis elle percuta soudain une masse brune et un bras d'acier l'entoura par la taille pour la soulever du sol. Elle reconnut Eli à son odeur. La voiture passa dans un éclair bleu, tandis qu'ils atterrissaient sur le bitume. Eli s'était arrangé pour absorber le choc et il roula sur lui-même. Ils n'eurent que le temps d'entendre l'agresseur proférer un juron. Dans un demi-évanouissement, Shauna vit Eli braquer son arme et ouvrir le feu sur le véhicule en fuite.

— Non, cria-t-elle, ne tirez pas ! Regardez !

Alors, Eli les vit. Deux enfants terrifiés et un adulte, tapis contre un mur. Tout ricochet, toute balle perdue pourrait avoir de terribles conséquences.

Il expira d'un coup l'air qu'il avait dans la poitrine, dans un effort éperdu pour relâcher sa tension, puis retomba à genoux sur l'asphalte, baissant son arme, avant de se tourner vers sa compagne.

— Vous n'avez rien ?

Rien, que de nouveaux bleus à ajouter à sa pittoresque collection…

— Non, rien, un peu mal aux pieds, dit-elle en replaçant son arme dans son étui de ceinture.

Après avoir rassuré son ange gardien, elle alla voir le trio terrorisé, toujours plaqué contre le mur.

— C'est fini, leur dit-elle. Tout va bien, à présent. Vous pouvez aller vous réfugier dans la gare.

Puis elle héla un conducteur de bus, à quelques mètres devant elle, qui paraissait avoir gardé son calme.

— Appelez le 911, de la part de la commissaire Cartwright. Dites que j'ai besoin de renforts et d'ambulances.

— B… bien, madame…

Elle revint vers Eli qui n'avait pas bougé.

— Nous allons avoir des bosses assorties, lui murmura-t-il en souriant.

— Je ne… Oh, mon Dieu !

Elle venait de découvrir l'état dans lequel était le bras gauche d'Eli. Le héros de Shauna suivit son regard et grimaça. Sa manche de veste et celle de sa chemise étaient déchirées, le sang coulait d'une vilaine blessure.

— Ça fait un mal de chien, dit-il, les dents serrées, en remuant ses doigts pour vérifier qu'il n'avait rien de cassé.

Shauna oublia ses propres douleurs quand il tenta de se lever. D'une main ferme elle le repoussa, le forçant à se rasseoir sur son séant.

— Restez tranquille !

— Il faut qu'on parte d'ici !

— J'ai dit : restez tranquille !

Les yeux d'Eli reflétèrent une lueur de vif intérêt quand Shauna commença de retirer la veste de son tailleur, puis de déboutonner son chemisier.

— Shauna, je…

— On se calme, inspecteur…

Même si elle n'avait pas porté un soutien-gorge d'une décence tout à fait supérieure à la moyenne, elle aurait tout de même retiré son chemisier pour déchirer son petit maillot de coton et en faire des pansements.

Elle sentit la brise froide sur sa peau, juste avant que le doigt d'Eli l'effleure.

— Oh ! lui dit-il, vous avez la chair de poule.

Elle pressa la bande de coton déchiré sur la partie la plus vilaine de la blessure, afin de faire cesser l'hémorragie.

— Etant donné les ravages causés à ma garde-robe par votre faute, inspecteur, le moins que vous puissiez faire, c'est coopérer…

Elle utilisa les manches, en les liant, pour faire tenir la compresse en place.

— Restez assis et récupérez un peu. Moi, il faut que je prenne le contrôle de la situation, avant que nous ayons une émeute sur les bras.

Il attrapa son poignet de sa main valide.

— Non. Vous avez vu ce cinglé ? Il faut vous mettre en sécurité !

— Le cinglé s'est enfui et j'ai la charge de la police, dans cette ville. Ne bougez pas. C'est bien clair, inspecteur ?

Il la regarda droit dans les yeux.

— N'attendez pas que je vous obéisse en claquant des talons, lui dit-il, ce n'est pas mon genre.

— Eli…

Il y eut un éclair lumineux, soudain, et ils se figèrent en clignant les yeux. Rebecca Page se tenait à quelques mètres d'eux, prenant cliché sur cliché du chaos qui régnait autour de la commissaire et de l'inspecteur, ainsi que… d'eux-mêmes, assis sur le trottoir.

Bon sang, ce que Shauna pouvait haïr les journalistes, surtout quand ils arboraient un sourire béat à la Rebecca Page !

— La routine, hein, leur lança celle-ci, tu parles !

8

Cette histoire allait se retrouver dans les journaux plus tôt que Shauna ne l'aurait souhaité. Au moins, elle avait réussi à convaincre Rebecca Page de ne faire paraître aucune photo pouvant attirer l'attention des lecteurs sur son rôle personnel dans les événements de l'après-midi. La chef de la police de Kansas City, agenouillée à demi nue à même le trottoir avec l'un de ses inspecteurs, risquait de faire une bien peu flatteuse publicité à l'institution entière. De même, révéler qu'elle avait été la cible d'une tentative de meurtre pouvait provoquer une panique de nature à saper son autorité. Les ricaneurs et les sceptiques auraient trouvé là matière à faire des gorges chaudes quant à l'emploi d'une femme à un poste aussi élevé que le sien…

La jeune journaliste avait accepté de se tenir autant que possible aux faits. Un chauffard dément prenant pour cible des collégiens, il y avait bien là, déjà, de quoi faire les gros titres. Shauna ne voulait laisser filtrer aucune information sur « Bien à Vous » ou sur l'affaire Baby Jane Doe qui pourrait aider en quelque manière celui qui était à ses trousses.

Postée derrière les bandes jaunes circonscrivant la scène de crime, elle se frotta frileusement les bras par-dessus les manches de son tailleur. Il y avait déjà deux heures qu'elle s'était rhabillée comme elle l'avait pu et qu'elle avait repris le contrôle de la situation. Elle avait calmé les accompagnateurs des groupes scolaires et obtenu d'eux qu'ils vérifient qu'aucun enfant me manquait à l'appel. Par bonheur, il n'y avait aucun blessé grave, mais nombreux étaient ceux, jeunes ou moins jeunes, qui se trouvaient encore en état de choc. Elle avait distribué ses ordres aux premiers policiers arrivés sur les lieux, leur faisant sécuriser le périmètre et s'occuper des parents affolés qui venaient récupérer leur progéniture. Elle répondit aux interviews aussi brièvement que possible et se déroba aux effusions d'Austin clamant l'immensité de son soulagement. Les ambulances étaient déjà reparties et l'autocar endommagé avait été déplacé.

Elle ne croyait pas que « Bien à Vous » soit encore aux aguets dans les environs ; elle se demandait, en fait, s'il ne s'était pas blessé lui-même dans sa tentative d'attentat, ou bien si le fait d'avoir mis en danger des enfants, lui qui prétendait les protéger, ne l'avait pas troublé au point de lui faire quitter les lieux honteusement, comme un voleur.

Il y avait de quoi, en effet, se trouver en porte-à-faux avec son fantasme de justice immanente, et d'ailleurs dirigée contre des innocents.

En tout cas, si son intention avait été, non de la tuer, mais de lui faire peur, il avait réussi au-delà de ses espérances. Mais Shauna n'avait pas craint pour sa vie : si elle avait eu peur, c'était pour les enfants, tous les passants qui s'étaient trouvés, par le plus grand des hasards, sur son chemin.

Elle avait eu peur pour Eli, aussi.

Il n'avait pas hésité un instant à risquer sa vie pour la protéger. Il semblait être toujours là, à veiller sur elle. A distance, mais assez près toutefois pour pouvoir la rassurer d'un simple geste ou d'un clin d'œil.

Elle pouvait le voir en ce moment même, appuyé contre sa voiture, un peu à l'écart, son mobile à l'oreille. Son veston, comme le chemisier de Shauna, avait dû être mis à la poubelle. Les infirmiers avaient coupé la manche de sa chemise pour lui faire un pansement au bras et un bleu s'agrandissait sur sa pommette.

Shauna se sentait vide et épuisée. Elle aurait pu rentrer immédiatement prendre un bain chaud, aucun des policiers présents ne lui en aurait tenu rigueur, elle aurait pu également se faire ramener en voiture à son bureau et passer ses nerfs sur Betty pour avoir indiqué à Rebecca Page où elle se trouvait. Ou bien encore prendre son téléphone et se mettre tout de suite à rechercher la Buick bleu ciel dont le chauffeur, par deux fois, avait voulu l'intimider.

Elle ne fit rien de tout cela et choisit d'aller voir Eli. Si les infirmiers avaient nettoyé sa blessure, il avait refusé catégoriquement de monter dans l'ambulance. Pourtant sa plaie ouverte nécessitait les soins d'un vrai médecin, voire d'un chirurgien, et Shauna dormirait plus tranquille s'il pouvait accepter davantage qu'une piqûre de pénicilline pour combattre l'infection.

Dans ses chaussures, elle souffrait cruellement de ses blessures aux pieds, mais c'est tout de même le dos bien droit et le menton haut qu'elle aborda le groupe de policiers qui se tenait, près d'Eli, autour de Mitch Taylor.

C'est, comme de juste, à celui-ci, le plus élevé en grade, qu'elle s'adressa en premier lieu.

— Merci, Mitch. Je sais que ce n'est pas, normalement, dans vos attributions, aussi j'apprécie particulièrement l'aide que vous m'avez apportée cet après-midi…

Le capitaine au torse en forme de barrique coupa court à ses remerciements.

— C'est le territoire de la brigade et mon fils qui est au cours élémentaire doit justement venir visiter le musée des Sciences la semaine prochaine. Alors vous comprendrez que je préfère que l'endroit soit parfaitement sécurisé…

— Il le sera, j'en suis sûre…

Shauna remercia les autres, puis se tourna vers Eli.

Elle le trouva beaucoup plus pâle, de près, ce qui l'alarma davantage qu'elle n'aurait voulu l'admettre.

— Inspecteur, lui dit-elle, si vous voulez bien…

Eli, qui avait suivi son échange avec les autres policiers d'un air indifférent, écourta sa communication.

— Oui, Holly… ne t'inquiète pas… Je te rappelle… Oui, toi aussi… Je t'embrasse.

Il remit son mobile à la ceinture et se redressa, un sourcil en point d'interrogation au-dessus de sa pommette tuméfiée.

— Où va-t-on, maintenant, patronne ?

Mais avant qu'elle ait pu lui répondre, il se mit à vaciller, toute couleur disparut de son visage et son corps s'affaissa contre la carrosserie de sa voiture.

— Eli ! s'exclama Shauna. Oh, non !

Elle le soutint par la taille afin de l'empêcher de tomber.

— Mitch !

Le robuste capitaine se précipita pour la soulager du poids d'Eli et installa celui-ci sur le siège arrière de sa voiture après que Shauna lui eut ouvert la portière.

— Fallait pas vous déranger, capitaine, lui dit Eli. Ça va passer, c'est juste que j'ai perdu un peu de sang…

— Vous n'êtes pas drôle, inspecteur, protesta Shauna. Bien, tenez-vous tranquille. Je vous emmène à l'hôpital.

— Les infirmiers ont dit…

— Vous ne leur avez pas laissé dire grand-chose, aux infirmiers. Mais moi, vous allez m'écouter ! Là, nous allons à l'hôpital.

La main sur la poignée de la portière, il tâcha de négocier encore.

— Je peux conduire.

— C'est ça ! Si vous croyez que je vais prendre le risque de vous voir vous évanouir au volant alors que je suis parfaitement capable de vous y emmener…

— La patronne vous a dit de rester tranquille, mon

vieux, intervint le capitaine. Si vous obéissiez, pour une fois ? Ça pourrait même faire du bien à votre avancement…

Eli regarda froidement Taylor.

— Je ne dépends pas de votre brigade. L'Inspection des Services est autonome. Alors ça ne vous regarde pas…

— Inspecteur Masterson…, articula simplement mais sans équivoque Shauna.

Avec un sourire, il retira sa clé de sa poche et la lui tendit.

— Si ça ne vous ennuie pas de nous conduire, madame ?

Pour dissimuler son intense soulagement, Shauna le gratifia d'un sourire moqueur, puis elle s'empressa de se mettre au volant. Les pédales lui paraissaient à dix kilomètres du siège. Le temps qu'elle parvienne à rapprocher celui-ci et à démarrer, une tension palpable s'était installée entre Eli et Mitch, qui se tenait toujours devant la portière ouverte.

— Vous vous connaissiez déjà, à ce que je vois, commenta-t-elle, pince-sans-rire.

— Il est venu poser pas mal de questions dans la brigade, ces derniers jours, repartit Mitch. N'est-ce pas, Masterson ?

— Et je n'ai pas obtenu beaucoup de réponses, n'est-ce pas, capitaine ?

Shauna savait qu'Eli ramasserait toutes les critiques du département quant à la réouverture de cette enquête, tout comme il avait absorbé le choc de leur chute sur le bitume. Il ne s'était jamais plaint de devoir jouer ainsi les boucs émissaires. Certes, il avait discuté du bien-fondé de toute l'opération, mais il ne s'était pas plaint. Qu'il soit obligé, pour elle, de se placer dans cette situation, la mettait très mal à l'aise. Si elle avait pu, elle aurait fait tout ce qui était en son pouvoir pour alléger ce poids sur ses épaules. D'ailleurs, elle allait essayer…

— Mitch, commença-t-elle, si vous pouviez nous aider… Je sais que vous et vos gens avez travaillé très dur pour résoudre l'affaire Jane Doe, seulement, voyez-vous, il y a des points qui ne collent pas dans ce que nous dit Donnell Gibbs. Alors…

— O.K., je dirai à tout mon monde de coopérer, laissa tomber Taylor.

Ce n'était pas vraiment de l'enthousiasme, mais elle savait qu'il le ferait et elle l'en remercia.

Il retint la portière avant qu'Eli ait pu la fermer.

— Si l'un de mes hommes a fait une faute quelconque, sur ce dossier…

Il laissa sa phrase en suspens. Eli regarda Shauna, puis Mitch, comme pour évaluer la loyauté de celui-ci. Cela ne dura qu'un instant.

— Vous serez le deuxième prévenu, lui dit-il, juste après la commissaire.

Le capitaine hocha la tête.

— D'accord.

En guise de salut, il toucha son front du doigt.

— Madame…

Puis il referma la portière et frappa du plat de la main sur le toit de la voiture, comme pour donner à Shauna le signal du départ.

C'était l'heure de la sortie des bureaux, aussi Shauna ne resta-t-elle pas longtemps dans Main Street et coupa à travers des quartiers résidentiels pour rejoindre le St Luke Hospital.

— Ce n'est pas la route pour chez moi ou chez vous, ça, marmonna Eli.

— Je sais ce que je dis. Vous devez voir un médecin. Si vous vous êtes pratiquement évanoui, à l'instant, c'est que vous avez perdu beaucoup de sang. Et il y a les risques d'infection… Je sais bien que votre ego supporte mal qu'on vous voie souffrir, mais je n'ai pas l'intention de laisser un de mes policiers mettre en danger sa santé à cause d'une poussée de testostérone.

— Ma testostérone va très bien, je vous remercie. Je veux bien laisser les toubibs fourrager dans ma plaie, à condition que vous veniez avec moi pour qu'on s'assure que votre bosse au front n'est rien de trop grave.

— Ma tête va très bien, je vous remercie, répliqua-t-elle du tac au tac.

Un lourd silence s'ensuivit. Au bout d'un moment, Shauna s'inquiéta. Eli s'était-il évanoui ? Il avait la tête rejetée en arrière et les yeux clos, lui apprit un coup d'œil dans le rétroviseur.

— Eli ?

Elle lança sa main en arrière pour lui toucher le front. Il était toujours tiède. Elle ralentit pour y regarder de plus près. Il ne se reposait pas, car il fronçait les sourcils. Avait-il mal ? Etait-il en colère ?

— Eli, parlez-moi !

Elle agrippa le volant et appuya sur l'accélérateur.

— Vous roulez vite, patronne…, dit-il enfin, sans ouvrir les yeux et sans sourire.

Mieux valait continuer à le faire parler pour s'assurer qu'il était conscient. Shauna regarda les véhicules garés le long du trottoir.

— La voiture bleu ciel qui a foncé sur moi, tout à l'heure, vous l'avez reconnue ?

— Oui. C'est celle qui vous a déjà frôlée dans le parking.

— Une fois, je veux bien que ce soit un accident. Mais deux ? Je ferai juger ce chauffeur pour mise en danger d'autrui, même si je ne peux rien trouver d'autre contre lui.

Ils arrivèrent en haut d'une rue en pente et Shauna prit la décision d'emprunter un sens interdit.

— J'ai demandé à Michael de faire parler la plaque d'immatriculation…

— C'est déjà fait, déclara Eli. Le propriétaire s'appelle LaTrese Pittmon. Un voyou à la petite semaine. Il a fait un peu de prison et des travaux d'intérêt général, pour des histoires de drogue…

Ouf, Eli n'allait pas tomber dans le coma, elle s'était inquiétée pour rien…

— Mais je n'ai pas vu le chauffeur assez longtemps pour savoir si cela collait avec la description de ce Pittmon…

— Très bien, monsieur Toujours-un-temps-d'avance, plaisanta-t-elle. Alors, dites-moi, qu'avez-vous pu tirer de Donnell Gibbs, ce matin ?

— Oh ! il répète toujours la même chose, la même histoire avec les mêmes mots et les mêmes détails…

Elle eut l'impression qu'il poussait un soupir désabusé, entre ses dents serrées.

— On y est presque, l'avertit-elle. Tenez bon !

— C'est comme s'il répétait un script. Je pense que quelqu'un le paye ou fait pression sur lui pour qu'il donne cette version du meurtre. Ou bien il aura suffi de l'en persuader… Le pauvre type est tellement simplet que ça ne serait même pas étonnant !

— Oui, je soupçonnais quelque chose comme ça, moi aussi…

Mais que quelqu'un partage enfin son intuition ne lui faisait pas autant plaisir qu'elle l'aurait cru. Il y avait encore trop de questions sans réponse et trop de gens souffraient…

— Arrêtez-vous !

L'ordre, le ton impératif, la firent sursauter.

— Pouvez-vous… tenir encore un peu ? demanda-t-elle. Nous sommes presque…

— Stoppez !

Elle tourna dans une petite rue adjacente, entre deux palissades.

— Vous avez mal ?

Les pneus crissèrent sur des graviers et des feuilles mortes. Eli déboucla sa ceinture tandis que Shauna coupait le contact.

— Ça ne va pas ? Ah, tout est ma faute, je n'aurais jamais dû vous entraîner dans tout ça. Qu'est-ce que…

A peine eut-elle serré le frein à main qu'Eli la prit par les épaules et l'attira à lui, entre les deux sièges.

— On ne joue plus !

Ses lèvres furent sur celles de Shauna, étouffant toute velléité de protestation. Il la serrait contre lui sans qu'elle puisse faire un mouvement. Et sa langue réclama avidement la sienne, annihilant en elle toute autre envie que celle d'être là, frémissante, entre ses bras.

Tordue dans une position improbable, à moitié sur les genoux d'Eli et contre son torse, Shauna ne pouvait pas faire grand-chose de ses mains, à part se cramponner à sa chemise. Rien ne pouvait empêcher Eli d'empoigner ses fesses.

Rien ne put non plus le retenir de glisser sa main sous sa jupe et d'imprimer sur sa peau la marque de feu de sa paume. Rien ni personne ne le retint de plonger l'autre dans ses cheveux et de lui faire pencher la tête d'un côté, puis de l'autre, pour mieux approfondir leur baiser.

Il tremblait. Oui, il tremblait. Etait-ce la peur qu'il avait ressentie pour elle, tantôt à la gare, ou bien la colère d'avoir dû lui-même risquer sa vie ?

Ses doigts s'activaient sur les boutons de son tailleur, tandis qu'il prenait sa lèvre inférieure entre les siennes.

— Vous avez voulu me faire peur, patronne, c'est ça ? murmura-t-il.

— Eli, je…

Il ne l'écouta pas et prit sa bouche en même temps qu'il recouvrait son sein de sa main, au-dessus du soutien-gorge. Shauna poussa un gémissement qui était comme une reddition. Le désir courait en elle, de la pointe dressée sous le tissu jusqu'à la lave incandescente entre ses cuisses.

— Vous savez quoi ? chuchota-t-il près de sa bouche, entre deux baisers, dans ce genre de jeu, je n'aime pas trop me laisser dicter les règles, patronne…

Il ouvrit la veste du tailleur, la fit glisser de ses épaules. Le petit caraco léger suivit, puis le soutien-gorge. Les mains fiévreuses d'Eli voulaient toujours plus de peau nue. Elles se fixèrent sur ses seins, tourmentèrent les pointes érigées et dures. Quand elle gémit de plaisir, il reprit son visage entre ses mains et l'embrassa à pleine bouche.

Quelque chose se fissurait en elle sous la pression de l'impérieux désir d'Eli. La cuirasse de convention, le protocole et la hiérarchie, tout cela éclatait en une affirmation de vie, une déflagration bien trop intense pour pouvoir être muselée. Shauna ne voulait pas que cela s'arrête. Elle plia un genou sur le siège, afin de trouver assez d'équilibre pour libérer ses bras et les jeter au cou d'Eli. Ses seins ardents contre le torse dur, elle se redressa pour prendre toute sa part de leurs baisers. Avec un grognement de plaisir, Eli adapta sa position afin que leurs corps s'enchevêtrent davantage et en même temps, que sa bouche soit libre de prendre, de goûter et de dévorer.

Bien des années avaient passé depuis que la passion avait consumé Shauna pour la dernière fois. Elle avait oublié le bonheur tactile de la peau brûlante et des cheveux courts. Oublié le contact de ces lèvres minces et de cette barbe déjà dure. Cet affolant contraste entre le désir violent, exigeant des hommes et celui, doux et accueillant, des femmes.

Sans doute, elle avait oublié bien des choses, mais elle savait qu'elle n'avait jamais connu auparavant cette rage, ce besoin dévastateur en elle. Le besoin d'avoir cet homme à elle, physiquement, mentalement, émotionnellement.

Avec Austin, elle avait eu tôt fait d'acquérir un certain

détachement. Ainsi, quand il disparaissait pour d'interminables parties de poker ou qu'il la plongeait dans une nouvelle crise à cause de dettes contractées auprès de personnages peu recommandables, elle souffrait moins et ne se sentait pas trop durement trahie. Il lui fallait, pour survivre, garder le contrôle des événements. De cette manière, elle pouvait se défendre et protéger ses enfants.

Mais personne n'aurait pu prévoir l'arrivée de l'ouragan Eli dans sa vie. Rien, maintenant, n'était plus maîtrisable. Et aussi fidèlement qu'il pouvait la protéger, elle n'en était pas moins… en danger.

Ses doigts se figèrent dans les cheveux d'Eli. Enfouissant son visage au creux de son épaule, elle huma le parfum musqué de sa peau, auquel se mêlait une odeur d'antiseptique. Celle-ci n'était pas des plus agréables et elle se dit qu'elle avait besoin d'air frais, pour reprendre un peu son sang-froid, empêcher que son attirance envers Eli ne lui masque la réalité.

La réalité, c'était que leur relation n'en était pas une. Se frotter de la sorte dans une voiture, explorer leurs bouches et leurs peaux, tout cela c'était du désir physique et rien d'autre. Une réaction au stress et non pas une communion profonde.

Et elle ne pouvait pas mettre en danger sa carrière et sa vie personnelle pour une telle chose.

Son léger recul ne lui ayant pas échappé, Eli freina un peu ses propres ardeurs. Il déplaça ses mains vers la zone relativement neutre du dos de Shauna, et le caressa doucement, en ramenant ses vêtements en place.

— Il ne faut pas que j'oublie qu'on a essayé de vous tuer, aujourd'hui, dit-il dans ses cheveux.

Il y avait trace, dans sa voix, de la peur qu'il avait eue pour elle. Shauna aurait tout donné pour pouvoir effacer cette angoisse, même a posteriori.

— Vous savez, il a fallu que je fasse comme si… comme si je ne ressentais rien, en vous voyant blessé… parce que…

Elle se glissa sur le siège à côté de lui, évitant de toucher son bras. Elle avait besoin de le regarder dans les yeux pour lui faire comprendre la vérité qu'ils devaient admettre tous deux.

— Parce que… je ne dois pas trop m'attacher à vous. Je ne le peux pas.

— Voyons, vous…

— Nous avions une partie à jouer, aujourd'hui. Moi, je ne devais pas laisser « Bien à Vous » s'en prendre aux passants, devant cette gare. Vous, vous vouliez l'empêcher de me faire du mal, et je vous en remercie du fond du cœur…

Elle effleura de ses doigts la main d'Eli, restée sur sa cuisse. Alors, il la retira lentement.

— Vous êtes en tout cas un formidable coéquipier, ajouta-t-elle. Je peux toujours vous sentir près de moi, prêt à intervenir pour me protéger…

— Un coéquipier ? répéta-t-il avec froideur.

— Ce n'est pas un poste que je vous offre. Vous savez que la commissaire principale doit opérer seule.

Elle tentait maladroitement de détendre l'atmosphère, mais son effet était gâché par la nervosité avec laquelle elle reboutonnait son tailleur.

Finalement, elle renonça à le faire complètement et serra son volant entre ses mains jusqu'à ce qu'elle ait à peu près recouvré le contrôle de ses nerfs.

— Je suis désolée de devoir vous dire ça, reprit-elle. Je déteste cette espèce de force extérieure qui a tant de pouvoir sur nos vies. Mais peut-être que si vous n'aviez pas été si concentré sur ma protection et moi, si distraite par les questions de Rebecca Page, nous aurions pu repérer ce maniaque plus tôt et ainsi, nous l'aurions arrêté avant qu'il ne mette en danger tous ces enfants ou que vous soyez blessé. Oui, peut-être aurions-nous arrêté LaTrese Pittmon ou Dieu sait qui et saurions-nous enfin qui se cache derrière « Bien à Vous ».

— Shauna, lui dit-il calmement, si je n'avais pas été si concentré sur vous, comme vous dites, vous seriez morte à l'heure qu'il est.

Cette déclaration fit plus que jeter un froid entre eux. Shauna se mit à regarder devant elle à travers le pare-brise, cherchant une réponse raisonnable qu'elle ne trouva pas.

Ses lèvres étaient fiévreuses et comme douloureuses. Jamais son ex-mari n'avait pris le temps ou n'avait eu le goût de les mettre dans un état pareil. Shauna les pinça en fermant les yeux, pour mieux retrouver la sensation du moment de passion qu'elle venait de vivre dans les bras d'Eli.

— C'est fou, murmura-t-elle. Ça contredit tout ce que j'ai pu apprendre en vingt-cinq ans de métier, ainsi qu'en dix ans de mariage raté.

Elle lui lança un coup d'œil et constata qu'elle n'était pas la seule à se remettre difficilement de ce baiser torride. Le torse d'Eli se soulevait et retombait rapidement et profondément, comme s'il cherchait à reprendre son souffle, et il se tortillait sur son siège comme si une certaine partie de son anatomie l'embarrassait.

— Nous devons nous focaliser sur l'enquête, Eli…

Elle relâcha le frein à main, sans démarrer pour autant.

— Sinon nous ne serons pas capables de mener notre mission à bien. Du moins, *je* n'en serai pas capable, je le sais. Il faut que vous m'aidiez à maintenir… un peu de distance entre nous.

— Alors comme ça, je suis irrésistible ?

Dieu soit loué, il arrivait encore à prendre la situation

avec humour. Au fond, il eût peut-être mieux valu qu'ils échangent dès le départ des plaisanteries, plutôt que des baisers ardents.

— Non, lui dit-elle en souriant soudain, vous êtes… un enquiquineur. Vous me compliquez la vie, voilà !

Il sourit lui aussi.

— Mes sœurs disent de moi que j'ai un terrible complexe du grand-frère. J'essaie toujours d'arranger les choses et de les protéger. Mais c'est de ma responsabilité ; parce qu'elles n'ont plus que moi comme parent.

— Elles ont de la chance de vous avoir.

Il eut un rire qui parut amer à Shauna.

— Pas si sûr. Je fais plutôt mal mon boulot et je suis un assez piètre exemple masculin, il faut croire. L'une est en cure de désintoxication et se dégotte toujours des types épouvantables, l'autre se réfugie dans le travail et n'a pas d'homme du tout… Nous sommes une chic petite famille…

Shauna ne voyait rien de « chic » dans son évident sentiment de culpabilité.

— Je suis désolé pour votre sœur, lui dit-elle. Nous autres flics sommes payés pour savoir combien l'addiction d'un proche peut peser lourd sur nos vies et affecter chacun de nos choix…

Eli opina tristement en silence.

— C'est pour ça que vous êtes si protecteur, avec moi ? C'est un peu ironique, non ? qu'un homme plus jeune que moi se mette à jouer les grands frères…

Eli se pencha et la regarda avec une telle intensité qu'elle eut le réflexe de se reculer sur son siège. Elle n'alla pas loin. Eli empoigna sa nuque, se pencha encore et prit sauvagement sa bouche, lui coupant le souffle, puis s'écarta. Ses yeux d'or brillaient d'un éclat assombri par la colère.

— Croyez-moi, lui dit-il d'un ton bref. Dans ce que je ressens pour vous, il n'y a pas grand-chose de fraternel.

Et il se renfonça dans son siège, satisfait, supposa-t-elle, d'avoir remis les pendules à l'heure ou peut-être, d'avoir réussi à attiser en elle un désir impossible et interdit.

— Et maintenant, démarrez, lui dit-il, avant que je perde tout mon sang sur les coussins…

Shauna reboucla sa ceinture et jeta, par-dessus son épaule, un coup d'œil sur le bout de la ruelle.

— Ou que quelqu'un nous voie…

— Ouais, aussi…

— Mon Dieu, Shauna, je viens d'apprendre…

Michael Garner entra en trombe dans la salle d'attente des urgences du St Luke Hospital et se rua vers Shauna comme si c'était à elle qu'on était en train de poser des points de suture.

— Ça va, tu n'as rien ?

Shauna reposa le magazine que de toute façon elle ne lisait pas et se leva pour l'accueillir. Avant qu'elle ait pu dire un seul mot, il la serra dans ses bras.

Il la retint un peu trop longtemps, en la serrant un peu trop fort.

— Michael…

Elle tenta de se dérober à ses effusions et il la serra encore davantage. Mais quand allait-il donc comprendre ? Comble du ridicule, il se mit à la bercer, comme pour la réconforter. Mais on pouvait se demander lequel des deux avait le plus grand besoin de réconfort…

A bout de patience, elle voulut carrément le repousser. Peine perdue : il lui mit les mains sur les épaules pour la retenir.

— J'ai vu les nouvelles. Pourquoi ne m'as-tu pas appelé ?

Elle était surprise qu'il ait appris les événements de la gare de cette manière et non pas directement, à l'état-major du KCPD. Il passait donc son temps devant la télé, comme un citoyen lambda ? Mais il avait l'air si sincèrement inquiet pour elle qu'elle regretta cette mauvaise pensée. Elle lui tapota l'épaule, et put enfin s'écarter de lui.

— La presse, la mairie, tout le monde était sur les dents quand ils ont su que des enfants étaient impliqués, reprit-il. Même dans la maison, ça a fait du bruit. J'ai vu des gens qui n'étaient pas de service aujourd'hui revenir aux nouvelles. Comme si on avait besoin de ça en ce moment…

Michael tira une chaise et s'assit auprès d'elle.

— Pourquoi ne m'as-tu pas dit que ce dingue de « Bien à Vous » a essayé de te descendre ? lança-t-il tout à trac.

— Comment ça ?

Elle s'était bien gardée d'en parler à Rebecca Page. Seuls Eli et elle savaient que les menaces étaient devenues plus explicitement personnelles.

— Il y a plus longtemps que toi que je fais ce métier, Shauna, lui dit son adjoint, et je sais additionner un et un.

Et, comme pris d'une impulsion, il retira son pardessus et le lui enfila sur les épaules, lui offrant une protection qu'elle ne désirait pas.

— « Bien à Vous » est devenu plus menaçant au fil de ses messages. Il avait commencé par se plaindre, comme tout le monde. Puis il s'est mis à parler de traîner tout le département devant un tribunal. Et enfin voilà qu'il menace individuellement quelqu'un. Parce que c'est bien ça, n'est-ce pas, Shauna ? Il a bien tenté de te tuer, aujourd'hui ?

La mise au point de Michael, qui se voulait amicale, ne fit qu'inquiéter Shauna un peu plus. Elle posa le pardessus sur une chaise et fit face à son adjoint.

— Que sais-tu d'autre, sur « Bien à Vous » ?

— Tu m'as montré ses messages au bureau, se défendit-il. Nous avons décidé de ne pas faire de la publicité à ce type, et nous avons gardé tout ça pour nous. Nous avions tort.

Un homme capable de menacer le KCPD peut se révéler dangereux pour toute la ville. Et pour toi, en premier lieu…

Ouf, il n'était pas au courant des dernières menaces. Il avait simplement procédé par déduction.

— Ecoute, Michael, nous ne savons pas si ce qui s'est passé aujourd'hui à un quelconque rapport avec les messages de « Bien à Vous ». Peut-être était-ce simplement un chauffard. Il ne faut pas aller trop vite en besogne et…

— Et c'est une coïncidence, bien sûr, si c'est sur toi qu'il a foncé ?

— Il y avait des centaines de personnes autour de moi. N'importe laquelle d'entre elles pouvait être sa cible, s'il en avait une…

— Shauna, tu sais l'importance que tu as pour le KCPD.

Oh, non, il s'approchait, il allait la toucher, de nouveau !

— … et pour moi…

Elle s'écarta prestement et se mit à faire les cent pas dans la salle d'attente. L'infirmière lui avait dit que les soins d'Eli prendraient environ une heure. On y était presque. Elle aurait bien aimé que Michael s'en aille avant d'être mis au courant de cette partie de sa vie, aussi.

— Après tout, repartit-elle, on m'a bien tiré dessus à la Cattlemen Bank, et tu n'avais pas l'air de penser qu'on m'en voulait personnellement…

— Qui a été le premier flic présent sur les lieux ? Qui t'a offert de tenir la conférence de presse à ta place, afin que tu puisses récupérer cinq minutes ?

— Toi…

— Oui, moi.

Il lui reprit d'autorité le coude et l'emmena vers un coin plus tranquille de la salle.

— Tu sais, il vaudrait mieux cesser toutes ces manigances avec Masterson…

— De quoi parles-tu ?

— Les rendez-vous secrets, les déjeuners…

— Je n'ai pas déjeuné avec Eli.

— Vous étiez ensemble à la gare centrale.

Est-ce que Betty révélait donc les détails de son agenda à quiconque les lui demandait ?

— Si tu veux tout savoir, je déjeunais avec mon ex-mari, qui voulait me pousser à faire un mauvais investissement. Quant à Eli…

Elle ne pouvait tout de même pas lui expliquer en quoi consistaient leurs manigances, comme il disait.

Elle se reprit.

— L'inspecteur Masterson déjeunait à une autre table.

— Heureusement qu'il était là, d'une certaine manière, concéda Michael. Mais, reprit-il en baissant la voix, ce type porte la poisse. Tu sais que c'était le coéquipier de Joe Niederhaus, le flic qui a failli faire capoter l'affaire du meurtre d'Arnie Sanchez. Il y a eu deux agents tués pendant que lui se remplissait les poches…

Shauna croisa les bras sur sa poitrine, sentant monter en elle un frisson de colère qui risquait bien de l'entraîner dans une véritable dispute avec son adjoint.

— L'inspecteur Masterson n'est pas Joe Niederhaus, Michael. Tu ne peux pas le condamner d'emblée parce qu'il a été le coéquipier d'un pourri.

— Tu as remarqué que ses collègues ne se bousculent pas pour faire équipe avec lui… Et maintenant le voilà qui fourre son nez dans l'affaire Baby Jane Doe, à la dernière minute, alors qu'on va juger son meurtrier… On peut se demander si ce n'est pas lui, plutôt que toi, qui était visé par un tueur, et si ce tueur ne pourrait pas, par hasard, être l'un des nôtres.

Envolée, la diplomatie. Shauna répliqua sèchement :

— Bon, ça suffit comme ça, Michael. Nous en avons déjà discuté…

— Traîner avec ce Masterson ne t'attirera que des ennuis.

— Je ne traîne pas avec lui !

— Bon sang, Shauna, je ne suis pas venu jusqu'ici pour me disputer avec toi, mais parce que je m'inquiète pour toi.

Il la prit par le bras alors qu'elle s'éloignait de lui. Elle le fusilla du regard et il eut le bon goût de la lâcher, levant les mains en signe de renoncement.

— Tu devrais prendre quelques jours de vacances, lui dit-il. Quitter la ville, voire le pays… aller dans un endroit où tu pourras te détendre en toute sécurité et récupérer un peu, le temps que ce « Bien à Vous » t'oublie.

Shauna n'aurait jamais imaginé que les menaces de « Bien à Vous » deviendraient réalité aussi vite. Mais quitter la ville avant d'avoir mis la main sur lui ? Pas question.

— On dirait que tu cherches à te débarrasser de moi.

— J'essaie de te mettre en sûreté. Tu sais que je peux m'occuper de pas mal de choses à ta place, s'il le faut…

— Moi, j'aime bien la façon dont la patronne les gère, les choses…

La voix profonde d'Eli venait de résonner dans le dos de Shauna, y faisant naître un délicieux frisson.

— Tiens, tiens, regardez donc qui est là, persifla Michael. Cette conversation ne vous regarde pas, inspecteur.

Shauna n'avait pas la moindre envie d'entendre son adjoint continuer sur ce ton et surtout ne pensait plus qu'à voir si Eli avait été bien soigné. Mais à peine avait-elle eu le temps de poser les yeux sur son bras bandé que Michael continuait :

— Tu vas peut-être me dire que c'est une coïncidence, là aussi ? Shauna, tu devrais savoir que c'est contre toutes les règles que de frayer avec un…

— Je ne te permets pas, Michael. Un de mes hommes a été blessé en me sauvant la vie et je ne connais aucune règle de déontologie qui m'empêche de le conduire à l'hôpital.

— Il y en a une quoi qu'il en soit qui t'interdit de le ramener chez toi et de lui donner… un brin de réconfort.

L'envie de lui envoyer la gifle qu'il méritait vibra dans ses doigts. Mais elle connaissait une autre façon de le remettre à sa place.

— J'espère que tu ne seras pas blessé en service, Michael. Parce qu'il ne faudra alors t'attendre à aucun réconfort, comme tu dis, de ma part.

— En tout cas, je t'aurai prévenue contre lui.

Le « lui » dont parlait Michael vint se placer juste derrière elle, assez près pour qu'elle pût sentir sa chaleur. Elle n'avait pas défendu son honneur contre les insinuations de son adjoint avec autant de zèle qu'Eli l'avait elle-même défendue à la gare, et pour cause…

— Je ne veux pas que tu perdes ton poste et surtout pas que tu souffres, acheva Michael.

Agacée, elle détourna les yeux. Eli, lui, soutint le regard du commissaire adjoint, dans une confrontation virile à qui céderait le premier. Finalement, Michael prit son pardessus et se dirigea vers la porte.

— Plaisante petite conversation, dit Eli, sarcastique.

— Je rêve, il faut me pincer, marmonna Shauna en se laissant aller dans le fauteuil où elle avait laissé son sac et ses dossiers.

— Vous pincer ? Idée intéressante mais il y a sûrement mieux à faire.

— Vous avez entendu ce qui va m'arriver s'il peut prouver qu'il y a eu quoi que ce soit… d'inapproprié entre nous ?

— Si vous croyez que vous allez vous débarrasser de moi de cette manière, vous vous trompez !

Elle en était bien convaincue, en effet.

— Est-ce que vous ne pouvez pas, néanmoins, adopter une certaine distance… professionnelle, lorsque nous sommes en public ?

— Je peux essayer, du moins jusqu'à ce qu'une nouvelle voiture tente de vous renverser. Là, je ne répondrai plus de rien.

— Eli…

Mais le réprimander ne servait à rien et puis, au contraire de Michael, il ne lui avait jamais imposé de contact physique.

— J'ai encore quelque chose à faire ici avant de vous ramener, lui dit-elle. Vous pouvez m'attendre ou venir avec moi, comme vous voulez.

Cinq minutes plus tard, ils étaient tous deux sur le seuil de la chambre 3036, devant le lit vide, même pas défait, de Richard Powell.

— Comment ça, il a été libéré ?

La jeune aide-soignante débordée ne méritait pas qu'on lui parle sur ce ton outré, mais la journée avait été pénible. Shauna avait déjà son mobile en main et elle s'excusa d'un signe de tête avant de donner congé à la jeune fille. Dès qu'elle eut le secrétariat de la prison en ligne, elle attaqua :

— Ici la commissaire principale Cartwright. J'avais laissé des instructions précises à propos du transfert de Powell. Qu'est-ce que c'est que cette histoire de libération et pourquoi ne m'a-t-on pas prévenue ?

En écoutant le gardien-chef de service lui expliquer, très embarrassé, qu'il y avait eu méprise entre un voyou de peu d'envergure qu'on avait mis à l'isolement et Richard Powell, qu'on avait fait libérer par erreur à sa place, Shauna s'imaginait le regard glacé du tueur. Eli la ramenait déjà vers l'escalier, vérifiant chaque porte et chaque coin de couloir avant de lui faire signe de passer.

— Bon sang, gardien-chef, cria-t-elle dans le téléphone, il a tué deux personnes !

Le fonctionnaire de l'administration pénitentiaire jura sourdement puis s'en excusa.

— On vient de me transmettre l'info, madame… Je suis vraiment navré…

Shauna avait autre chose à faire qu'à écouter des excuses.

— Et depuis quand exactement est-il en cavale ?

— Depuis ce matin, madame. On vient seulement de s'en apercevoir.

Ce matin… Il avait eu tout le temps de monter dans une Buick bleue et d'essayer de la tuer.

9

— Maman, la nuit est magnifique, viens voir…

Shauna suspendit le torchon à essuyer la vaisselle et quitta la cuisine pour rejoindre sa fille devant la fenêtre du salon, contournant le canapé au pied duquel la chienne était étendue de tout son long.

— Quand tu dis magnifique, tu ne fais pas allusion à ce SUV noir garé devant la maison, je suppose ?

C'était à son tour d'en plaisanter un peu. Shauna avait déjà eu à subir, de la part de sa fille, de nombreuses allusions au taciturne gardien qui veillait sur elle dans l'ombre, à l'écart de la lumière du réverbère.

— Je ne comprends pas comment tu peux le laisser dehors toute la nuit, comme ça, dit Sarah en repoussant une mèche de ses cheveux derrière son oreille. Tu laisses bien Sadie à l'intérieur…

— Sadie fait partie de la famille, et puis j'ai gardé l'inspecteur Masterson à dîner…

— Ah oui ! J'ai adoré jouer les chaperons pendant que vous faisiez beaucoup d'efforts pour ne pas flirter…

Comment expliquer les règles de la déontologie policière et les dangers de la tentation à une incurable romantique comme Sarah ? Shauna s'agenouilla sur le tapis et caressa la chienne.

— Je suis le grand chef du KCPD, lui dit-elle posément. Je dois être au-dessus de tout reproche, d'autant plus que je suis une femme, dans une position d'autorité. Ce n'est pas juste, mais c'est ainsi.

— Ce qui n'est pas juste, si tu veux mon avis, c'est qu'il soit encore plus beau, avec ses bleus et son pansement…

Bien que cela lui fît peine de le voir blessé, Shauna devait admettre que ses blessures de guerre formaient un contraste évocateur avec la brillante intelligence d'Eli et ses yeux incroyables. Elle chassa les images qui lui venaient un peu trop facilement à l'esprit. Il n'était pas question d'esthétique dans tout ceci.

— Tu aimerais qu'on apprenne que tu as une relation avec l'un de tes élèves ? demanda-t-elle à sa fille.

Sarah éclata de rire et fit la grimace.

— Mais enfin, maman, qu'est-ce que tu racontes ? L'inspecteur n'a plus l'âge du cours élémentaire. C'est un beau spécimen de mâle adulte et il a le béguin pour toi…

— J'ai dix ans de plus que lui. Il serait certainement bien davantage attiré par une belle jeune femme comme toi.

Après leurs petits ébats interrompus sur la route de l'hôpital, Shauna avait fini par se persuader que c'était seulement la proximité dans le travail, ajoutée au stress, qui avait développé cette forte attraction entre elle et Eli. Elle était solitaire et lui aussi. Ils avaient eu besoin l'un de l'autre pour survivre. Tout les rapprochait, mais c'était bien fragile. Elle était tout de même assez intelligente pour faire le tri entre sa raison et ses hormones…

Il lui fallait ramener sa fille, autant qu'elle-même, à la raison, et tuer dans l'œuf le fol espoir qu'une quelconque relation avec Eli pourrait avoir un avenir.

— Il t'a regardée, pendant le dîner, fit-elle remarquer à Sarah.

De nouveau, celle-ci éclata de rire.

— Bien sûr ! Chaque fois qu'il me demandait de lui passer le sel ou la salade. Mais il a tellement dévoré ton derrière des yeux, pendant que tu faisais le café au comptoir, que j'ai failli vous envoyer jouer dans ta chambre…

— C'est ridicule !

Shauna refusait d'admettre qu'elle en avait rougi de plaisir, car elle s'était parfaitement aperçue de ses regards pleins d'intérêt et elle aimait cette appréciation silencieuse. A sa grande surprise, quelque chose d'aussi banal qu'un dîner en famille pouvait être chargé de tension sexuelle. Après le café, elle l'avait cependant promptement mis dehors…

— Je ne vois pas en quoi, objecta Sarah. Il a passé les quatre dernières nuits à faire le planton devant ta maison. Pas devant la mienne, ni celle d'une autre…

— Il fait son travail. Je t'ai parlé de Richard Powell. Il est probablement loin à l'heure qu'il est, mais jusqu'à ce que nous l'ayons retrouvé, et tant que nous n'aurons pas fait toute la lumière sur l'identité de « Bien à Vous », j'ai demandé une garde rapprochée pour nous trois.

— Maman, tu es de mauvaise foi. Eli est un enquêteur, pas un garde du corps ou quoi que ce soit de ce genre. Il fait ça sur son temps libre, parce qu'il tient à toi.

Sa fille, à l'évidence, était tout aussi convaincue qu'Austin ou que Michael qu'il y avait anguille sous roche. Bientôt, la presse s'en douterait à son tour et les rumeurs iraient bon train, affectant son commandement.

— Moi, je l'aime bien, insista la jeune femme. Et je suis sûre que toi aussi.

— Dis donc, toi, tu n'aurais pas quelques devoirs à corriger ?

— Pas ce soir.

Sadie poussa un jappement bref et se redressa. Sarah regarda par la fenêtre et sourit.

— … D'ailleurs, pourquoi travailler quand le spectacle au-dehors est tellement intéressant…

Shauna se leva sur ses genoux douloureux.

— Qu'y a-t-il de si intéressant ?

— Seth en train de faire du catch avec cette journaliste, là… comment tu l'appelles ?

— Oh, mon Dieu !

Sans se soucier de ses pieds nus, Shauna ne fit qu'un bond jusqu'à la porte, désactiva l'alarme et se rua au-dehors, Sarah et la chienne sur ses talons.

— Seth ! Seth Cartwright !

Ils ne se disputaient pas, ne palabraient pas, non, ils luttaient au corps à corps sur la pelouse. Le torse musclé de son fils clouait au sol la plume la plus acérée de Kansas City, Rebecca Page en personne. Les traces vertes sur son jean, au niveau des fesses, indiquaient qu'elle s'était déjà traînée dans l'herbe avec lui avant qu'il ne la mette sur le dos et ne se couche sur elle, ses jambes vigoureuses bloquant les siennes.

— Tu vas te tenir à l'écart de ma famille, maintenant, c'est compris ? rugissait Seth. Et de nos affaires, aussi.

Eli apparut derrière Shauna, son Glock à la main, qu'il remit bien vite dans son étui.

— Elle était dans sa voiture depuis environ dix minutes, expliqua-t-il. Elle téléphonait. Je suis allé taper à sa vitre, je lui ai montré mon insigne et je lui ai dit que ce n'était peut-être pas le meilleur endroit pour ça, mais elle m'a répondu qu'elle faisait ce qu'elle voulait. Votre fils est arrivé là-dessus. Je suppose qu'il a pensé qu'il fallait se montrer plus persuasif…

— Pourquoi ne m'avez-vous pas dit qu'elle était là ? s'énerva Shauna en essayant de faire lâcher prise à Seth.

Mais il se dégagea sans peine et continua de plaquer la journaliste sous son poids.

— Mais enfin, arrête, Seth, arrête !

— Ce n'est pas vous qui vouliez que je fasse profil

bas ? dit tranquillement Eli en s'approchant pour aider. Elle n'enfreignait aucune loi, en restant là…

— J'ai le droit de mener mon enquête ! glapit Rebecca Page en martelant de ses poings, sans effet, les épaules de Seth. Mes lecteurs veulent savoir la vérité !

— A la seconde où tu as posé le pied sur cette pelouse, tu violais une propriété privée, ma belle, répliqua le jeune policier d'un air suave.

— Bon, on va peut-être se calmer un peu…

Eli se pencha, passa son bras autour du cou du jeune policier et le détacha de la journaliste.

— Lâchez-moi !

Dès qu'elle eut les mains libres, Rebecca se précipita sur Seth, toutes griffes dehors, et il fallut encore les séparer.

— Espèce de cinglé ! hurlait-elle. Je fais mon travail, c'est tout !

Shauna la tira en arrière en lui maintenant les bras.

— Ça suffit. Vous arrêtez, tous les deux !

La journaliste essaya encore de se libérer, mais Shauna tint bon.

— Et dire qu'on ne trouve jamais un flic quand on en a besoin, fulmina Rebecca, et que là vous êtes quatre à vous acharner sur moi !

— Je vous demande bien pardon, lui dit Sarah, mais je ne vous ai pas touchée et je ne suis pas policière…

Mais la journaliste n'avait pas le sens de l'humour, ce soir…

— Combien y en a-t-il, pour surveiller Richard Powell ? lança-t-elle d'un ton accusateur.

Shauna se garda bien de toute réaction visible, mais bien sûr, elle fut piquée au vif.

— Que savez-vous de Richard Powell ? demanda-t-elle le plus calmement possible.

— Réponds quand on t'interroge ! cria Seth, qu'Eli retenait toujours, un bras tordu derrière son dos.

— On avait dit qu'on se calmait, lui dit ce dernier d'un ton un peu las, sans desserrer sa prise.

— Et d'abord, qu'est-ce que vous fichez encore ici, Masterson ? lui cracha le jeune policier par-dessus son épaule.

— Maintenant ça suffit, Seth, intervint sa mère d'une voix ferme, j'en ai plus qu'assez. Ce sont mes affaires et non les tiennes !

Pour reprendre le contrôle de la situation, il lui fallait d'abord maîtriser son fils…

— Je ne te demande pas ce que tu fais au Riverboat. Ici, c'est moi qui commande et moi qui pose les questions.

Seth respirait fort, mais son attitude passa lentement du défi à la résignation.

Bien, une bonne chose de faite… A l'autre, à présent…

Shauna se tourna vers la jeune journaliste.

— Alors, vous allez me dire ce que vous savez de Richard Powell, oui ou non ?

— Je sais qu'il a tué deux hommes à la Cattlemen Bank. Et que ses complices présumés s'appellent Charlie Melito et Victor Goldsmith. Melito fumait du crack, apparemment. Je suppose qu'il a accepté ce boulot pour se payer ses doses. Mais Goldsmith, le banquier, n'est pas un inconnu. Papa avait déjà enquêté sur lui.

Shauna se souvint que Rebecca avait en effet remplacé son père, un reporter du Kansas City Journal, après sa mort prématurée.

— Il n'a jamais pu le prouver, mais il le soupçonnait de travailler pour les mêmes employeurs que Powell…

Il y avait un fond de sarcasme, dans ce que la journaliste voulait présenter comme une simple énumération de faits.

— Le crime organisé, vous voyez ce que je veux dire ? Un hold-up qui n'en est pas un. Pas pour l'argent, en tout cas.

Shauna l'avait soupçonné tout de suite. Dans l'attaché-case de Powell, on avait retrouvé des livres de comptes.

— Ainsi vous pensez que ce n'était qu'une mise en scène pour exécuter Goldsmith ?

— C'est vous les flics, repartit Rebecca en les enveloppant tous dans le même mépris. C'est à vous de me le dire. Décidément, le KCPD ne mérite pas son excellente réputation ! Je sais que vous avez perdu la trace de Powell. Il n'est ni en prison ni à l'hôpital. Vous l'avez laissé filer.

— Et comment le savez-vous ?

— J'ai interrogé le personnel de l'hôpital. Ils ont enregistré sa sortie, mais à la prison, par contre, on n'a pas enregistré son entrée…

— C'est faux, dit calmement Shauna. On n'a pas pu vous dire ça à l'hôpital…

Ce n'était pas la première fois qu'elle suspectait la presse d'avoir un informateur au département.

— Vous devez avoir un très bon ami, chez nous, dites-moi, pour savoir autant de choses, insinua-t-elle.

— J'ai de nombreux amis dans beaucoup d'endroits, répliqua fièrement Rebecca.

Mais cela semblait plus une rodomontade qu'une réalité…

— … Et je ne vous donnerai aucun nom.

D'un regard, Eli requit l'attention de Shauna. Il lui montra la lumière au-dessus du porche, qui les éclairait tous.

— Il vaudrait mieux rentrer ou aller discuter ailleurs…

En effet, il fallait mettre un terme à cette conversation.

— Avez-vous une question particulière à me poser, Rebecca ?

— Maman !

Seth voulut de nouveau se ruer en avant, mais Eli le tenait fermement.

— Débarrasse-toi d'elle… Tout ce qu'elle écrit ne nous attire jamais que des ennuis !

— La liberté de la presse fait partie des droits que nous sommes là pour défendre, Seth. Votre question, mademoiselle Page ?

Rebecca toisa le jeune policier d'un air satisfait, profitant du fait qu'elle était légèrement plus grande que lui pour assurer sa supériorité.

— Vous étiez là quand Goldsmith a été tué, commissaire. Je veux savoir si vous avez vu quelque chose qui puisse étayer ma théorie, quelque chose qui indique que c'était un meurtre et non un hold-up. Après ce que j'ai vu hier à la gare centrale, je me suis demandé si ce n'était pas une vengeance et si Powell n'était pas au volant de la voiture.

L'avait-il délibérément visée, à la banque, ou bien n'avait-elle été qu'une victime des circonstances ? Shauna frissonna. Elle connaissait déjà la réponse. Et tout à coup, sans le moindre doute, elle sut que ses voisins, de l'autre côté de la rue, n'étaient pas les seuls à observer cette scène avec un grand intérêt.

Elle pouvait toujours espérer que ses pieds nus sur le sol froid servent d'excuse à ses tremblements. Peut-être cela tromperait-il la journaliste, mais pas Eli. Lui, il y voyait clair.

D'ailleurs, il intervint sur ces entrefaites, sous la forme d'un discret rappel.

— Commissaire…

— Nous savons que cette voiture n'appartient pas à Powell et à cause du reflet du soleil sur le pare-brise et de la vitesse, je n'ai pas vu le chauffeur.

C'était bien tout ce qu'elle pouvait lui dire. Elle fit un geste vers la rue, comme pour signifier à la journaliste de la laisser, à présent. Elle ne pouvait pas même dire à

Rebecca Page combien elle se mettait en danger, rien qu'en restant ainsi auprès d'elle.

— Pour ce qui est du hold-up, je ne peux rien vous dire, car l'enquête est toujours en cours.

— J'espérais une réponse plus franche.

— C'est la seule que je puisse vous donner.

Mais Shauna devait faire une concession, pour la sécurité de tous.

— Si vous partez, maintenant, je vous promets de vous donner des détails dès que j'aurai légalement la possibilité de le faire.

— Ça veut dire bonne nuit, lança Seth, et bon vent !

— Je vous raccompagne à votre voiture, dit Eli à la journaliste. Seth, ramenez votre mère et votre sœur à l'intérieur. Il y a un peu trop d'yeux fixés sur nous…

Il invita du geste Rebecca à le suivre.

— Mademoiselle Page…

— Et j'aurai l'exclusivité ? s'enquit celle-ci, sans bouger.

— Vous serez la première porteuse d'une carte de presse que j'appellerai, c'est promis, répondit Shauna.

Elle se pendit au bras de son fils et le laissa l'escorter vers le porche. Elle avait besoin de la force de Seth et de sa tendre sollicitude ; et cependant il lui tardait de refermer sa porte et de lui demander, sans trop de ménagements, au nom de quoi il avait oublié tout ce qu'elle lui avait appris sur le respect qu'on doit aux femmes, même à une peste venimeuse comme cette Rebecca Page.

Seth tint la porte pour elle, ainsi que pour Sarah et Sadie, tandis que la journaliste démarrait bruyamment dans sa petite voiture de sport rouge.

— Bien carrossée, murmura-t-il pensivement.

— Tu parles de la brune toute en jambes ? lui demanda sa sœur.

Il la dévisagea un instant avant de passer le seuil.

— Non, la voiture, répondit-il.

Une fois la porte close, il prit sa mère dans ses bras.

— Tu sais que ce n'était pas vraiment moi, là, au-dehors. Je ne suis pas comme ça, tu le sais, hein ? J'ai perdu la tête.

Soulagée par cet aveu, Shauna l'étreignit à son tour.

— Tu te croyais encore dans ton rôle de videur au Riverboat, c'est ça ?

— Il y a de ça…

— Fais un câlin à ta sœur, aussi. Et il reste un peu de tarte aux pommes dans le frigo.

L'harmonie familiale étant un peu revenue, le frère et la sœur dans la cuisine, Shauna ressortit sur le seuil pour dire un mot à Eli, qui revenait tranquillement vers la maison.

— Il y aurait moyen d'avoir encore une tasse de ce délicieux café ? demanda-t-il en montant les marches.

— Il y aurait une chance que Rebecca Page tienne sa parole et que cet incident ne soit pas dans le journal demain ?

Shauna serra frileusement ses bras autour de sa poitrine, pour se réchauffer et peut-être, aussi, pour se donner une contenance.

— Je voulais vous dire merci, lui dit-elle.

— De quoi donc ?

Il la rejoignit à la balustrade de la véranda et s'y accouda auprès d'elle.

— De veiller sur moi, d'une part. D'avoir empêché mon fils de se retrouver en examen pour agression, d'autre part.

— Il ne m'aime pas beaucoup, votre fils.

— Il est tout aussi protecteur que vous et il sait que sa famille est en danger. Ce qu'il ne sait pas, c'est d'où vient la menace.

— Et moi, j'en suis une ?

Le ton d'Eli était aussi sombre que la nuit.

— Pas le genre dont il s'inquiète.

— Vous avez la chair de poule. Vous tremblez…

Ainsi, il s'en était aperçu.

— Je suppose que mettre ma veste sur vos épaules est tout à fait hors de question ?

Shauna acquiesça. Elle se devait de résister à la tentation de se sentir enveloppée de son odeur et de sa chaleur.

— Si ça peut vous consoler, ma fille vous aime beaucoup…

— La chienne aussi.

Elle appréciait beaucoup son humour, qui la détendait et lui faisait se demander s'ils pourraient rester amis, une fois que ce cauchemar serait terminé. Elle avait le sentiment que s'ils ne trouvaient pas très vite les réponses aux questions qu'ils se posaient, ils dépasseraient le cap où l'amitié restait possible.

Pourquoi se mentait-elle ainsi ? Ce point, elle l'avait déjà dépassé. Tout doucement, elle fit glisser sa main sur la rampe de la balustrade et entrelaça ses doigts à ceux d'Eli. Ce n'était qu'un petit geste tout simple, mais il signifiait beaucoup. Cet homme comptait décidément pour elle. Oui, elle s'était menti, en mettant son attirance pour lui sur le compte du stress et du danger. Sa seule présence l'apaisait et la rassurait. Elle lui procurait également des sensations qu'elle n'avait pas éprouvées depuis bien longtemps. Sa relation avec Austin n'avait jamais été aussi intense…

C'était… Oui, c'était dommage.

A regret, elle retira sa main et se dirigea vers la porte.

— Je vais vous faire ce café, annonça-t-elle.

— Merci, Shauna.

Sa façon de prononcer son nom avait quelque chose de lancinant, comme un appel.

C'était vraiment dommage…

— Vous allez revoir Donnell Gibbs, demain ?

Parler travail. C'était la seule chose qu'ils pouvaient se permettre de faire ensemble.

— Oui. Puis j'irai interroger quelques policiers.

— J'aimerais venir avec vous. Peut-être qu'à deux, nous ferons avancer cette enquête un peu plus vite.

— Vous êtes donc si pressée de vous débarrasser de moi ?

— Non, Eli, je ne le suis pas. C'est bien là le problème.

Donnell Gibbs comptait de nouveau les carreaux. Mais entre le 400e et le 401e, son regard d'habitude fuyant alla se poser fugitivement sur Shauna, assise au bout de la table, en face du procureur Powers. Puis encore une fois après le 412e. Qu'est-ce que cela pouvait bien vouloir dire ? Tambourinant des doigts sur une enveloppe posée devant lui, Eli vit Gibbs observer Shauna encore deux fois pendant que les deux ténors du barreau se disputaient sur un point de droit. Pourquoi ne progressait-on pas ?

Son bras lui faisait mal, son humeur ne cessait de se détériorer et sa patience était à bout. Il avait brûlé de désir pour Shauna tout au long d'une nuit glaciale. Après le départ de Rebecca Page, puis celui de Seth et Sarah, les lumières s'étaient éteintes dans la maison et pendant que Shauna se glissait dans son lit, après avoir enfilé cette soyeuse peau de pêche qu'elle appelait un pyjama, lui se morfondait derrière le volant de sa voiture, les jambes ankylosées et le cœur chaviré pour une femme qu'il ne pouvait avoir.

Ah, c'était bien là l'ironie ultime ! Après toutes ces années à refuser de s'attacher sérieusement à quiconque, voilà qu'il en pinçait pour sa patronne !

Elle lui avait pourtant fait comprendre qu'elle partageait un peu de cette folie qui le consumait, quand elle avait mis sa main sur la sienne. Et puis tout d'un coup, elle l'avait planté là. Cette femme ne ferait jamais le moindre accroc à son code de déontologie, même si sa vie en dépendait !

Il ne pouvait s'empêcher d'admirer son intégrité. Il devait même respecter cette grandeur d'âme. Mais bon Dieu, il n'était pas obligé d'apprécier.

Cette relation qui ne pouvait pas en être une allait mal finir et il savait que retourner à ses habitudes le ferait terriblement souffrir. Mais il savait aussi que dans la vie, on n'obtient pas toujours ce qu'on veut. Sinon, ses parents seraient toujours de ce monde, ses sœurs seraient des jeunes femmes épanouies et équilibrées, son coéquipier n'aurait pas été corrompu. Et il aurait Shauna…

Dwight et Audrey débattaient de la notion de coopération avec la justice et d'aveux extorqués tandis que Gibbs, une fois encore, regardait Shauna. Bon, cette fois, ça allait bien comme ça. Eli recula sa chaise et se leva.

— Est-ce qu'on pourrait regarder les photos, s'il vous plaît ? lança-t-il.

Audrey Kline leva les yeux, surprise, et Shauna lui adressa un regard de reproche. Eli n'avait pas vraiment besoin de cela pour se sentir honteux.

— Je suis désolé de vous interrompre, grommela-t-il, mais notre temps à tous est compté. Si nous pouvions lui faire regarder les photos, au cas où il pourrait reconnaître quelqu'un, j'en serais heureux…

Audrey acquiesça et se leva pour rejoindre Gibbs. Elle posa doucement sa main sur son bras et le petit homme cessa de compter les carreaux.

— Nous voudrions que vous vous asseyiez, Donnell, lui dit-elle, et que vous regardiez ces photos avec nous.

— J'aime bien les photos, dit Gibbs comme Audrey le ramenait vers la table, mais pas celles avec des jeunes filles. Celles-là ne sont pas bonnes pour moi. Je ne dois pas en avoir…

Eli lui offrit sa chaise.

— Ce ne sont pas des jeunes filles, Donnell, lui dit-il. Que des hommes. J'ai besoin de savoir si vous en connaissez un…

Ayant à l'esprit le penchant de l'accusé pour les figures géométriques et les jeux de mémoire, il disposa les vingt photos devant lui comme une sorte de puzzle. Puis il s'écarta et, tout en piaffant secrètement d'impatience, le laissa les examiner.

— Hé, ça, c'est LaTrese.

L'espace d'un instant, Eli crut avoir mal entendu. Mais Shauna avait reconnu le nom, elle aussi.

— Lequel est LaTrese ? demanda-t-elle.

Gibbs pointa sa tasse de café vers la photo de LaTrese Pittmon.

— Vous le connaissez ? s'enquit Eli.

— On a vécu ensemble.

— Pardon ?

Gibbs eut un petit sourire embarrassé.

— Non, pas comme ça. On a partagé une chambre. C'était avant que j'aille en prison.

Ce n'était pas possible. Trouver Pittmon ne pouvait pas être aussi facile.

— Vous vous souvenez de l'adresse ?

Gibbs donna un numéro sur Truman Road. C'était un endroit qu'Eli connaissait bien, et pour cause.

— La clinique Boatman ? Vous étiez en désintoxication ensemble ?

— Oui, mais il est parti le premier et je suis resté tout seul dans la chambre.

Jillian y était en ce moment même, avec des cinglés et des maniaques comme Gibbs et Pittmon. Tous ceux qui étaient là-bas essayaient de refaire leur vie et de prendre un nouveau départ mais pour certains, ça ne marchait pas. Jillian allait-elle finir en prison, elle aussi, comme Gibbs ?

Sentant sans doute son trouble, Shauna reprit les rênes de l'interrogatoire. Elle détacha trois photos du lot.

— Donnell, connaissez-vous l'un ou l'autre de ces hommes ?

— Vous, vous êtes jolie, lui répondit le petit homme.

Cette remarque tira Eli de ses pensées. Que voulait dire cette fascination pour Shauna ? Est-ce que Gibbs n'aimait pas uniquement les jeunes filles prépubères ? C'était un suspect plutôt docile et prêt à coopérer, mais Eli n'aimait pas du tout ce genre de comportement…

— Merci…

Si Shauna trouvait elle aussi l'attention de Gibbs à son égard plutôt malsaine, elle n'en laissa rien paraître. Elle sourit et montra les photos, de nouveau.

— Est-ce que vous reconnaissez quelqu'un ?

Donnell Gibbs regarda les portraits avec autant d'attention que les carreaux du mur. Finalement, il en pointa un du doigt.

— Ça, c'est Charlie…

Charlie Melito ? L'homme habillé en racaille des banlieues lors de l'attaque de la banque ?

— … Mais on n'a jamais partagé de chambre.

— Lui aussi, vous l'avez rencontré à la clinique Boatman ? s'enquit doucement Shauna.

Gibbs acquiesça et désigna la photo de Richard Powell.

— Lui aussi, il y était. Il est méchant.

Le regard vert de Shauna alla chercher celui d'Eli. Ils pensaient à la même chose. On tenait une piste, enfin…

Quatre hommes. Une clinique de désintoxication, seul lien évident entre eux. Mais tous impliqués, d'une façon ou d'une autre, dans les menaces contre la vie de Shauna. Deux d'entre eux suspects d'avoir conduit la Buick bleu ciel. Pas Donnell Gibbs, bien sûr, puisqu'il était en prison, et moins encore Charlie Melito, raide mort. Mais Powell comme Pittmon pouvait être « Bien à Vous ». Et l'un ou l'autre, ou les deux, pouvaient connaître la vérité sur le meurtre de Baby Jane Doe.

Guère pressé, pour une fois, de retourner inspecter ses carreaux, Donnell dévisagea Shauna.

— Vous aussi, j'ai vu votre photo…

Elle rassembla les photos et opina, de l'air de quelqu'un d'assez célèbre mais qui n'y attache pas grande importance.

— On vous voit souvent à la télé et dans les journaux.

Donnell se tortilla sur sa chaise. Il tourna la tête, comme s'il essayait de voir Shauna sous différents angles. Puis il baissa les yeux vers les photos sur la table et enfin, la regarda de nouveau.

Ce comportement fit à Eli l'effet d'une sonnette d'alarme. Donnell Gibbs pouvait se souvenir de tout et de tous ceux qu'il avait vus. S'il disait avoir eu en main la photo de Shauna, c'était la vérité.

Il se pencha vers lui. Le petit homme se tortillait de plus en plus nerveusement.

— Ou avez-vous vu la photo de Mme Cartwright, Donnell ?

Il pointa du doigt le portrait de Richard Powell.

— Est-ce que cet homme a sa photo ?

Gibbs secoua la tête. Il se tourna vers Eli et lui murmura :

— C'était avec une photo d'elle.

Elle ? Eli ne comprenait pas. Il montra la jeune avocate, de l'autre côté de la table.

— Vous voulez dire… de Me Kline ?

— Non, répondit Gibbs, de plus en plus agité. La fille avec les beaux yeux et la jolie robe. Dans le parc.

Ebahis, Dwight poussa un juron et Audrey Kline une exclamation de surprise. Eli prit subrepticement la main de Shauna sous la table et la pressa plus encore quand elle voulut la retirer.

— Vous avez vu Shauna ?

Il se corrigea lui-même, avant que Shauna ait besoin de le faire.

— Vous avez vu la photo de Mme Cartwright au même endroit qu'une photo de Baby Jane Doe ?

Le visage de Shauna resta impénétrable. Elle devait être une bonne joueuse de poker. Mais sa main frémissait sous la sienne.

— Je ne connais pas son nom.

Donnell pensait qu'Eli l'interrogeait toujours à propos de la jeune fille assassinée.

— Où avez-vous vu ces photos, Donnell ?

— Je ne sais pas. Il faisait noir. LaTrese m'avait emmené en voiture. Je ne sais pas où. Je n'ai pas vu le numéro. C'était un endroit qui faisait peur.

— Qui avait ces photos ?

— Je ne sais pas. (Il montra les clichés). Il n'est pas là.

— Son nom, vous vous souvenez de son nom ?

— 'Sais pas.

Shauna mêla ses doigts à ceux d'Eli, comme la veille, sous la véranda.

— Pourquoi regardiez-vous ces photos, Donnell ?

— Pour que je puisse bien apprendre comment j'avais tué la jeune fille.

10

Accompagnant Shauna pour un rendez-vous avec le directeur de la clinique Boatman, Eli salua le psychiatre qui s'occupait de sa sœur, alors que celui-ci traversait une salle de réunion, au cœur de l'établissement. Le médecin le reconnut, pour l'avoir vu lors de l'entretien d'entrée de Jillian, et il lui serra la main.

— Votre sœur fait de réels progrès, lui dit-il. Elle n'est pas encore tirée d'affaire et loin s'en faut, mais je pense qu'à ce stade du traitement, elle commence à pouvoir recevoir une visite. Voulez-vous la voir ?

— Je ne pensais pas que je le pourrais, répondit Eli, heureusement surpris.

Certes, il était très désireux de s'assurer de ses propres yeux qu'il avait bien fait de la placer ici. Mais il ne voulait pas interférer dans le programme de soins.

Ce fut Shauna qui le poussa à y aller.

— La famille avant le travail, Eli, lui dit-elle.

Tiens, son prénom, et non pas « inspecteur »…

— Je peux vérifier les dossiers sans vous. Allez donc voir votre sœur. Vous en avez besoin.

— Ce n'est pas pour ça que nous sommes ici.

— C'est un ordre.

Pour une fois, il obéit.

Lambrissée de bois exotiques, l'entrée de la clinique était élégante et chaleureuse ; des tapis d'Orient, des fauteuils de cuir et des reproductions d'art moderne décoraient les salles de réception. Mais Eli savait bien que, derrière cette façade accueillante, il y avait aussi des chambres capitonnées, des lits d'hôpitaux et des verrous aux portes. Le lieu était toutefois propre et lumineux. Des salles de jeux, de gym, de réunion. Une cour avec de hauts murs et un épais portail avec d'impressionnantes serrures. Partout où portait son regard avait lieu une activité dirigée ; groupe de parole, leçon de cuisine, rencontre de basket-ball. Ce fut dans l'exercice de cette activité, sur le terrain de sport, qu'Eli vit Jillian.

— Je vais la faire prévenir que vous êtes là, offrit le médecin.

— Non, s'il vous plaît... Est-ce que je peux d'abord la regarder jouer une minute ?

— Mais bien sûr ! Ils vont arrêter bientôt. Vous pourrez lui parler à ce moment-là.

La voir courir et bondir sur le terrain ramena Eli des années en arrière. Ses mèches courtes à la punk avaient remplacé sa queue-de-cheval d'alors, mais elle avait conservé ce dribble rapide qui lui avait valu une bourse sportive pour les deux premières années d'université. Elle était plus maigre, aujourd'hui, bien sûr, à cause de la drogue, mais son jeu était toujours subtil et offensif. Elle passait la balle à ses équipières suivant une tactique réfléchie, sans chercher à la garder plus longtemps qu'il n'en était besoin.

Comme autrefois, encore, peut-être parce qu'elle était sur un terrain de basket, Jillian paraissait heureuse. Et Eli ne l'avait pas vue heureuse ni « clean » depuis bien longtemps.

Ils avaient été si proches, autrefois. Elle était jolie, gentille, prête à tout ce que la vie pouvait lui offrir.

Jillian venait à peine d'atteindre l'adolescence lorsque leurs parents étaient morts. Eli avait interrompu sa première année de fac pour s'occuper de ses sœurs. Il avait renoncé à ses études, pris un travail pour s'assurer qu'elles aient un toit sur la tête et s'était inscrit à des cours du soir, en s'arrangeant pour pouvoir néanmoins assister aux matchs de basket de Jillian.

Depuis, elle avait été renvoyée de l'équipe de l'université, dont elle séchait les cours, quand elle n'y allait pas ivre ou droguée. L'adorable petite fille était devenue une adolescente à problèmes, essayant d'oublier qu'elle était plus grande que tous les garçons de sa classe, qu'elle n'avait plus de mère pour guider ses pas dans la vie ni de père pour la protéger, que son frère et sa sœur travaillaient trop dur et lui imposaient trop de règles.

Vint le temps des hommes adultes, qu'Eli devait chasser de la maison. Les nuits où il attendait jusqu'à l'aube qu'elle daigne rentrer. L'argent dérobé dans son portefeuille. Le compte d'épargne dédié aux études de Jillian vidé et sa « petite sœur » disparue on ne savait où pendant des jours et des semaines. Elle finissait toujours par revenir, abandonnée par l'un ou l'autre de ses petits amis.

Peu lui importait ce qu'Eli pouvait lui dire, les sermons, les remontrances, les conseils. Et demander aux autres flics, comme un service, de la tenir à l'œil, n'avait pas suffi.

Il n'était jamais parvenu à obtenir que Jillian s'estime elle-même davantage et il ne pouvait la sauver d'elle-même.

Mais peut-être qu'ici, on le pouvait. Avec un peu de chance, elle pouvait avoir une vie meilleure que celle des vétérans de la désintoxication sur qui Shauna et lui étaient venus enquêter.

Cependant, même si c'était réconfortant, la voir sourire ne pouvait effacer tout à fait les inquiétudes d'Eli quant au bien-fondé de ses interventions auprès du juge pour la faire placer dans cette clinique. Le même tribunal y avait envoyé Gibbs, Pittmon et Powell. Etaient-ils voués à retourner à leur existence criminelle ou bien quelqu'un, ici, avait-il eu une dangereuse influence sur eux ?

— Tiens tiens, regardez qui voilà !

Jillian le remarqua à l'instant précis où l'infirmier-arbitre siffla la fin du jeu. L'air frais et l'exercice avaient coloré ses joues. On voyait encore en elle la jolie fille qu'elle avait été et qu'elle pouvait redevenir.

— Salut, chaton, c'est bon de te voir.

Elle fronça les sourcils en montrant son pansement et le bleu qu'il avait sur la pommette.

— C'est quoi, ça ? Il y a finalement un voyou qui t'a corrigé ?

— J'ai eu un accident…

— Ah, c'est ça…

Jillian fit rebondir deux ou trois fois le ballon, qu'elle avait gardé, puis le lui lança vivement. Il le prit au vol en se demandant si elle jouait ou si elle défoulait son agressivité. Il lui repassa la balle et d'un tir précis, elle l'envoya rejoindre les autres dans le fût métallique où on les rangeait.

— Tu n'as pas trop perdu de tes qualités, à ce que je vois, dit-il.

— Tu plaisantes ? Si tu savais comme mes genoux me font mal ! J'ai dû rester assise au moins cinq minutes après la première période de jeu, pour retrouver mon souffle.

Elle essuya son visage avec une serviette et emmena Eli vers un banc de touche, un peu plus loin.

— Viens t'asseoir… je suppose que tu es venu voir comment je vais ? A moins que tu sois là pour me ramener à la maison ? Si c'est ça, mes bagages peuvent être prêts en deux minutes… ah mais non, suis-je bête ! J'ai oublié que je n'avais pas eu le droit d'emporter des affaires personnelles…

Le sarcasme n'était pas le genre qui lui allait le mieux.

Eli ne s'assit pas, se contentant d'appuyer son pied sur le banc. Il n'avait pas envie que cette visite impromptue tourne à un affrontement de plus.

— Bon, alors, comment vas-tu, chaton ?

— Eh bien, je n'ai plus de maux d'estomac et le pire des vertiges est passé.

— Et… émotionnellement ?

Jillian eut un rire amer.

— C'est toi qui me demandes ça ? Toi qui m'as fait enfermer ici et qui es parti sans même te retourner ?

— Tu ne te souviens pas ? Tu hurlais tout ce que tu savais. Je t'ai tenue dans mes bras bien cinq minutes avant que le médecin me dise de te laisser.

A en juger par son regard fuyant, elle ne s'en souvenait pas, en effet, ou bien elle avait choisi de l'oublier.

— Il m'a expliqué que tu avais besoin d'une sorte de transition, avant la désintoxication.

— Une transition ?

Sa colère montait, c'était visible. La gentille petite fille et la basketteuse émérite cédaient la place à la jeune sauvageonne à l'œil glacé qu'elle était devenue.

— Tu sais ce que ça veut dire, « transition », ici ? Laisse-moi t'expliquer. On t'enferme dans une chambre nue, on t'attache au lit avec des sangles, et des infirmières te parlent comme à un bébé pendant qu'elles te plantent des aiguilles dans le bras et que tu vomis tripes et boyaux. Le paradis.

Pendant de longues secondes, Eli ne put affronter son regard accusateur. Jillian aimait le grand air, se dépenser, agir, être en mouvement. Rester enfermée sans pouvoir courir ou voir le ciel devait être une torture pour elle. Doublement, si elle souffrait ou était malade.

— On cherche à te désintoxiquer de la drogue, Jillian, dit-il enfin en la dévisageant. Ça n'est agréable pour personne.

— Je sais comment ça s'appelle, répliqua-t-elle en bondissant sur ses pieds. Je ne suis pas idiote !

— Je n'ai jamais prétendu que tu l'étais, mais il est normal d'être malade quand on cherche à purger ton corps de toute la saleté que tu ingurgitais.

Il se détourna de nouveau. Soutenir son regard de reproche était trop dur.

— … Mais on dirait que cela t'a rendue plus forte. Je suis fier de toi, petite, et je suis sûr que tu vas t'en sortir.

— Je vais mieux, Eli, c'est vrai. Je ne m'étais pas sentie aussi bien depuis des années.

Elle le tira par la manche et prit une voix de petite fille.

— Pourquoi tu ne me ramènes pas à la maison, tout de suite ? Je pourrais reprendre mon ancienne chambre. Je te promets que je ne te ferai plus aucun ennui…

— J'ai dû vendre la maison, Jillian, tu ne te rappelles pas ? J'ai seulement un appartement, maintenant, et il n'y a qu'une chambre.

— Je pourrais dormir sur le canapé.

— Je suis désolé, chaton, mais c'est un programme de six semaines et tu viens seulement de commencer.

— Bon Dieu, Eli !

Il tressaillit. Elle venait de repousser son bras.

— Il faut que je m'en aille. Emmène-moi hors d'ici, n'importe où !

Eli se leva, très raide. Combien de fois avait-il dû se forcer à agir pour son bien, malgré elle ?

— Le juge ne t'a laissé que deux possibilités. Et je ne crois pas que la prison soit la bonne solution.

— Mais c'en est une, ici aussi ! Ils t'enferment dans ta chambre la nuit, ils surveillent tout ce que tu fais, quand tu vas aux toilettes, quand tu manges ! Je suis sûre que le bon Dr Randolph est là, quelque part, en train d'espionner cette touchante réunion de famille…

— Ils vérifient simplement que tu n'essaies plus de…

— … me droguer, je sais, je sais !

Elle passa sa main dans ses cheveux.

— Mais je vais mieux, Eli, je vais vraiment mieux. Si je suis guérie, pourquoi je dois rester ?

— Justement parce que tu ne l'es pas encore, Jillian. On ne guérit pas d'une addiction comme ça. C'est l'une des choses qu'ils vont t'apprendre ici.

— Merci pour ta confiance, mon cher frère.

Gibbs avait-il été, lui aussi, dans cet état de désillusion et de découragement, quand « on » était parvenu à lui faire croire qu'il avait tué une jeune fille ? Eli tremblait à l'idée que quelqu'un pourrait persuader sa sœur de livrer de la cocaïne ou de vendre son corps… Dans l'état de vulnérabilité où elle se trouvait, elle le ferait.

Il prit Jillian par les épaules, essayant désespérément de lui faire comprendre que son amour pour elle était plus fort que tous les démons auxquels elle avait à faire face et qu'en la laissant ici, il ne pensait qu'à son bien-être.

— Tu peux penser que tu vas mieux, dit-il avec douceur. Tu peux le croire aujourd'hui ou demain, mais ensuite ? Il faut que tu apprennes à résister, minute par minute, à l'appel de ces drogues. Sinon, chaque fois que tu auras un problème, elles t'offriront la porte de sortie la plus facile. Ce sera une fuite en avant. Il te faut du temps pour retrouver ta force d'âme et apprendre des stratégies que je suis bien incapable de t'enseigner.

— Tu veux surtout qu'on s'occupe de moi à ta place.

— Jillian…

Elle le repoussa.

— Non, Eli. Va-t'en. Il est parfaitement clair que tu ne veux pas de moi dans ta vie.

— Ecoute, ce n'est pas une punition que je t'aurais infligée, cette clinique a…

— Va-t'en ! On se reparlera quand je sortirai. Si j'ai encore quelque chose à te dire…

— Je t'aime, Jillian…

Sa sœur eut un ricanement bref.

— Tu ne sais même pas ce que ça veut dire.

Comme il tentait encore d'établir un contact en posant sa main sur son bras, elle se dégagea d'un geste brusque.

Quand elle eut disparu dans un bâtiment, Eli se retourna et découvrit Shauna, debout à l'entrée du terrain de basket. Il ne savait pas depuis combien de temps elle était là, ni ce qu'elle avait pu voir ou entendre. Elle avait les bras croisés, une attitude, il le savait, qui signifiait soit qu'elle avait froid, soit qu'elle combattait une émotion embarrassante.

Il pouvait deviner laquelle. Il lui sourit à travers le terrain de sport. Elle s'approcha, ses yeux verts rivés aux siens.

— Ça fait mal, n'est-ce pas, quand ils ne peuvent pas voir à quel point on les aime ? lui dit-elle tout doucement.

Eli acquiesça silencieusement en regardant le bout de ses chaussures. Bon Dieu oui, cela faisait mal. Il n'avait pourtant pas l'impression d'être un monstre, mais il en était bel et bien un, aux yeux de sa sœur. Il aurait voulu remonter le temps, revenir à l'époque bénie où Jillian était une petite fille à qui la vie souriait.

Il voulait aussi s'en aller d'ici, embrasser Shauna à en perdre le souffle, puis la prendre, sans attendre, sur le siège arrière de sa voiture, dans un placard, où que ce soit où il pourrait fermer la porte et se perdre si profondément en elle qu'il ne ressentirait plus ni douleur ni solitude.

— J'ai eu tort de vouloir la voir, dit-il dans un soupir. Je n'ai réussi qu'à la mettre en colère, tant elle m'en veut de l'avoir placée ici. Je crois bien que je n'ai jamais pu aider vraiment mes sœurs, au fond…

— Vous avez pris la bonne décision, Eli. C'était la seule chose à faire. Croyez-moi, je sais ce que vous traversez.

J'ai vécu pendant dix ans avec un drogué du jeu. Vous ne pouvez jamais prédire comment ils vont réagir, en bien ou en mal, et rien n'est plus difficile que de les protéger. Ils ne pensent qu'à la satisfaction de leurs besoins, qu'ils l'obtiennent par une ligne de coke ou par « un coup en or »... On ne peut rien pour eux s'ils n'apprennent pas à faire des choix.

— S'ils le peuvent !

— Oui, s'ils le peuvent. Mais s'ils n'en sont pas capables, ce n'est pas notre faute.

Eli se frotta pensivement le cou.

— Et les regrets, Shauna, est-ce qu'ils s'en vont jamais ?

Elle sourit tristement.

— Je ne sais pas. Je vous le dirai...

Avec un autre sourire, elle lui montra sa serviette de cuir bien rembourrée.

— Bon. J'ai là la copie de tous les dossiers médicaux...

Elle avait raison. Mieux valait penser à l'enquête. Elle lui ferait oublier son chagrin, sa mauvaise conscience et ses frustrations sexuelles.

Il lui prit la serviette et ils se dirigèrent vers la sortie.

— Vous êtes prêt à éplucher tout ça ce soir ? lui demanda Shauna. Je fournis le café. Il faut que nous trouvions la connexion entre Gibbs, Pittmon, Powell et Baby Jane...

Pouvoir la tenir dans ses bras aurait été bien plus agréable, mais ils étaient dans un lieu public et avaient un travail à accomplir.

Allons, faute de mieux, le café ne serait pas si mal !

Eli avait mal du bras jusqu'à l'épaule et du cou jusqu'au crâne. Etre resté penché deux bonnes heures sur les dossiers dans la cuisine de Shauna, à lire attentivement et à prendre des notes, n'était pas fait pour apaiser la douleur des blessures qu'il avait reçues à la gare centrale. Il aurait bien eu besoin d'une visite chez le kiné, d'un massage prolongé ou au moins de quelques réponses lui permettant de remettre dans l'ordre les pièces de ce puzzle et de se détendre un peu.

Shauna referma le dossier qu'elle était en train de lire et étouffa un bâillement.

— Rien trouvé… Et vous ?

Elle étendit ses longues jambes, plia les chevilles et pointa ses orteils nus dans une gracieuse démonstration de souplesse qui déclencha chez Eli une décharge d'adrénaline. Il avait pour les pieds nus de la commissaire un goût qu'il n'aurait jamais soupçonné… Il appréciait toutes les occasions de voir ses jambes, mais il y avait quelque chose d'étrangement intime dans cette façon qu'elle avait de tendre ses orteils quand elle était au calme, chez elle. Il ne savait pas si c'était le discret vernis rose des ongles qu'il trouvait si sexy, ou le fait qu'une partie de son corps au moins était nue…

Associer l'idée de nudité à la personne de Shauna, voilà qui était vraiment intéressant.

Mais elle avait assez de retenue pour deux et quoiqu'elle l'ait volontiers accueilli dans sa cuisine pour une session de travail tardif, il doutait fort d'être également le bienvenu dans sa chambre à coucher.

— Eli ?

Il cligna les yeux et reprit une expression concentrée. *Pense au travail, Masterson, au travail et à rien d'autre !*

— Non, rien ici non plus.

Il passa distraitement sa main sur sa mâchoire à la barbe déjà dure puis déplia le calendrier qu'il avait rédigé, pour situer dans le temps les actions de toutes les personnes concernées.

— Gibbs et Pittmon n'ont partagé une chambre que

pendant une semaine. Sinon, ils étaient séparés parce qu'ils étaient à des stades différents du programme. Richard Powell était déjà sorti que Charlie Melito était encore en traitement. Gibbs et Melito avaient le même médecin référent mais ils ne le rencontraient pas ensemble. Quant à LaTrese Pittmon, il a été mis à la porte de la clinique. On l'a surpris à dealer de l'héroïne.

— Comment a-t-il pu en faire rentrer ?

— En séduisant une aide-soignante. Une nommée…

Il consulta ses notes.

— Daphne Hugues. Et ce qu'il y a de curieux, c'est qu'elle semble avoir complètement disparu de la circulation, peu de temps après.

— Juste au moment où je croyais que nous avions enfin progressé, nous faisons trois pas en arrière…

Shauna se leva et alla porter leurs tasses vides dans l'évier.

— Au moins, rien ne permet de penser qu'ils ont eu un rapport quelconque avec votre sœur, c'est déjà ça.

— C'est votre sécurité qui reste ma priorité, repartit Eli en se levant lui aussi et en remuant son cou endolori. Je ne me préoccupe pas de Jillian pour le moment. Nous finirons bien par trouver la solution et s'il n'y a pas de preuve évidente, eh bien…

Shauna lui sourit.

— Détendez-vous, Eli. Je ne suis pas la seule victime dans cette affaire. Quoi de plus normal que de vous inquiéter pour votre sœur ? Je sais bien, moi, que vous avez un cœur sous votre carcasse d'acier…

Elle retraversa la pièce pour le faire se rasseoir, d'une légère pression sur l'épaule, et il se laissa aller sur sa chaise, heureux d'obéir à cette douce injonction plutôt qu'à un ordre. Elle ne retira pas sa main, l'autre vint la rejoindre et elle se mit à le masser avec délicatesse. Délicieusement surpris, il savoura les sensations que faisaient naître ses doigts habiles. Peu à peu, la tension de ses muscles s'atténuait…

— Je suis certain que Jillian est parfaitement en sécurité à la clinique Boatman. Ce devait être une coïncidence si les autres y ont tous été en cure.

— Je préfère les faits aux coïncidences…

— Moi aussi, mais il se peut que « Bien à Vous » ne soit en relation avec aucun de ces hommes. Il doit bien y avoir autre chose qu'ils ont en commun.

Eli ferma les yeux sous le pénétrant massage.

— Aucun des collègues que j'ai interrogés n'a fait la moindre allusion à la clinique Boatman.

— Bien sûr ! Leur enquête terminée, pourquoi auraient-ils poussé plus loin ?

Shauna se focalisait à présent sur ses clavicules, moins affectées par les blessures, mais très tendues.

— Vous croyez que Rebecca Page est dans le vrai et que Powell travaille pour une mafia ?

— Je vois mal Gibbs être un agent du crime organisé…

— Mais il fait un parfait bouc émissaire pour détourner les soupçons…

— Nous avons donc un faux coupable en prison pour le crime de Baby Jane et un maniaque en liberté qui a résolu de vous punir si vous ne trouvez pas le véritable assassin dans le temps imparti…

Les pouces de Shauna traçaient des quarts de cercle juste sous son cou. Ce tendre massage lui rendait la concentration difficile, sans parler de considérer Shauna comme un flic, un collègue et rien d'autre.

— J'aimerais pouvoir montrer à Gibbs la bonne photo, celle du salaud qui détenait la vôtre en même temps que celle de Baby Jane. Parce que celui-là, quel qu'il puisse être, c'est notre homme.

Eli eut un petit sursaut de douleur quand le pouce de

Shauna passa sur une de ses blessures, dissimulée sous son col. Aussitôt, elle suspendit son geste.

— Je suis désolée, murmura-t-elle. Je vous ai fait mal ?

— Non, ne vous arrêtez pas. Vous avez dû appuyer sur un point douloureux, mais on ne m'avait pas fait autant de bien depuis…

Le petit cri de surprise navrée que Shauna eut en écartant son col pour découvrir la vilaine marque violacée l'interrompit. Quelque chose changea alors. La délicate pression de ses mains devint plus rapide et moins assurée. Ses doigts descendirent sur le plastron de la chemise, défaisant les boutons.

— Eh bien, patronne, vous allez me donner des idées, si vous me déshabillez comme ça…

Il s'était figuré qu'un jeu de séduction entrepris par Shauna devait être tout de lenteur et d'effleurements. Il ne s'était pas attendu à de la fièvre, à des tremblements…

Mais en levant les yeux vers son visage, tandis qu'elle écartait les pans de sa chemise, il vit que ce n'était pas de désir qu'elle tremblait. Il prit ses mains ; elles étaient glacées.

— Vous souffrez, dit-elle. Je ne l'avais pas compris… Voulez-vous de l'aspirine ou un pack de glace ?

Regret et compassion se lisaient dans son regard.

— Tout va bien, Shauna.

Mais les vilaines zébrures sur son torse et ses épaules disaient tout autre chose.

— Non, ce n'est pas vrai. Vous n'allez pas bien et vous avez été blessé à cause de moi.

Eli se leva et lui fit face.

— Pas du tout. Je me suis juste fait un peu bousculer par un certain « Bien à Vous ». Vous voyez qui je veux dire ? Un cinglé dans une Buick bleue…

Comme elle continuait à le dévisager d'une manière

qui était une torture pour lui, il se détourna et reboutonna sa chemise. Elle n'avait nul besoin de se sentir coupable.

— Je suis très touché par votre réaction, mais ce sont des blessures superficielles et à tout prendre, je préfère les voir sur moi que sur vous.

— Je vous ai mis dans une situation impossible. Je vous ai isolé de tous en insistant sur le secret, je vous ai fait mal voir de tout le KCPD…

— Vous savez, à l'Inspection des Services, on en a quelque peu l'habitude…

Il la regarda. Shauna se mordait la lèvre, luttant visiblement contre une émotion prête à lui échapper.

— J'ai fait de vous une cible, comme moi-même. Je croyais…

Il mourait d'envie de la prendre dans ses bras.

— Je croyais que nous allions découvrir la vérité.

— Nous la découvrirons.

— Peut-être, mais à quel prix ?

Il tâcha de faire passer dans son regard la force de son sentiment d'engagement vis-à-vis d'elle.

— Je fais mon boulot, Shauna. Je sers et je protège les citoyens de Kansas City, même ceux qui sont d'un grade supérieur au mien…

Elle soutint son regard encore un instant, puis elle referma les bras autour de sa taille et pressa son corps contre le sien, l'étreignant comme s'il y avait vraiment quelque chose de tellement incroyable, tellement extraordinaire entre eux que peu importait ce qui pouvait arriver, à présent.

Sans le savoir elle faisait rayonner, dans sa poitrine glacée depuis des années, quelque chose d'aussi chaud et d'aussi puissant que mille soleils. Il l'entoura de ses bras à son tour et appuya ses lèvres sur le haut de sa tête, en murmurant de tendres mots sans suite.

Ils restèrent ainsi une ou deux minutes d'éternité, sans

bouger, à échanger du réconfort, de la force et de la cohésion. Mais quand les seins de Shauna se firent durs contre son torse, que sa chaleur, son parfum et son abandon eurent sur lui l'effet qui était prévisible, il déposa un baiser sur sa tempe et s'écarta.

— Vous me feriez un Thermos de cet excellent café ? lança-t-il, brisant délibérément ce moment de tendresse avant de risquer de le gâcher par des avances sexuelles malvenues.

— Non.

Il leva un sourcil, tandis qu'elle le considérait les bras croisés. Puis il alla reprendre sa veste et sa cravate, abandonnées sur le dossier d'une chaise.

— Vous ne voulez pas ? Je risque de ne pas être un très bon gardien, cette nuit, si je n'ai pas de quoi…

— Je veux que vous dormiez ici.

— Shauna… Ça, ce serait vraiment dangereux…

— L'alarme est activée et Mitch Taylor envoie une voiture de patrouille toutes les heures pour vérifier que…

— Ce n'est pas de ce genre de danger que je voulais parler et vous le savez très bien…

— La chienne dort bien à l'intérieur. Pourquoi pas vous ?

Eli rit et apostropha le grand labrador, qui sommeillait effectivement dans un coin.

— Tu as vu, Sadie, je prends du galon !

Il se retourna vers Shauna.

— Je dois dormir avec elle ?

Elle rit à son tour.

— Vous êtes monté en grade plus encore que vous le croyez. Il y a une chambre d'amis à l'étage, avec sa salle d'eau particulière. Une douche chaude détendra peut-être ces pauvres muscles fatigués…

Eli secoua la tête. S'amollir dans le confort de la maison de Shauna était le meilleur moyen de baisser la garde et de ne pas déceler le moment où « Bien à Vous » déciderait de passer de nouveau à l'action.

— Le médecin a dit qu'il valait mieux ne pas mouiller ce bras, pour le moment.

— Eh bien, un bain, alors. Vous pourrez garder le bras en dehors. Vous méritez bien de mijoter un bon moment dans l'eau chaude…

Elle se dirigea vers l'escalier.

— Je vais vous en faire couler un.

— J'étais petit garçon la dernière fois que j'ai pris un bain.

— C'est comme la bicyclette, Eli, ça ne s'oublie pas.

— Ma voiture est garée devant chez vous. Vos voisins vont jaser…

— Eh bien, qu'ils jasent…

Elle s'arrêta en haut des marches.

— A moins que vous teniez absolument à dormir dans votre voiture, dans le froid, vos longues jambes enroulées autour du volant, en forme de bretzel…

Eh bien, tout arrivait un jour… Finalement, elle l'invitait à passer la nuit chez elle, l'emmenait dans sa propre chambre, car l'autre n'avait pas de baignoire, ouvrait les robinets et lui disait de se déshabiller…

Et tout cela pour quelques muscles endoloris…

— Bon, fit-il, d'accord pour la chambre d'amis, alors…

11

Grands dieux, mais quelle idée avait-elle donc en tête ?

Shauna tira les couvertures, tapota les oreillers et le traversin du lit de la chambre d'amis. Elle avait l'impression d'entendre, plus distinctement qu'elle ne l'aurait dû, chaque bruit, chaque clapotis produit par l'homme qui se trouvait dans sa salle de bains.

La vérité, c'est qu'elle n'avait pensé à rien. Elle avait… succombé à une impulsion. Au lieu de se redire, pour la millième fois, qu'Eli Masterson était sous ses ordres, elle s'était laissé dicter son comportement par son propre sentiment de culpabilité. Sa compassion, aussi. Son cœur se serrait devant les tourments que lui infligeait la dépendance de sa sœur à la drogue. Elle comprenait son désespoir, sa certitude que quoi qu'il puisse faire, c'était peine perdue.

Alors, elle lui offrait ce qu'elle pouvait : un massage pour détendre ses muscles endoloris, un abri amical et chaleureux pour passer la nuit. Elle pouvait rompre sa solitude — et la sienne — en étant auprès de lui, en le comprenant…

En l'aimant…

Eli avait besoin de quelqu'un qui s'occupe de lui, qui sache faire abstraction de son cynisme apparent, de ses sarcasmes, qui ignore sa réputation et voie qui il était vraiment : un homme tendre, au cœur gros comme ça, qu'il dissimulait comme il le pouvait derrière la carapace qu'il s'était lui-même forgée.

Mais Shauna avait clairement lu dans son jeu et elle était tombée amoureuse de lui.

— Ça ne marchera jamais…, murmura-t-elle.

Elle n'était pas ce qu'il cherchait ou ne recherchait pas, plutôt. Ce n'était pas seulement une question de règles ou de protocole. Et puis, elle n'avait pas aimé un homme depuis Austin, il y avait bien longtemps. Peut-être avait-elle oublié comment on faisait…

De plus, elle n'était pas de celles qui défient le destin, brisent les cœurs et ruinent les carrières.

Un choc sourd l'arracha soudain à ses pensées.

— Eli ?

Le juron qui suivit la conforta dans l'idée qu'il s'était fait mal. Elle se rua dans le couloir.

— Eli ?

Elle frappa à la porte de la salle de bains et l'entrebâilla. Elle l'entendit grommeler un autre juron. Au moins, il n'était ni évanoui ni noyé…

— Eli ?

D'où elle était, elle aurait pu le voir dans le miroir, si celui-ci n'avait pas été couvert de buée. Elle ouvrit la porte un peu plus et passa la tête à l'intérieur.

— Tout va bien ?

— D'abord vous me retirez ma chemise, puis vous entrez dans la salle de bains alors que je suis nu comme un ver… Je croyais pourtant que vous étiez le genre de femme à mesurer les conséquences de vos actes, patronne…

Le ton flirteur de sa voix la fit se sentir toute drôle. Une douce chaleur l'envahissait, qui n'avait probablement que peu à voir avec la température de la pièce. Elle voulut parler, mais sa gorge était sèche comme de l'amadou et elle dût s'y reprendre à deux fois.

— J'ai entendu un grand bruit. Vous ne vous êtes pas fait mal ?

— Seulement à mon ego…

Avec la porte ouverte, la buée se dissipait, et peu à peu les cheveux sombres d'Eli, son beau visage et son épaule blessée apparurent dans le miroir. Il souriait d'une oreille à l'autre.

— Qu'est-ce que vous regardez, Shauna ?

— Bon sang, Eli, répondez à ma question : avez-vous besoin d'aide ?

— J'ai besoin de vous…

Dans l'atmosphère surchauffée de la petite pièce, Shauna crut manquer d'air. Mais peut-être avait-elle mal compris ?

— Besoin… pourquoi ?

Son sourire se fit plus timide et il détourna les yeux.

— Eh bien… Ce n'est pas très commode de prendre un bain avec un bras en l'air. Il est pratiquement impossible de se laver les cheveux, par exemple…

D'un signe de tête, il montra la bouteille de shampooing, qui lui avait échappé et était tombée sur le plancher.

— Si vous voulez bien…

— D'accord…

Après avoir resserré sur elle les pans de son peignoir, elle alla ramasser le flacon. Quand elle releva les yeux, elle s'efforça de ne pas les détacher de ceux d'Eli, rieurs et visiblement ravis, et elle s'assit sur le rebord de la baignoire en luttant contre l'envie de regarder son corps viril dans l'eau.

— Je vais vous laver les cheveux…

Elle n'avait pas usé consciemment de sa séduction depuis… oh, disons depuis que les jumeaux avaient été conçus. Même si Austin avait tout gâché par la suite, cela restait un joli souvenir. Toutefois, ce qu'Eli pouvait faire d'un simple regard ne souffrait pas de comparaison.

Elle ne pouvait plus se mentir au sujet de son désir et quant à lui, il lui avait dit très clairement quel était le sien.

Une relation avec lui serait trop compliquée, au-dehors, dans le monde réel. Mais dans le cocon de sa maison, dans le secret complice de la nuit, Shauna pouvait se permettre de ne pas écouter la raison et de suivre son cœur.

Ayant pressé le flacon pour faire couler un peu de shampooing dans sa paume tandis qu'Eli se penchait en avant, les avant-bras sur le rebord de la baignoire, elle enfouit ses mains dans ses cheveux et se mit à lui masser la tête avec autant de soin qu'elle avait pétri son cou et ses épaules. C'était doux, comme jouer avec des fils de soie mouillés. Il ferma les yeux et parut presque s'endormir, sous ses doigts.

— Eh, ne vous arrêtez pas !

Il venait d'ouvrir un œil, Shauna s'étant interrompue pour saisir une cuvette en plastique et le rincer.

— Oh ! ne vous inquiétez pas, ça ne fait que commencer...

Elle plongea d'une main la cuvette dans l'eau du bain, en lui faisant pencher la tête de l'autre, puis elle en déversa le contenu sur lui en prenant garde de ne mouiller son pansement en aucune manière.

Comme elle puisait de nouveau de l'eau, son pouce frôla le ventre d'Eli. Il eut un petit sursaut.

— Là...

Quand il fut de nouveau détendu, elle se remit à le rincer, respirant avec lui l'agréable odeur de menthe poivrée du shampooing.

— Qui croyez-vous qui commande, ici, mmm ?

Remplissant la cuvette pour la troisième fois, elle trempa sa manche, par mégarde. Les petites rides, à la surface de l'eau, rendaient ses blessures moins visibles et magnifiaient, au contraire, les dimensions et l'harmonie de son torse ainsi que de ses jambes. C'était une vision à vous couper le souffle et Shauna en profita sans honte. Elle avait trempé son bras jusqu'au coude dans l'eau chaude mais la chaleur se diffusait en elle bien au-delà, faisant bouillir son sang. Elle effleura la cuisse d'Eli et sentit son souffle à son oreille.

— Et maintenant quels ordres allez-vous donc me donner, patronne ?

Sa voix rauque la troubla et elle chercha son regard. Il la regardait intensément. Ses yeux — deux kaléidoscopes d'or, d'ambre et de grains de café — la caressaient aussi bien que ses mains. Mais elle n'entendait pas abandonner le contrôle des opérations si facilement…

— Vous le saurez en temps voulu, inspecteur…

Et elle lui caressa tranquillement la cuisse, ne laissant plus aucun doute sur ses intentions.

— Mes cheveux sont propres ? demanda-t-il pour la faire rire, en s'efforçant de prendre un ton léger.

Et elle rit, effectivement…

— Je vous dirai quand je trouverai que vous l'êtes suffisamment, propre, répliqua-t-elle.

Et elle lui versa la cuvette d'eau bien chaude sur la tête en riant aux éclats…

Comme il plongeait son visage dans l'eau pour débarrasser ses yeux du shampooing, elle reposa la cuvette sur le lavabo. Mais avant même qu'elle ait pu se retourner, un bras vigoureux l'enlaça par la taille et Eli la fit tomber dans le bain avec lui.

Le cri de surprise étranglé qu'elle poussa fut étouffé par ses éclats de rire. Elle se retrouva ruisselante sur ses genoux, son dos contre son torse, toujours prisonnière de son bras qui lui barrait la poitrine. Son pyjama trempé ne lui laissait rien ignorer de ses cuisses musculeuses et de la bosse dure qui se pressait contre ses fesses.

— Je ne respecte jamais les règles, vous vous souvenez, murmura-t-il entre deux coups de langue sur sa nuque. Je préfère jouer à ma façon.

De son bras blessé, il lui prit le menton et lui fit tourner la tête sur le côté, prenant le lobe de son oreille entre ses lèvres et traçant de sa langue une ligne brûlante à travers la joue de Shauna, jusqu'à sa bouche. Mais quand elle voulut un baiser, il tourna sa tête dans l'autre sens, par jeu. Puis il répéta le même séduisant manège sur l'autre joue, sans lui donner l'apaisement de ce baiser qu'elle désirait tant.

La baignoire était trop étroite pour que Shauna puisse faire autre chose que s'accrocher au rebord ou au bras d'Eli. Le moindre de ses mouvements la faisait se frotter sur son érection, ce qui avait pour effet de faire exhaler à Eli un profond soupir, du fond de sa poitrine, qui se communiquait à elle et devenait le sien.

— Ce n'est pas juste, se plaignit-elle.

— Je n'ai jamais dit que ça l'était…

Il glissa ses doigts sous la soie de son peignoir et l'écarta pour ouvrir le passage à ses lèvres.

— Ce que…

Les petits baisers se firent plus appuyés.

— Ce que vous pouvez être sexy…

Il fit glisser le peignoir le long du bras.

— Vous répondez au moindre regard…

Comme de la chair de poule apparaissait sur le bras de Shauna, il fit couler de l'eau chaude dessus et y pressa sa bouche. Puis il prit ses seins dans ses paumes.

— Au moindre effleurement…

Shauna se tordit de plaisir contre lui.

— Au plus petit baiser…

Son corps exulta de joie et d'excitation lorsque Eli la fit rouler dans l'eau et prit sa bouche. C'en était fini des petits jeux de séduction et des caresses légères, on en venait aux choses sérieuses. Le bain déborda lorsqu'il la serra encore davantage contre lui et qu'elle enfouit ses doigts dans la masse sombre des cheveux de celui qui allait devenir son amant. La fine épaisseur de soie mouillée n'avait rien d'une barrière entre la chaleur du torse viril et les pointes dressées des seins. Il poussa sa cuisse entre les siennes et elle eut un gémissement étouffé quand il la lui fit chevaucher.

— Si pour être avec toi, je dois briser les règles, murmura-t-il, alors je les brise sans remords…

Il reprit sa bouche, en un baiser si tendre, si profond et si long que Shauna ne savait plus où finissait la chaleur de l'eau et où commençait celle, intime, qui consumait son corps.

Mais ils étaient bien empêtrés dans cette baignoire étroite et il n'était pas juste qu'elle ait encore un peu de tissu sur elle alors qu'il était glorieusement nu et très évidemment prêt à ce qui allait suivre.

— Eli…

Elle se leva pour sortir de l'eau, mais quand elle essaya d'enjamber le rebord de la baignoire, il referma ses bras sur elle et l'attira de nouveau vers lui.

— Eli, attends…

Elle échappa aux lèvres qui voulaient la faire taire.

— Attention, il ne faut pas mouiller ton bras…

Le baiser suivant dérapa sur sa joue.

— Si tu dois te faire davantage de mal, je ne joue plus, protesta-t-elle.

Eli s'accroupit dans l'eau et poussa un profond soupir.

— Tu as raison, dit-il, et il se pencha pour attraper, sur le porte-serviettes, un tapis de bain qu'il étendit sur le sol.

Puis il se leva, ruisselant comme un dieu sortant de l'onde, élancé et puissamment mâle.

— On ne peut pas faire ça…

En une fraction de seconde, Shauna sentit le poids des années qui les séparaient. Elle avait porté deux enfants, travaillé dur, vécu dix ans d'un mariage plus dur encore, comment pourrait-elle encore plaire à ce Neptune ? Bien sûr qu'ils ne pouvaient pas… Il faudrait bien qu'elle se fasse une raison. Mais alors qu'elle se levait elle aussi, les jambes embarrassées par le peignoir mouillé, Eli la prit dans ses bras et la renversa contre lui.

— On ne peut pas faire ça… ici.

Le désir qui flamboyait dans ses yeux fit voler en éclats les doutes de Shauna. Elle le désirait avec une intensité qui bouleversait son idée de la convenance comme son habitude de la solitude. Eli la souleva et l'emporta vers la chambre à coucher.

— Tu n'as pas besoin de tout ça…

Il la reposa sur ses pieds à côté du lit, la débarrassa du peignoir et fit passer le haut du pyjama au-dessus de sa tête. Le bas le rejoignit bientôt.

Il s'interrompit un instant pour la dévorer des yeux tandis qu'elle sentait l'air frais de la nuit sur ses seins nus. Le désir brut qu'elle lisait dans son regard annihilait toute pudeur et toute envie qu'elle aurait pu avoir de se couvrir. Le cœur battant, elle retrouvait l'étonnant pouvoir de sa féminité. Au lieu de se cacher, elle se redressa et repoussa ses cheveux derrière ses oreilles, comme si elle prenait innocemment la pose. Eli la contempla tout son soûl avant de marmonner :

— Moi, je vais avoir besoin de quelque chose…

Il alla fouiller dans ses vêtements, restés sur une chaise dans la salle de bains, et revint avec un préservatif à la main. Entre-temps, Shauna avait repoussé les couvertures et s'était étendue. Eli vint la prendre dans ses bras. Leurs deux corps humides se mêlèrent sous une pluie de baisers ardents. Sa bouche sur les pointes de ses seins, Eli l'attira sous lui et elle faillit crier de joie et de plaisir quand il s'assura, des doigts, qu'elle était prête.

Il embrassa son cou, sa joue, son oreille, puis susurra :

— Je veux être une part de toi-même, quelque chose de plus grand que moi. Je veux… Nous.

Shauna n'était plus elle-même, ne pouvait plus réellement penser, ni même se projeter au-delà de la perfection de cette nuit. Dans ce moment hors du temps, elle n'était plus qu'une femme, rien de plus, mais rien de moins, sans aucune des restrictions qui auraient pu l'empêcher d'être et d'avoir ce qu'elle voulait. Cependant au bout de la nuit, il y avait… le matin.

— Il n'y aura pas de nous. Ce n'est pas possible…

Elle prit le visage d'Eli entre ses mains pour un autre baiser.

— Je suis… celle que tu appelles « la patronne », tu le sais bien.

Il effleura ses lèvres, l'affolant plus encore.

— Pas cette nuit. Cette nuit tu es toute à moi.

Il reprit sa bouche, voracement. Shauna gémissait sous les ondes de plaisir qui la parcouraient. Il la pénétra, resta un moment immobile, le temps qu'elle s'habitue à son poids sur elle, puis comme elle commençait à se détendre, il se retira et replongea en elle. Elle eut un sursaut. Chaque coup de reins était meilleur que le précédent. Comme ils trouvaient leur rythme, elle agrippa désespérément les épaules de son amant et enfouit sa tête dans son cou en lui disant :

— C'est trop bon… J'aime ce que tu me fais…

— Ce que nous faisons.

Il se souleva un peu sur ses coudes pour mieux la voir et, en lui souriant, il ajouta sans cesser d'aller et venir en elle :

— Ensemble, nous faisons du bon travail.

Shauna hurla quand le plaisir explosa en elle. Ce fut comme une pluie d'étoiles autour de leurs deux corps, qui la laissa épuisée, mais satisfaite.

Eli ramena les couvertures sur eux.

Le souffle de Shauna s'apaisa lentement. Une main sur un sein et une jambe passée entre les siennes, Eli ne tarda pas à s'assoupir. Elle savait qu'elle n'aurait pas dû rester là, comme dans un cocon, sous sa tendre protection, partageant ce magnifique rêve, ce fabuleux « nous » dont il parlait — mais après tout, ce n'était que pour une nuit. Au matin, elle renverrait Eli avant qu'un voisin ou que « Bien à Vous » lui-même ne puisse le voir. Elle irait ensuite au bureau, seule, comme à l'ordinaire. Il n'y aurait pas de ragots, pas de risques, pas de liaison. Demain, elle redeviendrait la dame de fer et lui, le solitaire rejeté par ses collègues, puisqu'il était un « flic de flics ». Demain, ils ne se consacreraient de nouveau tous deux qu'à leur devoir. Il fallait bien que quelqu'un le fasse…

Elle posa sa main sur la sienne et se serra contre lui tandis que le sommeil venait.

Ce fut la chienne qui le réveilla.

Eli ouvrit les yeux et tâcha d'accommoder sa vue à l'obscurité. Tout de suite, il se posa trois questions :

Avait-il rêvé ou avait-il vraiment fait l'amour avec Shauna de la façon merveilleuse et libératrice dont il se souvenait ?

Etait-il tombé follement, désespérément amoureux d'elle comme il en avait bien l'impression ?

Et avait-il jamais entendu Sadie faire un tel boucan ?

Oui à la première question.

Oui à la deuxième.

Non à la troisième.

Les aboiements d'un chien de garde. La plus ancienne des alarmes au monde. De loin, la plus efficace.

Il rejeta les couvertures et courut à la fenêtre au moment même où Shauna se réveillait et s'asseyait, ramenant le drap sur ses seins nus.

Elle écarta une mèche de cheveux de son visage et bredouilla :

— Sadie ? Que se passe-t-il ?

On percevait, outre les aboiements furieux, deux voix indistinctes. Celles de deux hommes qui parlaient entre eux devant la maison. Sans se soucier des risques, Shauna le rejoignit d'un bond à la fenêtre.

— Ecarte-toi, bon sang, marmonna Eli sur un ton pressant avant d'aller enfiler son jean et de se saisir de son arme et de son insigne. Il y a une voiture devant la maison. Il fait encore trop sombre pour voir la plaque, mais ce n'est pas la Buick bleue.

Shauna écarta deux lames du store vénitien pour jeter un coup d'œil au-dehors avant qu'Eli ne la saisisse par la taille et ne la ramène de force en arrière. Ses hanches rondes et sa peau soyeuse lui étaient familières, à présent…

Il regarda de nouveau par le store pour se rendre compte de la situation.

Deux hommes traversaient la rue en courant, sûrement pour rejoindre leur voiture. Impossible de voir leur visage.

— Reste tranquille ! ordonna-t-il à Shauna.

L'arme à la main, il se mit à courir pieds nus vers l'escalier en appelant la chienne.

Le golden retriever accourut à son appel.

— Oui, bonne fille, c'est bien ! Là, au pied, assise !

Devant la première marche, elle pourrait garder efficacement Shauna.

Tandis que Sadie, inquiète, geignait, il s'avança vers la porte. Son arme levée au-dessus de sa tête, il écarta le rideau pour voir les deux hommes sauter dans leur voiture, dont le moteur ronfla tout de suite. Qui qu'ils puissent être, quoi qu'ils aient pu faire, ils s'enfuyaient.

Il déverrouilla la porte.

— Eli ! L'alarme ! cria Shauna du haut de l'escalier.

Trop tard… Eli ouvrit la porte en trombe et se rua sous le porche. Des spots éclairèrent instantanément la pelouse, une sonnerie stridente retentit et peu à peu, les lumières s'allumèrent derrière les fenêtres du voisinage ; on tirait les rideaux pour voir ce qui se passait.

Clignant les yeux à cause de la violence des spots de sécurité, Eli sauta les marches du porche et se précipita vers la voiture dont les pneus crissaient déjà sur les pavés.

— Police ! hurla-t-il en braquant son arme sur la vitre, du côté passager. Coupez le moteur !

Le véhicule s'élança avant qu'il ait pu parvenir à sa hauteur. Il fit feu, pulvérisant un phare arrière, mais la voiture avait déjà pris trop de vitesse pour qu'il puisse hasarder un second tir. Il ne put que courir quelques dizaines de mètres derrière elle avant qu'elle ne disparaisse dans la nuit, au coin de la rue.

Le souffle court, ses semelles claquant sur le sol dans le silence revenu, Eli revint vers la maison, tout en s'évertuant à graver dans sa mémoire les détails de ce qui venait de se passer. Deux hommes, un Noir et un Blanc, mais il n'aurait pas pu en dire beaucoup plus… Une Sedan couleur marron glacé sans plaques d'immatriculation. Il avait eu le temps de remarquer une vignette de parking du Riverboat Casino, sur le pare-brise. Peut-être que LaTrese Pittmon s'était offert une nouvelle voiture… Mais pourquoi être venu ici cette nuit, alors que Shauna était bien en sécurité chez elle ? Effectuait-il un repérage ? Avait-il laissé un message ou autre chose ?

Alors, il vit. Sadie avait abandonné son poste et reniflait quelque chose dans les buissons qui bordaient la maison. Eli s'approcha avec précaution. Il y avait une forme au sol. Les lumières du système d'alarme s'allumèrent une fois encore, violemment, et il vit du bleu, du blanc et…

Oh, non !

Il bondit en avant.

— Pousse-toi, ma fille, dit-il en écartant Sadie, va-t'en de là !

Remettant son arme dans sa ceinture, il s'agenouilla pour tirer le corps hors des buissons. Les lumières se rallumèrent.

Oh, non, non !

Seth Cartwright. Déposé là par les deux hommes comme s'ils avaient voulu le jeter aux ordures, avec son nez cassé et assez de vilaines marbrures sur le visage, notamment autour de l'œil gauche, pour qu'Eli redoute que le jeune homme n'ait pas survécu à ce passage à tabac en règle. Il chercha son pouls. Il était lent et irrégulier, mais bien présent.

Comme il retirait sa main, il avisa les marques rouges sur le cou du jeune homme. On avait cherché à l'étrangler. Il le fit rouler délicatement sur le côté, pour voir s'il n'avait pas d'autres blessures.

— Allez, lui dit-il, reviens à toi, mon gars.

Aucune réaction, pas même un gémissement.

Cette fois, ce ne furent pas les spots qui s'allumèrent mais la lanterne au-dessus de la porte d'entrée. Eli chercha machinalement son mobile, mais il ne l'avait pas sur lui. Il se mit sur ses pieds. Il fallait au fils de Shauna une couverture et un médecin, au plus vite.

Il rejoignit Shauna sur les marches du porche. Simplement habillée d'un jean et d'un pull, pieds nus comme à son habitude quand elle était chez elle, elle paraissait beaucoup plus jeune et très vulnérable, mais son air posé et les vêtements qu'elle avait à la main — ceux d'Eli — disaient trop que la tentatrice à qui il avait passionnément fait l'amour la moitié de la nuit avait été remplacée par la professionnelle stricte et chevronnée qu'elle était.

Mais même si elle avait réendossé son personnage de

commissaire principale, il n'était nullement nécessaire qu'elle voit son fils dans cet état. Il la prit par le bras pour la ramener vers la porte.

— Appelle police-secours, lui dit-il.

— C'est fait, ils ont été prévenus par le déclenchement de l'alarme. Ça a sonné là-bas aussi. Ils arrivent.

Elle lui tendit les vêtements.

— J'ai coupé le dispositif. Tiens… voilà tes affaires. Il vaut mieux que tu partes avant…

— Tu plaisantes ?

Eli interprétait l'attitude de Shauna comme un rejet, une fin de non-recevoir brutale. Apparemment, il était le seul à penser qu'il s'était passé quelque chose d'irrévocable entre eux, dans la chambre à coucher du premier étage.

Mais elle posa sa main sur la joue d'Eli, lui laissant entrevoir une faille dans sa cuirasse.

— Eli, je t'en prie. Plus tard, je te promets que nous…

— Rappelle police-secours. Il nous faut une ambulance.

Il la ramenait toujours vers la porte, doucement mais fermement.

— Il y a là quelqu'un… qui a reçu une sévère correction et qui a été laissé inconscient sur la pelouse.

— Quelqu'un ? Qui ?

Elle le regardait sans comprendre, tâchant de déchiffrer dans ses yeux ce qu'il ne pouvait lui dire.

Retourne dans la maison. Laisse-moi faire. Il ne faut pas que tu voies ça. J'essaie de te protéger.

Mais son silence ne faisait que l'inquiéter davantage.

— Qui, Eli ? Qui est-ce ?

Il mit la main sur son bras, mais elle se dégagea et, avant qu'il ait pu l'en empêcher, elle descendit en courant les marches du porche.

— Seth !

Elle tomba à genoux auprès de son fils, souleva sa tête entre ses mains.

— Oh, mon Dieu, mon Dieu !

Des sanglots silencieux secouèrent ses épaules. Elle pria tout bas. Eli aurait voulu la rejoindre, la serrer dans ses bras, s'imposer comme un bouclier entre elle et le cauchemar ; mais Shauna n'avait pas besoin du tendre réconfort de celui qui l'aimait déjà, sans qu'elle le sache. Il lui fallait l'aide d'un policier efficace, non concerné affectivement — et peu importait ce qu'il voulait, lui.

Il alla se rhabiller à la va-vite, prit son téléphone et appela le standard de la police. Après avoir moins sollicité qu'exigé une ambulance, il demanda qu'on lui passe le capitaine Mitch Taylor, même chez lui et même s'il fallait le réveiller.

Quelques instants plus tard, c'est en effet un capitaine à la voix ensommeillée qui lui répondit :

— Allô ! J'espère que vous avez une bonne raison pour m'appeler à une heure pareille…

Eli s'identifia et lui fit un rapide exposé de la situation, tout en prenant deux couvertures dans la chambre d'amis.

— Je ne sais pas sur quelle affaire vous avez mis le jeune Cartwright, conclut-il, mais il va être indisponible un petit moment…

— Ça ne vous regarde pas, sur quoi je l'ai mis, grogna le capitaine.

— Si c'était pour une mission sous couverture, c'est fichu. Il est grillé. On ne vient pas de le balancer sur la pelouse de Shauna par hasard.

— Shauna ?

— La commissaire principale Cartwright, si vous préférez, répondit Eli tout en dévalant l'escalier.

— Je sais qui est Shauna Cartwright, Masterson…

Le ton du capitaine se fit plus confidentiel.

— Euh… Vous savez quand même qu'il est 3 heures du matin ?

Eli jura entre ses dents. Ces stupides questions de protocole !

— Ecoutez, Taylor. Son fils a été battu presque à mort et jeté inconscient devant sa porte. Je suis le seul flic sur place avec elle, pour le moment. Vous pouvez bien me mettre au rapport si vous voulez, mais laissez-la tranquille. Si vous êtes un homme, vous ne lui ferez aucun ennui à cause de moi. Vous vous en prendrez à moi et à moi seul. C'est bien clair ?

— Holà, baissez d'un ton, Masterson. Je n'ai rien contre la commissaire et ne lui ferais aucun ennui…

« A elle, peut-être pas, songea Eli, mais à un galeux de l'Inspection des Services, cela te ferait sûrement plaisir… »

— Bon, continua le capitaine. Je réfléchis. Vous êtes seul pour l'instant, mais dans quelques minutes ça va grouiller de flics aux alentours, et de journalistes aussi, évidemment. Si j'étais vous, je débarrasserais le plancher avant que quelqu'un de plus bavard que moi s'intéresse à votre présence… Je vais m'occuper d'interroger Seth dès que ce sera possible.

Sur ce, il raccrocha et Eli ferma le clapet de son mobile avec une colère grandissante. Il n'était pas *persona grata* sur les lieux. Les autres flics n'avaient pas besoin de lui dans leurs jambes et Shauna lui avait déjà demandé de partir.

Derrière des portes closes, ils formaient peut-être bien une équipe, mais au grand jour, ou sous les fichus spots aveuglants de son système d'alarme, les règles que s'imposait la commissaire s'appliquaient sans exclusive.

Quelques minutes après, il se passait exactement ce que Taylor avait prédit : la police bouclait le quartier et filtrait la circulation pour aider au passage des ambulances. Le jeune coéquipier de Seth à la tête rasée, Cooper Bellamy, était au centre du dispositif, fouillant les poches de la victime et posant des questions dont personne n'avait les réponses. Où et quand Seth avait-il été agressé ? Et pourquoi y avait-il encore un type de l'Inspection des Services au milieu ?

Est-ce qu'un seul de ceux qui étaient là savait que l'unique chose qui importait à Shauna, c'étaient les souffrances de son fils ? Un peu à l'écart, il la regardait, alors qu'elle était penchée au-dessus des infirmiers prodiguant les premiers soins au jeune homme. Dans un geste qu'il avait appris à reconnaître, elle croisait frileusement ses bras autour de sa poitrine, pour tenter de se protéger de ce froid qui la prenait toujours quand elle était nerveuse ou effrayée. Ses beaux yeux verts étaient secs à présent, mais parfois, sa mâchoire frémissait sans qu'elle s'en aperçoive, et ses mains tremblaient toujours. Elle répondait d'un signe de tête ou de quelques mots lorsqu'un policier ou un secouriste s'adressait à elle. Mais Eli savait bien, lui, qu'elle avait besoin d'une épaule sur laquelle s'appuyer, de quelqu'un qui prendrait soin d'elle, et non de toute cette machinerie policière autour de son malheur. Il pouvait voir, pendant qu'on emportait Seth sur un brancard, ce que son visage stoïque et son autorité affirmée lui coûtaient d'efforts surhumains. Au diable le protocole, son épaule à lui ferait l'affaire.

Il la prévint d'un regard, avant de s'approcher, puis il alla droit vers elle, malgré les coups d'œil inquiets qu'elle lançait de tous côtés, visiblement pour s'assurer qu'on ne faisait pas attention à eux.

— S'il te plaît, Eli, murmura-t-elle, je…

Il prit ses mains glacées dans les siennes pour les réchauffer un peu. Elle les lui retira très vite.

— Tu sais ce que nous faisions, pendant que… cela lui arrivait ?

— Oui, je sais. J'étais là, avec toi…

Les yeux verts revinrent se poser sur lui. Il pouvait y lire un profond désespoir.

— Si nous avions été sur nos gardes… attentifs, tu ne crois pas que nous aurions pu faire quelque chose ?

— Ça s'est passé ailleurs, ils sont juste venus le déposer devant ta porte, répondit doucement Eli. C'est un message… un avertissement.

— Tu n'as rien trouvé qui soit signé « Bien à Vous » ? Il n'y a pas eu d'appels téléphoniques, pas de lettres, rien… S'il a voulu attirer mon attention, il y a réussi, s'il a voulu me faire peur, aussi. Et s'il veut me punir pour avoir fait arrêter un faux coupable, il s'y est pris de la façon la plus efficace qui soit. Je suis complètement désarmée, quand on s'attaque à mes enfants… Seth est un adulte, je sais bien, mais pour moi, ce sera toujours… Je l'aime, Eli.

Il resta auprès d'elle tandis qu'elle suivait le brancard jusqu'au véhicule de secours.

— Veux-tu que je fasse quelque chose, lui dit-il, que j'appelle quelqu'un ?

— J'ai déjà eu Sarah au téléphone, elle me rejoindra à l'hôpital.

Devant la porte arrière de l'ambulance, elle se retourna vers lui.

— Je t'ai déjà demandé ton aide une fois, lui dit-elle, pour rendre justice à une pauvre jeune fille assassinée. Je te la demande encore, Eli. Trouve celui qui a fait ça à mon fils.

— Oui, Shauna. Je te le promets.

— Si vous voulez, vous pouvez venir dans l'ambulance avec lui, commissaire, proposa le chef des secouristes.

Eli mit sa main sur la nuque de Shauna. Au début, elle eut une réticence.

— On nous regarde, chuchota-t-elle.

— Je m'en fiche…

Il se pencha pour l'embrasser. Lorsque leurs lèvres se touchèrent, Eli sentit Shauna se détendre, comme si elle acceptait enfin le soutien et le réconfort qu'il lui offrait. Ce fut profond, passionné et rapide, avant que trop de paires d'yeux n'aient pu les voir.

— A tout à l'heure, lui dit-il.

Il referma sur elle les portières de l'ambulance et regarda le véhicule s'éloigner, toutes sirènes hurlantes.

Malgré toute l'envie qu'il avait de demeurer auprès d'elle, il avait dû la laisser s'en aller sans lui.

Il n'était pas seul à la regarder partir avec regret. Sadie geignait plaintivement et vint fourrer son museau froid dans la main de son grand ami. Eli secoua la tête et se mit à rire.

— Personne ne va me reprocher de m'occuper de toi, j'espère ?

Il rentra dans la maison et appela la chienne. Mais quand Sadie revint en trottinant et en remuant la queue, elle n'avait pas seulement son éternel bâton dans la gueule. On pouvait y voir aussi un morceau de papier.

— Qu'est-ce que tu as là, ma belle, hein ?

Eli lui ouvrit la gueule et déplia la feuille pleine de bave mais tout à fait lisible. C'était un message à l'intention de Shauna et il était très clair. Clair à vous glacer le sang.

« Alors, pas encore trouvé le vrai coupable, madame Cartwright ?

» Combien de gens vont encore soufrir avant que vous compreniez ?

» Le KCPD marcherait beaucoup mieux sans vous. Soyez une gentille fille et démissionnez.

» Sinon, c'est votre cadavre que le gars avec qui vous fricotez trouvera devant votre porte. »

12

— Qu'est-ce que vous faites ?

Voilà comment Eli aimait qu'une femme le remarque. Dès qu'elle entrait dans la pièce.

Ainsi, Betty Mills était capable d'émotion, derrière son visage tellement figé qu'on eût dit un masque en plastique…

— Voulez-vous bien laisser mon bureau tranquille ? hurla-t-elle.

Elle se rua sur lui à travers la réception.

— Ce sont mes affaires ! C'est privé ! Confidentiel ! C'est la police, ici, où vous croyez-vous ?

Fébrilement, elle se mit à ramasser les dossiers qu'Eli avait largement ouverts sur le bureau et les notes manuscrites qu'il avait consciencieusement lues. Lui se laissa aller contre le dossier du fauteuil et, soulevant ses jambes, poussa la provocation jusqu'à mettre ses pieds sur ce même bureau, en regardant la secrétaire d'un air narquois.

— Je l'ai su dès que je vous ai vu, fulmina-t-elle, que ce qu'on disait de vous était vrai…

— Que je suis un excellent enquêteur, que je ne lâche jamais ma proie ?

Les joues livides de Betty se coloraient un peu, sous le coup de la colère.

— Que vous ne valez pas mieux que votre ancien coéquipier, qui était un pourri. Donnez-moi ça !

Elle essaya de reprendre l'agenda qu'Eli tenait entre ses

mains, mais il le retira au moment où elle allait s'en saisir et elle fit tomber les papiers qu'elle tenait sous le bras.

— Regardez ce que vous avez fait !

— Je croyais que la commissaire principale était à son bureau, ce matin, dit Eli, imperturbable. Mais la porte est fermée et les lumières, éteintes. Vous ne sauriez pas où elle est, par hasard ?

Betty eut un grognement désapprobateur.

— Je suis sûre que vous le savez mieux que moi…

Eli laissa retomber ses pieds sur le sol.

— Où est-elle, Betty ?

— A l'hôpital, au chevet de son fils. Elle m'a appelée chez moi pour me dire qu'il avait été blessé et qu'elle ne viendrait pas au bureau ce matin. Il est conscient, mais ne se rappelle rien d'autre qu'avoir été pris dans une sorte de bagarre…

— Je savais bien que vous étiez au courant des détails… Vous savez toujours où on peut la trouver, n'est-ce pas ? Jour et nuit ?

Betty se pencha de nouveau pour ramasser les papiers et les posa sur le bureau en se redressant.

— Ça fait partie de mon travail. Mais vous le savez bien, vous, où est Mme Cartwright, n'est-ce pas ? Je me suis laissé dire que vous étiez chez elle, cette nuit, qu'on vous y a vu à peine habillé. Vous êtes la honte de la police !

Cette bonne vieille Betty était très maligne, mais Eli n'était pas idiot, lui non plus.

— Vous savez, lui dit-il, je suis un peu surpris. Depuis le temps que vous faites ce métier, je pensais que vous feriez moins de fautes d'orthographe…

— Je n'en fais pas, répliqua-t-elle, outrée. Je suis au plus haut niveau de ma profession.

— Ah oui, et ça ?

Eli tira de sa poche de poitrine trois feuilles de papier à en-tête du KCPD, couvertes d'une écriture manuscrite.

— Tenez, dit-il, ceci est une liste de courses, Je suppose. « Lait, fromage… Macarroni » — avec deux « r »…

Il posa la feuille sur le bureau et en lut une autre.

— « Le rendez-vous de mardi est reportté », avec deux « t »…

— Donnez-moi ça !

— Ou encore celle-ci…

Furieuse, la secrétaire fit le tour du bureau. Mais tenir les papiers hors de sa portée n'était pas bien difficile.

— « Enquête rouverte sur l'afaire BJD ». Un seul « f » à affaire… « Inspection des Services en allerte », avec deux « l »… Non, vraiment, d'une assistante de votre classe, ça m'étonne beaucoup…

Elle lui arracha enfin les feuilles des mains — ou plutôt il la laissa faire — et les brandit sous son nez.

— Ce n'est pas moi qui ai écrit ça, je n'aurais pas laissé passer ces fautes ! Elles sont de la main du commissaire adjoint, M. Garner. Je retranscris toutes ses notes et corrige tous ses courriers. Personne n'est au courant, mais M. Garner souffre d'une sorte de dyslexie. Il fait des fautes et ne s'en aperçoit même pas, même sur l'ordinateur avec le correcteur orthographique. Je suis obligée de vérifier tout ce qu'il écrit et de le retaper quand il s'est trompé.

Eli sentit comme une pierre lui peser sur l'estomac. Non, Betty, contrairement à ce qu'elle croyait, ne corrigeait pas *tout* ce que Michael Garner écrivait…

— Où est-il ? Ou est le commissaire adjoint, en ce moment ? demanda-t-il d'un ton pressant.

— A la conférence de presse, je présume.

— Quelle conférence de presse ? A quel sujet ?

— La commissaire principale a annoncé de nouveaux développements dans l'affaire Baby Jane Doe.

Oh, non, mon amour, non ! Ne dis rien. C'est trop tôt…

— Où a-t-elle lieu ?

— Elle m'a demandé de lui apporter le tailleur et le chemisier de rechange qu'elle garde au bureau. Comme elle compte rester au St Luke Hospital jusqu'à ce que son fils sorte du bloc opératoire, je suppose que la conférence aura lieu là-bas.

L'hôpital allait être bardé de policiers pour la protéger, elle et Seth. Mais cela ne suffisait pas, car *il* y serait aussi. Et personne ne *le* soupçonnait, *lui*, pas même Shauna.

Eli prit son téléphone pour l'appeler, mais elle était sur messagerie. Comment allait-il pouvoir la prévenir ?

— Donnez-moi le tailleur, dit-il à Betty, je vais le lui apporter.

— Non.

Eli se rassit posément, ouvrit un tiroir, le dégagea de son logement et en renversa le contenu sur le sol.

— D'accord, d'accord ! glapit la secrétaire.

Elle lui fit signe de la suivre dans le bureau de Shauna.

— De toute façon, grommela-t-elle, il va me falloir la matinée pour ranger la pagaille que vous avez mise !

Shauna consulta sa montre. Il était presque 9 heures du matin. Que fabriquait donc Betty avec sa tenue de rechange ? Les journalistes s'assemblaient déjà dans le hall.

— Ecoute, Shauna. Tu es restée debout la moitié de la nuit à cause de Seth. Tu es épuisée et franchement, tu en as l'air. Tu vas devoir leur révéler que l'on s'est trompés sur la plus grosse affaire de ces dernières années… Je te demande de m'écouter en tant qu'adjoint, sinon en tant qu'ami. Laisse-moi tenir cette conférence de presse à ta place…

La façon qu'avait Michael de mêler la critique à la

sollicitude, tout en laissant entendre qu'il lui faisait une faveur, était toujours aussi agaçante.

Shauna faisait les cent pas dans une chambre vide de l'hôpital, juste en face de celle qu'occupait Seth. Le chirurgien avait bien travaillé et son fils devait dormir pour récupérer. Sachant que cette conversation avec Michael devait avoir lieu et qu'elle allait être déplaisante, elle avait laissé Sarah au chevet de son frère, tandis que le coéquipier de Seth, Cooper Bellamy, gardait la porte. Austin, quant à lui, attendait dans le couloir que leur fils se réveille.

— Ma décision est prise, Michael, c'est à moi d'annoncer la nouvelle. Ma famille a été attaquée et si « Bien à Vous » veut m'avoir, je ne vais pas me dérober, ni le laisser s'en prendre encore à mon fils, à ma fille ou à quiconque parmi ceux que j'aime.

— Comme l'inspecteur Masterson, par exemple ?

— Laisse-le en dehors de ça.

— C'est lui, n'est-ce pas ? C'est lui qui t'a détournée de moi ?

Elle haussa les épaules.

— Il n'a rien eu à détourner. Il ne s'est jamais rien passé entre toi et moi, Michael, et il ne se serait de toute façon rien passé…

— Je me fiche d'avec qui tu baises, Shauna !

Elle le fusilla du regard.

— Le débat est clos, Michael Garner, dit-elle en tournant les talons.

Mais il la rattrapa en lui serrant douloureusement le bras et la ramena au centre de la pièce.

— Non, il ne l'est pas !

— Mais arrête, qu'est-ce que tu fais ?

Il l'attira brutalement contre lui et lui souffla à l'oreille :

— Tout ce qui m'importe, madame la commissaire, c'est qu'on t'a donné le boulot qui me revenait de droit…

Shauna frémit.

— … Alors, à moins que tu ne descendes leur annoncer ta démission, il n'y aura plus jamais de conférence de presse pour toi…

— Il n'en est pas question ! Ainsi c'est donc ça, une simple jalousie professionnelle ?

— On n'est pas jaloux de quelqu'un qu'on méprise.

Il la fit reculer un instant, le temps de prendre son mobile et de faire un numéro. Quand il l'obtint, il dit un seul mot :

— Maintenant.

Seule et sans armes, Shauna ne perdit pas de temps à essayer de déchiffrer le signal que venait de donner Michael. Elle cria :

— Au feu !

Simultanément, elle lui donna un fort coup de talon sur le pied et un autre en plein dans le ventre. Puis un autre, puis un autre encore. Quand il la lâcha, le souffle coupé, elle se mit à courir en criant toujours :

— Au feu ! Au feu !

— Tu vas te taire, salope !

Il la rattrapa alors qu'elle ouvrait la porte et, la saisissant par le col, il la projeta violemment contre le panneau de bois, pour l'étourdir et la réduire au silence. Le temps qu'elle reprenne ses esprits, il s'était emparé de la paire de menottes qu'il portait à la ceinture et lui en emprisonnait les poignets derrière le dos. Puis, la bâillonnant d'une main ferme, il la jeta sur le lit le plus proche. Comme il se tournait pour prendre un flacon et un morceau de gaze sur la table de nuit, Shauna bascula ses jambes de l'autre côté. Hélas, elle glissa en voulant se mettre debout et ne put réussir à se relever tout de suite, embarrassée qu'elle était par les menottes.

— Je ne me suis pas laissé impressionner par tes menaces quand tu me les envoyais anonymement, comme le lâche que tu es, cracha-t-elle, tu ne me feras pas davantage céder à présent.

— Alors, je regrette, ma chère, chère Shauna, mais on va devoir te retirer du circuit pour très, très longtemps. Pour toujours, en fait…

Il contourna le lit, la remit sur ses pieds, puis il pressa le morceau de gaze sur sa bouche et sur son nez. La chambre se mit bientôt à tourner autour d'elle et elle comprit qu'il la chloroformait. Au moment où ses jambes se dérobaient, elle vit entrer un infirmier dans la chambre, un Noir dont le visage lui disait quelque chose. Elle voulut l'appeler au secours, mais sa bouche ne produisit aucun son.

Mais… c'était le serveur de l'Union Café… non, c'était l'un des otages du hold-up à la banque. Mais non, mon Dieu, non. C'est LaTrese Pittmon !

Il l'empêcha de tomber, la souleva comme une plume et la déposa sur le lit. Les deux hommes remontèrent le drap sur elle et lui appliquèrent un masque à oxygène sur le visage. Mais d'oxygène, il n'en était pas question. C'était un puissant sédatif.

— Powell est dans une ambulance, à l'entrée des urgences. Tu sais ce que tu as à faire ? dit Michael à Pittmon.

Le lit bougea, mais Shauna était déjà trop droguée pour remuer un cil. Elle ne pouvait qu'écouter, impuissante, leur conversation.

Tandis que Pittmon la poussait vers le couloir, Michael se pencha au-dessus d'elle.

— Edward disait toujours qu'après lui, il faudrait que le patron du département puisse panser les plaies de tous les policiers de Kansas City, murmura-t-il. Et c'est moi qui aurais dû le faire, moi qui ai obtenu les aveux de Donnell Gibbs, moi qui ai rendu leur fierté à tous les flics du KCPD !

*
* *

Etait-ce Gibbs qui lui avait présenté Pittmon ? Et Powell, comment le connaissait-il ? Powell, qui, disait-il, conduisait l'ambulance. Etait-ce bien Richard Powell ?

Les pièces du puzzle commençaient à se mettre en place, mais la conscience de Shauna sombrait inexorablement. Peut-être était-elle en train de mourir… L'ascenseur dans lequel on venait de la faire entrer l'emportait loin de sa famille, de ses amis, de ses collègues qui auraient pu la protéger, d'Eli…

Eli et son cœur solitaire, ses regards brûlants et ses baisers passionnés. « Je veux *nous* », avait-il dit.

Nous, cela n'arriverait jamais…

Quand Powell et Pittmon l'eurent chargée dans l'ambulance, Michael passa la tête par la portière et lui dit :

— Surtout ne t'inquiète pas pour la conférence de presse, je m'occupe de tout. Et je te le promets, quand on retrouvera ton corps, dans deux ou trois semaines, mon éloge funèbre sera très émouvant…

Eli pénétra dans le hall du St Luke Hospital, flanqué du procureur Dwight Powers et de Donnell Gibbs, qu'on avait équipé d'un gilet pare-balles. Son détour par le bureau du district attorney, puis par la prison, lui avait coûté de précieuses minutes, mais c'était la meilleure manière de donner à Shauna les réponses qu'elle attendait.

Le lieu était bourré de journalistes, micros et appareils photo déjà tendus ; de nombreuses équipes de télévision se préparaient à enregistrer l'événement pour les nouvelles de 18 heures. Dwight poussa Gibbs en avant.

— Vous êtes prêt à relever le défi ? dit-il à Eli.

Celui-ci prit l'accusé par le bras, pour le protéger autant que pour l'encourager à dire la vérité, et acquiesça. Comme elle passait près de lui, il héla Rebecca Page.

— Vous allez l'avoir, votre scoop, lui dit-il.

Puis, alors que Michael Garner s'avançait pour annoncer qu'il tiendrait la conférence de presse en lieu et place de la commissaire Cartwright, trop bouleversée par l'agression qu'avait subie son fils, Eli poussa Gibbs devant les caméras et lui posa une seule question :

— Vous voyez le monsieur dont vous m'avez parlé ?

Le frêle petit homme noir regarda ses chaussures pendant d'interminables secondes, puis leva la tête pour sourire timidement à Eli. Enfin, il se tourna vers le podium où se tenait Michael et déclara :

— Oui, c'est lui qui m'a expliqué comment je devais dire que j'avais tué la jeune fille.

Finalement, il fallut faire évacuer le hall de l'hôpital pour que son personnel puisse circuler librement. Tous les organes de presse de la ville bruissaient de l'incroyable nouvelle : on avait arrêté le commissaire adjoint Michael Garner sous les chefs d'accusation d'obstruction à une enquête judiciaire, de fabrication de fausses preuves, d'abus de confiance et de complicité de meurtre. Il se murmurait que la liste n'était pas close et qu'un fin limier de l'Inspection des Services nommé Masterson accumulait les charges contre lui.

Eli était un enquêteur très expérimenté. Une fois tiré un fil de la bobine, le reste avait inévitablement suivi. Il songea qu'il faudrait fêter ça avec Shauna. Il avait bien fait son travail et empêché définitivement « Bien à Vous » de nuire.

Cooper Bellamy essaya bien de l'empêcher de pénétrer dans la chambre de Seth, mais Sarah intervint et lui en ouvrit la porte. Sur son oreiller, le jeune homme était pâle et tuméfié, mais son agressivité n'était pas entamée.

— Qu'est-ce que vous faites encore ici ? rugit-il.

— Où est ta mère, mon garçon ? repartit Eli sans se démonter.

Sarah toucha timidement sa manche.

— Il se passe quelque chose ? fit-elle d'une toute petite voix.

— Michael Garner a été arrêté.

— Comment ?

Il n'avait guère le temps de répondre à cette question et en posa une autre.

— Quand l'avez-vous vue pour la dernière fois ?

— Mais… Eli… Vous me faites peur, balbutia Sarah. Qu'est-ce que… ?

Seth essaya de se dresser sur son lit.

— Si jamais il lui est arrivé quelque chose à cause de vous, je…

— Arrête ton numéro de dur et écoute-moi. J'aime ta mère et tu ferais bien de te mettre ça une bonne fois pour toutes dans la tête, parce que j'ai l'intention que ça marche, entre elle et moi.

Sarah poussa une petite exclamation de surprise et pour une fois, Seth demeura muet, la bouche ouverte.

Shauna était en danger, Eli ne le savait que trop, et lui qui avait déjà perdu tant et tant, dans sa vie, aurait préféré mourir que de la perdre, elle.

— Alors, votre mère, répéta-t-il en les regardant tous les deux. Où et quand, pour la dernière fois ?

Seth mesura enfin l'urgence de la situation.

— Il doit y avoir une heure environ, répondit-il. Elle nous a quittés en disant qu'elle allait préparer son discours.

— Préparer son discours ? Que voulait-elle dire au juste ?

Ce fut Sarah qui répondit :

— Qu'elle allait s'isoler dans une pièce pour répéter ce qu'elle avait à dire. Elle fait toujours ça. Elle a dû aller dans une chambre vide.

Cette chambre, Eli la trouva rapidement. Quand il vit que l'un des deux lits n'y était plus et qu'il y avait du sang sur le battant de la porte, il comprit ce qui s'était passé.

Il devait à tout prix la trouver et Michael Garner allait lui montrer le chemin.

13

Shauna était sortie de sa léthargie et parlait à ses ravisseurs depuis plus d'une heure, maintenant. Si elle n'avait pas été une négociatrice rompue aux longs dialogues avec des forcenés et des désespérés, elle se serait trouvée à court d'arguments depuis déjà un bon moment…

Et elle serait morte, probablement.

L'appartement où elle se trouvait, lequel sentait la sueur et les produits chimiques, n'était sans doute pas sa destination finale. Il y avait fort à parier que si Pittmon et Powell avaient eu la main, ils l'auraient exécutée dans l'ambulance et abandonnée dans le premier fossé venu ; mais Michael avait dû leur laisser des instructions très précises et tout préparer pour un crime parfait — jusqu'au collier de métal, au bout d'une chaîne scellée dans le mur, qu'elle portait maintenant autour du cou.

Ses deux geôliers attendaient certainement un signal quelconque, appel téléphonique ou autre, pour l'exécuter. Comment s'y prendraient-ils ? Elle n'était pas pressée de le découvrir.

En attendant, elle pouvait toujours essayer de comprendre quel était le rôle exact de LaTrese Pittmon dans toute l'opération…

— Alors, LaTrese, lança-t-elle (ils en étaient à s'appeler par leurs prénoms depuis une dizaine de minutes), il paraît que vous avez fait la connaissance d'une aide-soignante, à la clinique Boatman ? Daphne Hugues, c'est ça ?

— Pas fait connaissance, grogna l'intéressé. On se connaissait d'avant.

Il avait le même regard vide que Gibbs et Shauna craignait que lui arracher le moindre renseignement soit aussi très difficile. Mais il enchaîna :

— On avait déjà été ensemble, il y a longtemps, et puis j'étais parti. Moi, je voulais pas être père. Les enfants, ça braille et ça coûte de l'argent.

Shauna écarquilla les yeux.

— Vous avez eu un bébé avec Daphne ?

Pittmon ne répondit pas.

— Comment s'appelait-il ?

— Elle. Elle s'appelait Makayla. Mais pour moi, c'était pas ma fille. J'en veux pas, des mômes…

Shauna commençait à y voir clair.

— Elle serait grande, maintenant, je pense, si elle était toujours en vie, insinua-t-elle. Au moins dix-sept ou dix-huit ans… Mais elle est morte, n'est-ce pas, LaTrese ? Pourquoi l'avez-vous tuée dans le parc ? Et sa mère aussi, je ne sais où ? Parce qu'elles vous réclamaient de l'argent ? Qu'elles menaçaient de vous dénoncer à la police ?

Pittmon se dressa et tira brutalement sur la chaîne.

— Non ! hurla-t-il. C'est pas vrai !

Depuis le futon taché où il reposait sa jambe blessée, Powell intervint.

— Taisez-vous, tous les deux. On ne s'entend plus penser.

— Michael vous a engagés pour me tuer, moi aussi, s'obstina néanmoins Shauna. Il veut vous faire commettre un crime parfait, mais il ne le sera que pour lui seul. Lui, il s'en sortira sans encombre, mais vous, vous…

Elle n'eut pas assez d'air pour finir sa phrase. Pittmon venait de nouveau de tirer sur la chaîne pour l'étrangler.

Eli, où es-tu ?

Un téléphone se mit à sonner et son tourmenteur la

laissa retomber au sol où elle s'écroula, avalant frénétiquement de grandes goulées d'air, les muscles de son cou tout endoloris.

Il se précipita, mais Powell lui arracha le combiné.

— Laisse ! Je vais répondre. Ouais ?

Il écouta quelques instants, les yeux plissés.

— … Mais ce n'est pas du tout ce qu'on avait dit, rétorqua-t-il à son interlocuteur invisible. On devait rester ici le temps de pouvoir échanger les véhicules. Où est la voiture de Pittmon ?

Shauna essaya de pousser son avantage.

— Tout ne se déroule pas comme prévu, n'est-ce pas, Powell ? C'est comme quand vous avez été blessé à la banque. Vous n'aviez pas compté avec Eli Masterson…

— Fais-la taire !

Shauna se plaqua contre le mur pour échapper au poing levé de LaTrese Pittmon. Le premier coup la jeta au sol. Le second ne vint jamais.

— Police ! Ouvrez !

Les deux hommes sautèrent sur leurs armes mais déjà, la porte s'ouvrait à la volée, livrant passage à Eli et au groupe d'intervention.

L'échange de tirs fut très bref. Richard Powell fut abattu avant même de pouvoir faire feu. Shauna balança un coup de pied dans le tibia de Pittmon au moment où celui-ci appuyait sur la détente. Sa balle se perdit et tout de suite, les hommes du groupe d'intervention se jetèrent sur lui pour le désarmer.

Eli était déjà auprès de Shauna et détachait son collier en tremblant.

— Les salauds ! grondait-il.

Il passa tout doucement son doigt sur le cou de Shauna.

— Ils t'ont fait du mal ?

Il y avait tant de choses, dans ses yeux d'or : du soulagement, de la colère, de la peur rétrospective… de l'amour.

— Non, rien de sérieux, répondit-elle tandis qu'il libérait ses poignets.

— J'ai compris trop tard ce qui s'était passé, dit-il, navré, en les lui massant.

— Qu'importe, lui dit-elle chaleureusement, tu m'as sauvée d'une mort certaine !

Le beau sourire familier réapparut.

— Oui, et « Bien à Vous » est dans le car, en bas, dûment menotté…

— Moi, je sais qui a tué notre Jane Doe. Je devrais plutôt dire Makayla. Makayla Hugue. On pourra enfin graver un nom sur sa tombe. Je pense qu'un test ADN prouvera que Pittmon est non seulement son père biologique, mais aussi son meurtrier. Je ne sais pas encore s'il a disposé du corps seul ou si…

— Garner était son complice, pour ça aussi. L'enquête le prouvera…

Elle lui sourit et avança timidement la main vers sa joue.

— J'avais envie de te toucher, murmura-t-elle.

— Moi aussi. Sortons d'ici.

Il l'emmena au-dehors, où un cercle de voitures de police les attendait. Michael était à l'arrière d'un fourgon, menotté comme l'avait dit Eli. Et Eli lui-même était au centre de tout ce dispositif policier. Il n'était plus un réprouvé parmi ses collègues.

Eli attira Shauna à lui et l'embrassa longuement, avec fougue, devant une bonne douzaine d'enquêteurs du KCPD et d'agents en tenue, parmi lesquels Mitch Taylor et Cooper Bellamy — prolongeant non sans malice cette transgression délibérée du règlement de la police.

Quand leurs lèvres se séparèrent, Shauna était toute

rouge, à bout de souffle, et effrayée de constater à quel point elle était amoureuse de cet homme.

— Je suis à toi, Shauna Cartwright, lui dit-il, et je me fiche que tout le monde le sache !

— Non, je ne peux pas accepter ! s'écria Shauna en regardant l'insigne, l'arme et la lettre de démission qu'Eli venait de déposer sur son bureau.

Elle plongea sa main dans un tiroir et en tira sa propre lettre de démission.

— Je l'ai tapée hier soir, expliqua-t-elle, juste après… que nous ayons fait l'amour.

— Quelle fois ? Dans la cuisine ou sous la douche ?

— Eli !

Les yeux pétillants d'impertinence, il fit le tour du bureau et prit les mains de Shauna dans les siennes.

— La ville et le KCPD ont besoin de toi, lui dit-il. Il leur faut un chef de la police qui ait une conscience. Quelqu'un qui respecte les règles et écoute son cœur.

— Mais Eli…

— Il n'y a pas de mais. Tu ne peux pas démissionner.

— Tu n'es pas mon patron, tout de même !

— Et toi, tu n'es plus ma patronne.

Il se saisit de la lettre qu'elle avait rédigée et, avant qu'elle ait pu l'en empêcher, la déchira.

— Tu restes à la tête du KCPD, lui dit-il en s'asseyant sur le bord du bureau, sans lâcher sa main. Et avec moi. Dwight Powers m'a offert un poste de substitut du procureur, auprès de lui. Ça va me faire du bien de travailler quelque part où on sera content de me voir…

— Tu es bien sûr ? J'ai dix ans de plus que toi.

— Et moi, je suis très malin, pour mon âge, suffisamment en tout cas pour savoir que je suis fou de toi.

Shauna se leva et toucha la cicatrice qu'il avait à la tempe, depuis le jour de leur première rencontre à la banque.

— Sérieusement, Eli. Je t'aime, mais il ne faut pas faire ça pour moi.

— Je ne le fais pas pour toi, je le fais pour nous.

Sur ce, il la prit dans ses bras et il lui donna son premier baiser d'égal à égal. Décidément, c'était bien agréable de l'entendre dire « nous ».

— Le 1er septembre —

Black Rose n°267

Un précieux allié - Marie Ferrarella

Destiny le *sait* : sa sœur, loin de s'être suicidée, comme tous les indices tendent à le prouver, a été assassinée. Voilà pourquoi elle doit à tout prix convaincre le lieutenant Logan Cavanaugh, qui a été chargé de l'affaire, d'approfondir ses recherches. Car même si elle n'a pas une très haute opinion de lui en tant qu'homme – n'est-il pas un séducteur invétéré, qui collectionne les conquêtes sans lendemain ? –, elle reconnaît son professionnalisme en tant que policier. Alors, pour qu'il l'écoute, elle est prête à tout... Même à jouer de son charme auprès de lui...

L'étau du mensonge - Margaret Watson

Se pourrait-il que Tim, son ex-mari, ait retrouvé sa trace ? Darcy vit dans l'angoisse depuis que Nathan Devereux, son patron, a été renversé par une voiture devant le restaurant où ils travaillent tous deux. Car bien qu'elle ait changé de vie depuis son divorce d'avec Tim, c'est elle qui était visée, elle en a la certitude... Aussi accueille-t-elle avec soulagement l'arrivée de Patrick Devereux, le frère de son patron, venu remplacer ce dernier au restaurant. La présence à ses côtés de ce policier à la carrure d'athlète la rassure. Et puis, bien qu'elle s'en défende, Patrick l'attire. A tel point qu'elle décide de lui révéler qu'elle se cache sous une fausse identité...

Black Rose n°268

Le passé disparu - Rebecca York

Le « hors-la-loi ». Voilà comment Hannah a surnommé le bel inconnu qu'elle observe depuis deux semaines dans le bar où ils se rendent tous les deux chaque soir. Cet homme l'intrigue, avec son regard ténébreux et l'impression qu'il donne d'être sans cesse sur le qui-vive. Et puis, surtout, il ne semble pas l'avoir remarquée, ce qui l'agace au plus haut point... Aussi est-elle stupéfaite quand, alors qu'elle se fait agresser en pleine rue, il intervient et la sauve de justesse. Pourquoi la suivait-il ? Une question qui trouve très vite sa réponse quand il lui révèle qu'il a enquêté sur elle, et veut l'engager comme détective privé. Amnésique, il ignore en effet tout de son identité, et la seule chose qu'il a trouvée à ses côtés en se réveillant dans un lit inconnu, trois semaines plus tôt, est une valise contenant un million de dollars...

Une troublante proximité - Cassie Miles

J'ai besoin de vous, Petra...
Travailler aux côtés du séduisant agent Brady Masters, n'est-ce pas ce dont toute femme rêverait ? Pourtant, Petra le sait : en acceptant la mission qu'il lui propose – feindre d'être son épouse pour infiltrer avec lui une clinique qu'il soupçonne de se livrer à des activités illégales –, elle risque gros. Non seulement sa vie – qu'arrivera-t-il si elle se fait démasquer ? – mais aussi son cœur. Car si elle se laisse prendre au jeu, elle pourrait bien tomber amoureuse de Brady qui, alors qu'il est loin de la laisser indifférente, disparaîtra sans plus se soucier d'elle une fois leur enquête terminée...

BLACK ROSE

Black Rose n°269

Un secret à te révéler - Lisa Childs

Injustement accusé d'un meurtre qu'il n'a pas commis, Jedidiah n'a plus qu'une idée en tête depuis qu'il s'est évadé de prison : retrouver Erica Towsley, la seule à pouvoir prouver son innocence. Il était avec elle, ce soir fatidique où un policier a été tué. En train de lui faire l'amour. Alors pourquoi n'est-elle pas venue témoigner à son procès et l'a-t-elle laissé croupir en prison pendant cinq ans, alors qu'il était follement amoureux d'elle ? C'est ce qu'il est résolu à découvrir. Pourtant, quand il arrive chez elle, c'est le choc : non seulement Erica semble convaincue qu'il s'est absenté au cours de cette fameuse nuit qu'ils ont passée ensemble, mais elle est accompagnée d'une petite fille qui ressemble à Jedidiah comme deux gouttes d'eau...

Menaces dans l'ombre - Julie Miller

L'inspecteur A.J. Rodriguez en est persuadé : Claire Winthrop ne ment pas quand elle affirme avoir été témoin d'un meurtre. Certes, les éléments ne plaident pas en sa faveur – aucun corps n'a été retrouvé, et pas le moindre indice n'a été relevé sur le lieu supposé du crime. Mais, sans qu'il puisse s'expliquer pourquoi, la lueur de détresse qu'il a vue passer dans ses grands yeux bleus a réveillé en lui un puissant instinct protecteur. Un instinct qui ne l'a jamais trompé depuis qu'il a débuté sa carrière de flic, et qu'il se promet d'écouter – quitte à désobéir à sa hiérarchie pour protéger la jolie Claire du danger qui la guette...

BLACK ROSE

Black Rose n°270

Au nom d'une autre - Sylvie Kurtz

Tu as une sœur jumelle...

Lorsque sa mère, sur son lit d'hôpital, lui souffle ces mots à l'oreille, Brooke se sent prise de vertige. Voilà d'où lui vient cette impression constante, douloureuse, d'avoir perdu une partie d'elle-même... Plus une minute à perdre : elle doit retrouver Alyssa, cette sœur dont elle a été séparée depuis trop longtemps. Mais quand elle arrive enfin chez celle-ci, un nouveau choc l'attend : Alyssa est dans le coma suite à un accident. Ou plutôt une tentative d'assassinat ? C'est du moins ce que prétend Jack Chessman, un policier ami de sa jumelle. Jack, qui lui demande de l'aider à faire la lumière sur cette affaire, en se faisant passer pour Alyssa...

Le risque de t'aimer - Harper Allen

Pour Ainslie, le grand jour est arrivé : devant le tout Boston, elle va épouser le célèbre magnat des affaires, Pearson McNeil. Mais alors qu'elle monte les marches de la cathédrale, elle se fige soudain. Cet homme au regard vert, qu'elle aperçoit au milieu de la foule, se pourrait-il que ce soit... ? Non. Impossible. Seamus Malone, qu'elle a passionnément aimé deux ans plus tôt, est mort. Incapable de se retenir, elle se dirige pourtant vers lui... et sent son sang se glacer quand Seamus – car il s'agit bien de lui ! – lui apprend qu'il est poursuivi par de dangereux criminels, et qu'elle est la seule vers qui il puisse se tourner...

A paraître le 1er juillet

Best-Sellers n°568 • suspense

La peur sans mémoire - Lori Foster

Intense et bouleversante. La nuit qu'Alani vient de passer avec Jackson Savor résonne en elle comme une révélation. Après son enlèvement à Tijuana, deux ans plus tôt, et les cauchemars qui l'assaillent depuis, jamais elle ne se serait crue capable de s'abandonner ainsi dans les bras d'un homme. Et pourtant, Jackson, ce redoutable mercenaire qui n'a de limites que celles fixées par l'honneur, a su trouver le chemin de son cœur. Hélas, cette parenthèse amoureuse est de courte durée. Au petit matin, à peine sortie de la torpeur du plaisir, Alani comprend qu'il y a un problème : son amant, si empressé un peu plus tôt, a tout oublié de leurs ébats torrides. Pas de doute possible : il a été drogué. Mais par qui ? Et comment ? Le coupable est-il lié aux odieux trafiquants sur lesquels Jackson enquête ? Ces questions sans réponse, ce sentiment d'impuissance, Alani les supporte d'autant plus mal qu'elle y a déjà été confrontée. Mais au côté de Jackson, et pour donner une chance à leur histoire, elle est prête à affronter le danger, et ses peurs…

Best-Sellers n°569 • suspense

Le mystère de Home Valley - Karen Harper

Mille fois, Hannah a imaginé son retour à Home Valley, la communauté amish où elle a grandi et avec laquelle elle a rompu trois ans plus tôt. Mille fois, elle a imaginé ses retrouvailles avec Seth, l'homme qu'elle aurait épousé s'il ne l'avait cruellement trahie. Mais pas un seul instant elle n'aurait pensé que cela se ferait dans des circonstances aussi dramatiques. Car dès son retour, alors qu'elle a décidé sur un coup de tête de se rendre de nuit dans le cimetière de la Home Valley, elle est prise pour cible par un homme armé, qui heureusement ne parvient qu'à la blesser. Pourquoi cet homme a-t-il voulu la tuer ? Va-t-il s'arrêter là ? Pour répondre à ces angoissantes questions, Hannah décide d'apporter toute son aide au ténébreux Linc Armstrong, l'agent du FBI chargé de l'enquête, et qui suscite la méfiance chez les autres membres de la communauté amish — et surtout chez Seth. Ecartelée entre deux mondes, entre deux hommes, Hannah va bientôt être submergée par ses sentiments – des sentiments aussi angoissants que les allées du cimetière plongées dans l'obscurité…

Best-Sellers n°570 • thriller

Piège de neige - Lisa Jackson

Prisonnière du criminel pervers qu'elle traque depuis des semaines dans l'hiver glacial du Montana, l'inspecteur Regan Pescoli n'a plus qu'une obsession : s'échapper coûte que coûte. Aussi essaie-t-elle, dans le cachot obscur et froid où elle est enfermée, de dominer la terreur grandissante qui menace de la paralyser. Car ce n'est pas seulement sa vie qui est en jeu, mais également celle d'autres captives, piégées comme elles et promises à la mort. Pour les sauver, autant que pour retrouver ses enfants et Nate Santana, l'homme qu'elle aime, Regan est déterminée à découvrir le point faible du tueur. Pour cela, il lui faudra aller au bout de son courage, de sa résistance physique… Et vaincre définitivement ce maniaque, avant qu'il ne soit trop tard.

Best-Sellers n°571 • suspense

Les disparues du bayou - Brenda Novak

Depuis l'enlèvement de sa petite sœur Kimberly, seize ans plus tôt, Jasmine Stratford a enfoui ses souffrances au plus profond d'elle-même et s'est dévouée corps et âme à son métier de profileur. Mais son passé ressurgit brutalement lorsqu'elle reçoit un colis anonyme contenant le bracelet qu'elle avait offert à Kimberly pour ses huit ans. Bouleversée, elle se lance alors dans une enquête qui la conduit à La Nouvelle-Orléans. Là, elle ne tarde pas à découvrir un lien effrayant entre le meurtre récent de la fille d'un certain Romain Fornier et le kidnapping de sa petite sœur. Prête à tout pour découvrir la vérité, Jasmine prend contact avec Romain Fornier, seul capable de l'aider à démasquer le criminel. Elle se heurte alors à un homme mystérieux, muré dans le chagrin et vivant dans le bayou comme un ermite. Un homme qu'elle va devoir convaincre de l'aider à affronter le défi que leur a lancé le tueur : *« Arrêtez-moi »*.

Best-Sellers n°572 • roman

L'écho des silences - Heather Gudenkauf

Allison. Brynn. Charm. Claire. Quatre femmes prisonnières d'un secret qui pourrait les détruire… et dont un petit garçon est la clé. Allison garde depuis cinq ans le silence sur le triste drame qu'elle a vécu adolescente et qui l'a conduite en prison pour infanticide. Brynn sait tout ce qui s'est passé cette nuit-là, mais elle s'est murée dans l'oubli pour ne pas sombrer dans la folie. Charm a fait ce qu'elle a pu, bien sûr, pourtant elle a dû renoncer à son rêve et se taire. Alors elle veille en secret sur son petit ange. Claire vit loin du passé pour tenter de bâtir son avenir avec ceux qui comptent pour elle. Et elle gardera tous les secrets pour protéger le petit être qu'elle aime plus que tout au monde. Quatre femmes réfugiées dans le silence, détenant chacune la pièce d'un sombre puzzle.

Best-Sellers n°573 • roman

Un jardin pour l'été - Sherryl Woods

Son cœur qui bat plus vite lorsqu'elle consulte sa messagerie, son imagination qui s'emballe lorsqu'elle revoit en pensée le visage aux traits virils de celui dont elle est tombée amoureuse… Moira doit se rendre à l'évidence : elle ne peut oublier Luke O'Brien. Il faut dire qu'avec ses cheveux bruns en bataille, son regard parfois grave mais pétillant de vie, son sourire irrésistible, cet Américain venu passer ses vacances en Irlande n'a guère eu de mal à la séduire. Sauf qu'après le mois idyllique qu'ils ont passé ensemble, Luke est reparti aux Etats-Unis reprendre le cours de sa vie, et peut-être même retrouver une autre femme. Alors que Moira tente de se persuader que tout est ainsi pour le mieux, son grand-père lui demande de l'accompagner à Chasepeake Shores, la petite ville de la côte Est des Etats-Unis où vit Luke. Moira n'hésite que quelques secondes avant d'accepter. Même si, dès lors, une question l'obsède : saura-t-elle convaincre Luke qu'il y a une place pour elle dans sa vie ?

Best-Sellers n°574 • historique
La maîtresse de l'Irlandais - Nicola Cornick

Londres, 1813.

Autrefois reine de la haute société londonienne, Charlotte Cummings a vu son existence voler en éclats lorsque son époux – las de ses frasques – a mis fin à leur mariage du jour au lendemain. Brusquement exclue des soirées mondaines, ruinée et endettée, Charlotte n'a eu d'autre choix que de renoncer à son honneur en vendant ses charmes chez la cruelle Mme Tong. Jusqu'à ce qu'un jour un troublant gentleman ne lui redonne espoir en lui proposant un pacte aussi tentant que surprenant. Si elle accepte de devenir sa maîtresse, elle retrouvera son statut de lady et les privilèges qui vont avec. D'abord hésitante, Charlotte finit par se soumettre à ce scandaleux marché, même si elle pressent que cet homme mystérieux lui cache quelque chose…

Best-Sellers n°575 • historique
Un secret aux Caraïbes - Shannon Drake

Mer des Caraïbes, 1716.

Roberta Cuthbert ne vit que pour se venger du cruel pirate qui a tué ses parents et anéanti le village de ses ancêtres, en Irlande. Pour cela, elle a tout abandonné, allant jusqu'à se faire passer pour un homme et entrer dans la piraterie, afin de parcourir les mers à la recherche de son ennemi. Pourtant, le jour où elle fait prisonnier le capitaine Logan Haggerty, elle comprend que son déguisement ne sera d'aucune protection contre les sentiments troublants que cet homme éveille en elle. Comment pourrait-elle maintenir son image de pirate impitoyable quand elle ne s'est jamais sentie aussi féminine que sous son regard doré ? Bouleversée, Roberta n'en est pas moins déterminée à ignorer la tentation, coûte que coûte. Jusqu'à ce que le capitaine la sauve de la noyade lors d'une violente tempête, et qu'ils ne s'échouent tous deux sur une île déserte…

Best-Sellers n°576 • érotique
L'éducation de Jane - Charlotte Featherstone

Jane le sait : lord Matthew peut être dur. Cassant. Impitoyable avec ceux qu'il pense faibles. Pourtant, lorsqu'elle l'a trouvé, affreusement blessé, dans l'hôpital où elle travaille, et qu'elle l'a veillé jour et nuit, c'est lui qui, les yeux protégés par un bandage, se trouvait à sa merci. Lui, l'homme à la réputation sulfureuse, qui la suppliait de le laisser toucher son visage, sa peau, ses lèvres, son corps tout entier, comme si ces gestes troublants avaient le pouvoir de le ramener à la vie. Alors aujourd'hui, même s'il a recouvré la vue et risque de la trouver laide, comparée à ses nombreuses maîtresses, même s'il est redevenu l'aristocrate arrogant dont les frasques libertines défrayent la chronique mondaine, Jane est décidée à se livrer à lui, corps et âme. Un choix insensé qui pourrait la détruire, mais devant lequel elle ne reculera pas. Car à l'instant où Matthew a posé les mains sur elle, elle a su qu'elle avait trouvé son maître…